Alfred Lau

Deutschland 1683 1983 United States of America

Univers-Verlag
Bielefeld

Herausgeber Editor	Alfred Lau
Management	Heide Ringhand Brigitte Chop Evelyne Kohl
Übersetzungen Translations	Susan Salms-Moss William Ken Lauder
Satz Type-setting	Ernst Meinecke, Groß Denkte Hanke + Pettke, Bielefeld
Reproduktionen Reproductions	Benno Heuser, Höxter
Papier Paper	Feldmühle Media print, 135 g/m²
Druck und Bindung Printing and binding	Richterdruck, Würzburg
ISBN	3-920028-52-X

Besonderer Dank gilt folgenden Institutionen, Firmen und Privatpersonen für die Bereitstellung von Bildmaterial:

A special vote of thanks is due to the following Institutions, Companies and private individuals for having provided the photomaterial:

Auswärtiges Amt, Bonn – Ballarin, Heidelberg – dpa – Frankfurter Wertpapierbörse
German-American Chamber of Commerce – Kresin, Heidelberg – New Yorker Börse
Schreiber, Düsseldorf – Ullstein-Bilderdienst – US-Information Service – Winterer, Heidelberg
– Westermann Werkarchiv – Herbert C. Wittka

Der Galerie Monika Beck in Homburg-Schwarzenacker danken wir für Leihgaben und Mitarbeit

We would also like to thank the Monika Beck Gallery, in Homburg-Schwarzenacker for various contributions and cooperation

Inhalt

Contents

Alfred Lau

Der skeptischen Jugend gewidmet
A Dedication to Sceptical Youth

300 Jahre können eine lange wie auch eine kurze Zeit sein. Deutlich wird man sich dessen bewußt, wenn wir das 300-jährige Jubiläum der ersten Einwanderung deutscher Siedler in die Vereinigten Staaten feiern, wenn man sich diesseits und jenseits des Ozeans dieses historischen Ereignisses erinnert. Denn drei Jahrhunderte sind in der Völkergeschichte Europas keine so außerordentlich bemerkenswerte Zeitspanne, nimmt man nur die Zahlen an sich. Sie stellen aber einen überaus bedeutsamen, ja fast die ganze amerikanische Geschichte füllenden Zeitraum dar, wenn man sie in die Historie der Neuen Welt stellt. Und noch etwas: 300 Jahre um die erste Jahrtausendwende moderner Zeitrechnung haben sicherlich den Charakter einer Stunde im Verhältnis zu einem ganzen Jahr, bezogen auf den nahen Beginn des dritten Jahrtausends. Der rasante, teilweise beängstigende Fortschritt in allen unseren Lebensbereichen führt zu dieser Feststellung.

Das ist der Hintergrund, vor dem man diese Tricentennial zunächst einmal sehen muß. Der Beginn deutscher Auswanderung in die USA war für die deutsche Nation, für das deutsche Volk zunächst von geringerer Bedeutung, wohl aber für Amerika fast der Anfang einer neuen Epoche, wie man nachfolgend wird lesen können. So scheint es nicht übertrieben, wenn einer der Autoren dieses Werkes, der ehrenwerte Arthur Burns, zeitweise Präsident des amerikanischen Bankensystems (Federal Reserve System), fragt: „Wo stünde Amerika heute, man darf sicher sagen, wo stünde die Welt heute ohne die gewaltigen Beiträge dieser deutschen Einwanderer?“

Und doch ist dieses Jubiläum auch ein Zeichen dafür, wie sich die Zeiten geändert haben, wie die Bedeutung der Nationen aus dem alten Europa gegenüber den mächtigen USA in den Hintergrund trat. Denn wenn die Deutschen dieses deutsch-amerikanische Bündnis dringend brauchen, nie vergessen dürfen, wie lebensnotwendig es für sie ist, und nicht zuletzt deshalb allen Grund zum Feiern haben, so weisen amerikanische Realisten auf ihre Sicht der Dinge hin: Für sie sind die guten Kontakte zur Bundesrepublik Deutschland eben nur Kontakte zu einer Nation. Denn die echte deutsch-amerikanische Partnerschaft kann sich auf keine lange Tradition stützen und hat sich praktisch erst in den letzten dreißig Jahren lang-

300 years can be seen both as a long time and a short one. One becomes acutely conscious of this when we celebrate the 300th anniversary of the arrival of the first German settlers in the United States and when one recalls this historic event on both sides of the ocean. Based on the history of the German nation, 300 years is not a remarkably long period of time – from a purely statistical standpoint that is. However they do represent a period of time which encompasses practically the entire American history, if set in the history of the new world. There is something else too: 300 years at the turn of the first millennium of modern chronology have, in all probability, the character of an hour as related to a whole year – based on the approaching start of the third millennium. The rapid, almost frightening progress in all of our spheres of life leads to this observation.

This is the background against which this Tricentennial has to be seen first of all. Initially the beginning of the German emigration to the U.S.A. had little significance both for the German nation and the German people however, for the United States of America, it was almost the beginning of a new epoch – as one will be able to read in the following. Thus it does not seem to be an exaggeration when one of the authors of this work, the honourable Arthur Burns, from time to time Chairman of the Board of Governors of the Federal Reserve System ask: “Where would Americas be today, one can assuredly say, where would the world be today without the tremendous contributions made by these German emigrants?“

And this anniversary is still an indication of how the times have changed, how the importance of the nations of old Europe merged into the background compared to the mighty United States of America. Then, when the German people are in urgent need of this German-American alliance they must never forget how important it is for them, and, thus have every good reason to celebrate, this is how American realists see things from their point of view: For them the good contacts to the Federal Republic of Germany are merely contacts to a nation which is in a similar situation to twenty or thirty other national and ethnic countries and groups who, at sometime or other, also allowed their emigrants to travel to the new world.

The genuine German-American partnership can not look back on a long tradition – it has slowly developed prac-

sam entwickelt. Was vorher war, wurde brutal durch zwei Weltkriege zertrampelt, die Amerikaner waren es – business hin, business her – die entscheidend dazu beitrugen, daß es auch in Deutschland wieder aufwärts ging. Aber die Kriege und deren Folgen sind es auch, die um die Freundschaft und Partnerschaft fürchten lassen. Denn dieses zarte Pflänzchen muß gehegt und gepflegt werden, und dazu bedarf es des Engagements der Jugend auf beiden Seiten.

Doch spricht man mit den jungen Leuten hüben wie drüben, verfolgt man die Medien und hört so manche neue Nachkriegs-Philosophie professioneller Nein-Sager, so kann man erhebliche Nüchternheit oder gar skeptische Distanz – gemessen an der offenen Freundschaft der 50er Jahre – nicht übersehen. Die Amerikaner und Deutschen, die zusammengelebt und zusammengearbeitet haben, fanden damals Verständnis und Wertschätzung füreinander. Auch die verantwortlichen Politiker wußten und erkannten schnell, wie man auf beiden Seiten des Atlantiks durch gemeinsame Werte und Überzeugungen miteinander verbunden war. Heute spiegeln schon allein die Schulbücher in beiden Ländern mehr Distanz als Sympathien füreinander wider. Hier Vietnam und Rassenfragen, dort Holocaust und das unselige Dritte Reich – da wird Ablehnung bekräftigt und anstelle der persönlichen Begegnung, der direkten Kontakte werden die Vorurteile gepflegt. Hier wundert man sich über soziale Unausgewogenheit und fehlende Aufgeschlossenheit für alle Geschehnisse, die außerhalb des amerikanischen Kontinents passieren. Dort ist man vor allem beunruhigt über die in Deutschland vielfach fehlende Wertschätzung des Lebens in einer westlichen Demokratie.

Daher widme ich als Herausgeber dieses Buch auch insbesondere der Jugend beider Nationen, auf daß sie sowohl im historischen Rückblick wie in der Momentaufnahme der Beziehungen zwischen den USA und der Bundesrepublik Deutschland erkennen mag, wo die beiderseitigen Interessen liegen, wie schnell Harmonie in Chaos verwandelt werden kann, wenn Gefühle die Vernunft verdrängen.

So ist das Tricentennial sicher ein Grund zum Feiern, sollte aber auch Anlaß zum Nachdenken sein.

tically during the last thirty years. That which existed before was brutally trampled underfoot by two world wars – putting business to one side, it was the Americans who played the decisive role in seeing that Germany too regained her prosperity. However it is wars and their aftermaths which threaten to destroy flowering friendships and partnerships. These sensitive, tender roots have to be nourished and cared for, and this calls for the engagement of youth and the postwar generations on both sides of the ocean.

However, if one talks with the young people "over here and over there", and follows the media as well as listening to some of the new post-war philosophy of the professional "no men", then one can not overlook considerable sobriety or even sceptical isolation as compared to the openhearted friendship of the 1950's. The American and German people who lived and worked together at that time had a wealth of understanding and appreciation for each other. Even the responsible politicians were quick to know and realize just how closely the ties on both sides of the Atlantic were due to common values and convictions. Today the school books alone again reflect more isolation than understanding. Here Vietnam and racial problems, there Holocaust and the ignominious Third Reich – here it is the rejection which is being cultivated and prejudgement is being nurtured instead of fostering personal encounters and direct contacts. Here one is astonished over the social imbalance and lack of openmindedness for all the happenings which take place outside the American continent, there one is predominantly uneasy about the lack of appreciation, which is omnipresent in Germany, of life in a western democracy.

Thus, as editor, I dedicate this book particularly to the youth of both nations in the hope that they may recognize the relationships between the United States of America and the Federal Republic of Germany, both from a historical and an instantaneous aspect, where the interests of both partners lie, how very quickly harmony can turn into chaos when feelings run higher than reason.

Thus the Tricentennial is something well worth celebrating – however it should also be the reason for a great deal of reflection.

George P. Shultz

300 Jahre – ein Grund zum Feiern
300 Years – a Reason to Celebrate

eit 300 Jahren spielen deutsche Einwanderer, die in Amerika eine neue Heimat und neue Lebenschancen fanden, eine geschichtlich bemerkenswerte Rolle bei der Entfaltung und Pflege all der menschlichen Werte, die zur Grundlage unserer Gesellschaft gehören. Die ersten dreizehn Mennoniten- und Quäkerfamilien, die im Jahr 1683 aus Krefeld nach Amerika kamen, waren auf der Suche nach der Verwirklichung einer Idee, die zu jener Zeit recht neu war – daß jedermann das Recht haben sollte, Gott seinem eigenen Gewissen nach zu dienen. Ein Jahrhundert später ging ein deutscher Einwanderer und Publizist namens John Peter Zenger für das Grundrecht der Pressefreiheit ins Gefängnis.

Diese beiden grundlegenden Menschenrechte wurden Bestandteil der Verfassung der Vereinigten Staaten.
Der preußische General Friedrich Wilhelm von Steuben war von dem Eintreten der amerikanischen Siedler für Freiheit und Menschenrechte so angetan, daß er seine eigene Position, ja, sogar sein Leben riskierte, um beim Aufbau der amerikanischen Armee zu helfen, die in einem erfolgreichen Kampf schließlich die amerikanische Unabhängigkeit errang.

Im 19. und 20. Jahrhundert bereicherten Tausende von deutschen Einwanderern alle Bereiche des amerikanischen Lebens. Die Liste jener, die es zu Berühmtheit brachten, ist lang und enthält Namen wie den des Soldaten, Politikers und Sozialreformers Carl Schurz, des Künstlers Josef Albers, des Architekten Walter Gropius und des Komponisten Arnold Schönberg – um nur einige wenige zu nennen. Aber es gab jene Tausende Namenloser, deren große Leistung darin bestand, ihre Kraft und ihr kulturelles Erbe ihrem neuen Heimatland zur Verfügung zu stellen.

Das Gedenkjahr 1983 gibt uns die vortreffliche Gelegenheit, uns an diese engen geschichtlichen und kulturellen Bindungen zu erinnern, bilden sie doch eine solide und dauerhafte Grundlage, auf der die deutsch-amerikanischen Beziehungen aufbauen.

For three hundred years, as German immigrants established new homes and found new opportunities in America, they played a historic part in developing and nurturing the human values which lie at the foundation of our society. The first thirteen Mennonite and Quaker families who came to America from the Rhineland town of Krefeld in 1683 sought the fulfillment of an idea, which was rather new at the time, that every man should have the right to worship God according to his own conscience. In the next century, a German immigrant and publisher named John Peter Zenger went to jail for the sake of the principle of a free press.

Those two fundamental human rights became part of the United States constitution.

The Prussian General Friedrich Wilhelm von Steuben was so moved by the dedication of the American colonists to individual freedom and the fundamental rights of man that he risked his own position and even his life to help build the American army which struggled successfully to win American independence.

During the nineteenth and twentieth centuries, thousands of immigrants from Germany enriched all spheres of American life. The list of those who became famous is long and includes such names as soldier, politician, and social reformer Carl Schurz; artist Josef Albers; architect Walter Gropius; and composer Arnold Schoenberg, to name just a handful. But there were nameless thousands more whose great distinction was to contribute their energies and their cultural heritage to their adopted country.

The Tricentennial year 1983 is an excellent occasion for us to be reminded of these close historical and cultural ties. They form a strong and permanent base upon which German-American relations have been built. Our task now is to make a new generation of Germans and Americans aware of these ties and their significance for our peace, freedom, and fulfillment of personal potential. I commend this book to this new generation, in the hope that they may strengthen further the German-American partnership.

Der Außenminister der Vereinigten Staaten von Amerika, George P. Shultz

The Foreign Minister of the United States of America, George P. Shultz

Unsere Aufgabe ist es jetzt, dafür zu sorgen, daß sich eine neue Generation von Deutschen und Amerikanern dieser Bindungen sowie deren Bedeutung für Frieden, Freiheit und Erfüllung menschlichen Strebens bewußt bleibt.

Ich empfehle dieser neuen Generation das vorliegende Buch in der Hoffnung, daß es zu einer weiteren Stärkung der deutsch-amerikanischen Partnerschaft beiträgt.

George P. Shultz

Hans-Dietrich Genscher

Eine feste und solide Freundschaft
A Permanent and Lasting Friendship

Am 6. Oktober 1983 jährt sich zum dreihundertsten Mal der Tag, seit das erste Schiff mit deutschen Einwanderern an der Küste Nordamerikas landete. Dieser Tag markiert den Beginn fruchtbarer Beziehungen zwischen Deutschen und Amerikanern, die im Laufe der vergangenen Jahrhunderte zu einer engen und fest gegründeten Freundschaft gewachsen sind. Diese Freundschaft ist gegründet auf unser gemeinsames Bekenntnis zur Freiheit und zur Würde des Menschen und auf die gemeinsame Entschlossenheit, diese Grundwerte unserer Existenz zu sichern. Sie drückt sich aus in millionenfachen menschlichen Bindungen zwischen unseren Völkern.

Mit der Gründung von Germantown im heutigen Bundesstaat Pennsylvania haben 1683 dreizehn Krefelder Auswandererfamilien einen deutschen Grundstein gelegt zum Aufbau der großen amerikanischen Nation. Ihrem Beispiel sind seither über 7 Millionen weitere Auswanderer aus Deutschland gefolgt. Um ihren Beitrag zum Aufbau und zur Entwicklung der Vereinigten Staaten zu würdigen, hat der Präsident der Vereinigten Staaten das Jahr 1983 zum nationalen Gedenkjahr erklärt. Heute weiß etwa ein Viertel aller Amerikaner von mindestens einem Deutschen unter seinen Vorfahren: Rund sechzig Millionen Amerikaner sind deutscher Abstammung – das sind genauso viele Menschen, wie heute in der Bundesrepublik Deutschland leben. Es war die Hoffnung auf religiöse und politische Freiheit, aber es war oft auch wirtschaftliche Not, die die deutschen Einwanderer in Nordamerika eine neue Heimat suchen ließ.

Die Anziehungskraft der freiheitlichen amerikanischen Verfassungsordnung und die tiefe geschichtliche und verwandtschaftliche Verwurzelung der deutsch-amerikanischen Beziehungen erwiesen sich erneut in der Zeit nach dem Zweiten Weltkrieg, als die Vereinigten Staaten bei der Entstehung unseres eigenen Staates Hilfe leisteten, beim wirtschaftlichen Wiederaufbau im Rahmen des Marshall-Plans, wie beim Schutz unserer Freiheit gegen kommunistische Bedrohung. Die Berliner Luftbrücke ist dafür ein unvergessenes Symbol.

Ohne diese Unterstützung wäre die eindrucksvolle Entwicklung der Bundesrepublik Deutschland, auf die wir mit Genugtuung zurückblicken können, nicht möglich gewesen. Ohne die Partnerschaft mit den Vereinigten Staaten von Amerika wäre die Bundesrepublik Deutschland nicht

6 October 1983 marks the Tricentennial of the arrival at the North American coast of the first ship with German immigrants on board. That event ushered in a fruitful relationship between Germans and Americans, which has evolved into a close and firm friendship over the centuries. This friendship is founded on our common commitment to freedom and human dignity and on our shared determination to safeguard these fundamental values of our existence. It is reflected in the millions of personal ties between our peoples.

In establishing the settlement of Germantown in 1683 in what is today the State of Pennsylvania, 13 families from Krefeld laid a German foundation stone as it were for the development of the great American nation. Over seven million other German immigrants have since followed their example. The President of the United States declared 1983 a national year of commemoration as a tribute to their contribution towards building up and developing the United States. Today a quarter of all Americans claim to have at least one German ancestor: In other words, about 60 million Americans are of German descent – this corresponds exactly to the present population of the Federal Republic of Germany.

It was the hope of religious and political freedom but in many cases also the burden of economic hardship that prompted Germans to emigrate and seek a new home in North America. The attraction of the liberal American constitution and the deeply rooted historical ties and kinship between Germans and Americans were again manifest in the period after the Second World War, when the United States helped us to build up our own State, to achieve economic recovery with the aid of the Marshall plan and to defend our freedom against the threat of communism. The Berlin Airlift is an unforgettable symbol of this. Without this support the impressive development of the Federal Republic of Germany, which we can look back on with satisfaction, would not have been possible. Without partnership with the United States of America the Federal Republic of Germany would not have become what it is today – a sound and free democracy as well as an important industrialized State.

It is now essential to afford the young generation on both sides of the Atlantic, who did not share the unifying

Der Außenminister der Bundesrepublik Deutschland, Hans-Dietrich Genscher

The Foreign Minister of the Federal Republic of Germany, Hans-Dietrich Genscher

das geworden, was sie ist, nämlich eine gefestigte und freie Demokratie und ein bedeutender Industriestaat.

Heute kommt es darauf an, der jungen Generation auf beiden Seiten des Atlantiks, die das verbindende Erlebnis der Neubelebung der deutsch-amerikanischen Freundschaft nach dem Zweiten Weltkrieg nicht mehr selbst erfahren hat, Wege für mehr eigene persönliche Begegnungen und einen stärkeren Austausch von Informationen zu öffnen. Die 300-Jahrfeiern und dieses Buch leisten dazu einen wertvollen Beitrag.

experience of the revival of German-American friendship after the Second World War, opportunities for increased contacts with one another anda greater exchange of information. The Tricentennial celebrations and this book render a valuable contribution to this goal.

Günther Bouché

Ereignisse – die Geschichte machten
Events – which made History

Im Herbst 1983 jährt sich zum dreihundertsten Male der Tag, an dem 13 Mennonitenfamilien aus Krefeld mit dem englischen Schiff „Concord" den Hafen von Philadelphia erreichten. Obwohl es zuvor schon eine Reihe von Deutschen gegeben hatte, die aus ganz unterschiedlichen Gründen nach Nordamerika kamen, so kann doch die Überfahrt der Krefelder Familien als Beginn einer Zuwanderung angesehen werden, die für die im Werden begriffene amerikanische Nation von großer Bedeutung war.

So ist dieses Datum gewiß ein Anlaß, um 300 Jahre deutsch-amerikanischer Beziehungen unter Berücksichtigung der vielen Millionen Einwanderer deutscher Sprache darzustellen.

Frei von möglicherweise falsch verstandenem Nationalstolz wollen wir auf den folgenden Seiten die fruchtbaren Wechselbeziehungen zwischen Amerikanern und deutschen Einwanderern in Amerika aufzeichnen, wohlwissend, daß vieles vereinfacht erzählt oder nur in großen Umrissen dargestellt werden konnte.

Während für das 18. und 19. Jahrhundert überwiegend Abenteurer, Pioniere und Unternehmer im Vordergrund der Betrachtung stehen, berücksichtigen wir mit Ende des 19. Jahrhunderts stärker die politischen Beziehungen zwischen den innerlich gefestigten USA und dem neu gegründeten Deutschen Reich. Trotz zunehmend intensiver werdenden wirtschaftlichen und kulturellen Beziehungen jedoch treten die beiden Völker innerhalb eines Vierteljahrhunderts zu einem Kampf an, der das deutsche Volk in seine Schranken verweist, aus dem die USA als eine der beiden Weltmächte hervorgeht.

Aus den im folgenden gezeigten Einzelfakten und Entwicklungen kann der Schluß gezogen werden, daß beide Völker und Staaten immer dann ein Höchstmaß an Wohlstand, Freiheit und Fortschritt erreichen konnten, wenn sie gemeinsam und mit vereinten Kräften ihre wirtschaftlichen, politischen und kulturellen Ziele zu erreichen versuchten.

Deutsche in Nordamerika (17.–19. Jahrh.)

Die ersten Deutschen, deren Tätigkeit in Amerika Auswirkungen für die Zukunft hatte, kamen als Beauftragte der Niederländischen Ost- bzw. Westindischen Compagnie. Hendrík Christiansen aus Kleve am Niederrhein lief auf dem Rückweg von Westindien 1610 (oder 1611) die wegen

The autumn of 1983 marks the three hundredth anniversary of the day on which 13 Mennonite families from Krefeld reached the harbor of Philadelphia with the English ship "Concord". Although even before this a number of Germans had come to North America, for very varied reasons, the crossing of the families from Krefeld can be considered the beginning of a phase of immigration which was of great importance to the developing American nation.

This date is therefore certainly an occasion on which to portray 300 years of German-American relations to the reader, particularly in view of the many millions of German-speaking immigrants.

Free from national pride which might be wrongly interpreted, we shall attempt in the following pages to describe in brief outlines the productive interrelations between the German people and the original inhabitants, as well as between the immigrants and others in North America, with full knowledge that a great deal can be told only in a simplified manner or portrayed only in rough outlines.

Whereas predominantly adventure, pioneers, and entrepreneurs are at the center of our considerations for the 18th and 19th centuries, beginning with the end of the 19th

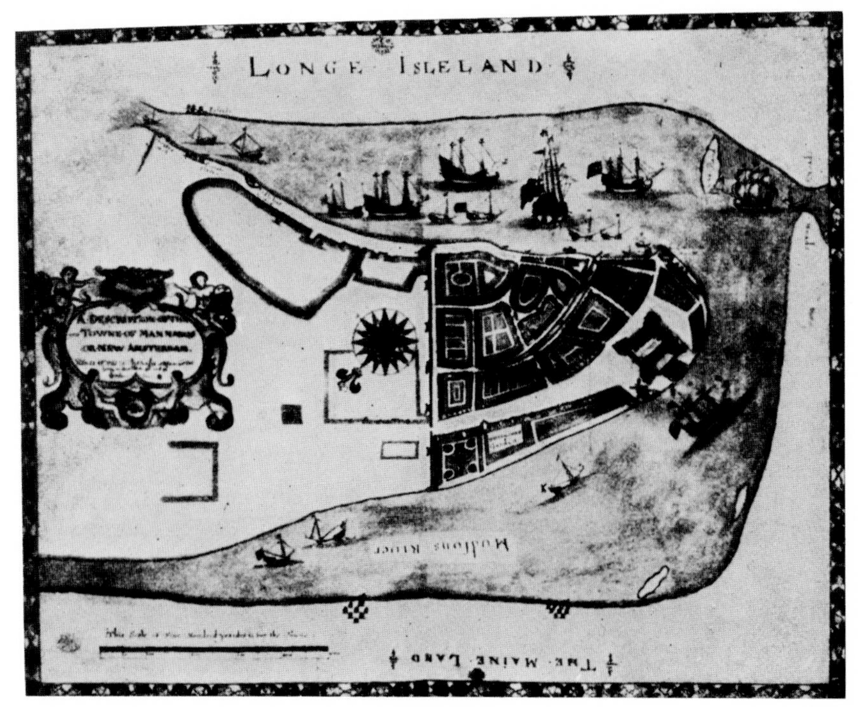

Die älteste Karte von New York, gezeichnet 1661

The oldest map of New York, drawn 1661

Blick über die Hudson-Mündung auf New York um 1840 (Lithographie von R. Havell)

A view over the mouth of the river Hudson, of New York about 1840 (lithograph by R. Havell)

ihrer Schönheit gerühmte Hudsonmündung an, um Stützpunkte für den Pelztierhandel zu suchen. Christiansen gründete das Fort Nassau an der Stelle, wo heute Albany liegt; ein Dutzend Händler verblieb dort als Besatzung. Nach insgesamt 11 Reisen zum Hudson fand er den Tod durch einen Indianer.

Die 1621 errichtete Westindische Compagnie gründete am Hudson die Provinz Neu-Holland. Der aus Wesel am Niederrhein stammende Peter Minuit (Minnewit) wurde der erste Generaldirektor dieser Provinz. Er kaufte den Indianern für Handwerkszeuge und Schmuck die Insel Manhattan ab und dokumentierte so die niederländischen Besitzerrechte gegenüber den Engländern. Auf der Südspitze Manhattans baute er ein Fort an der Stelle, die heute „Battery“ heißt. Minuit organisierte einen umfangreichen Pelzhandel mit den Indianern. Die leitenden Mitglieder der Gesellschaft erwarben große Reichtümer und vor allem Grundbesitz. Mit dieser Entwicklung nicht zufrieden, ging Minuit in Amerika in schwedische Dienste und kam später bei einem Orkan ums Leben.

Ebenfalls von der Niederländischen Westindischen Compagnie angeworben wurde der zwanzigjährige Jacob Leisler, der 1640 in Bockenheim bei Frankfurt geboren wurde. 1660 in Nieuwe Amsterdam angekommen, gelangte er drei Jahre später durch Heirat in die Schicht der dortigen

century, we take into account to a greater extent the political relations between the internally consolidated U.S.A. and the newly-founded German Empire. Despite increasingly intensive economic and cultural relations, the two nations and peoples enter two struggles within 25 years which put the German people in its place and make the American people and the U.S.A. into one of two world powers.

From the individual factors and developments to be portrayed, it can be concluded that the two peoples and nations were always able to achieve a maximum of prosperity, freedom, and progress, when they sought to achieve their economic, political, and cultural goals together and with combined efforts.

Germans in North America (17th-19th centuries)

The first Germans whose activities in America had an effect on the future came as agents of the Dutch East or West India Companies. Hendrik Christiansen from Kleve, on the Lower Rhine called at the mouth of the Hudson, famed for its beauty, on his way back from the West Indies in 1610 (or 1611), in order to look for bases for the fur trade. Christiansen founded Fort Nassau on the spot where Albany is now located; a dozen traders remained there as a garrison. After a total of 11 voyages to the Hudson, he was killed by an Indian.

Wohngebiete der indianischen Bevölkerung nach einer Ethnographischen Karte von 1854
unten rechts: Die Verbreitung der deutschen Einwanderer

Indian reservations according to an ethnological map of 1854
bottom right: the spread of German emigrants

Handelsherren. Er gehörte zu den sieben reichsten Kaufleuten, als die Engländer ein Jahr später diese Stadt als „New York" übernahmen. Wilhelm von Oranien (englischer König 1689–1702), ernannte ihn zum Vizegouverneur und organisierte die erfolgreiche Verteidigung gegen die angreifenden Franzosen. Als 1691 der vom König ernannte Gouverneur in New York ankam, wurde Leisler von den reichen Familien, mit denen er z. T. in Erbstreitigkeiten lag, des Umsturzes angeklagt und hingerichtet; seine Familie wurde 7 Jahre später rehabilitiert und entschädigt.

Bedeutende Impulse für die Besiedlung Nordamerikas gingen von einem Mann aus, der durch Charakter, Energie und Zielstrebigkeit das öffentliche Leben in Nordamerika weitgehend für fast ein Jahrhundert bestimmen sollte:

William Penn (1654–1718), Sohn eines verdienten englischen Admirals, wurde in seiner Jugend Quäker; er setzte sich während seines ganzen Lebens für religiöse Toleranz und politischen Liberalismus ein. König Karl II. schenkte Penn eine riesige Landfläche in der nordamerikanischen Wildnis als Ausgleich für eine größere Geldschuld und ließ das Land „Pennsylvania" nennen. Von religiösem Eifer, Besitzstreben und Pionier-Idealismus getrieben, suchte Penn nun auf Reisen durch Westeuropa Siedler für Pennsylvania.

Der aus Sommerhausen in Franken stammende Franz Daniel Pastorius, mit 25 Jahren Rechtsanwalt in Winzheim, wurde in Frankfurt am Main Agent der Frankfurter Landkompanie, einer pietistischen Gruppe, die sich in Pennsylvania an William Penns „heiligem Experiment" beteiligen wollte. Pastorius wurde Vorsitzender dieser pietistischen Gruppe und bereitete bei einem Besuch in Philadelphia (20. 8. 1683) mit William Penn die Besiedlung vor.

Zu dieser Zeit war eine Gruppe von Mennoniten, dreizehn Familien aus Krefeld, auf dem Wege über Rotterdam nach England, von wo sie an Bord des Schiffes „Concord" in 75 Tagen die Reise nach Amerika unternahm. Diese 34 Deutschen landeten am 6. Oktober 1683 in Philadelphia.

Bereits um 1690 waren aus den 34 Einwanderern 170 geworden. Die Siedler betrieben Flachsanbau und Schafszucht; dies war die Grundlage für ihre Webereimanufakturen. Dort wurde auch die erste Papiermühle auf amerikanischem Boden entwickelt. Die Niederlassung erhielt den Na-

India Company, established in 1621, founded the province of New Netherland. Peter Minuit (Minnewit), who hailed from Wesel on the Lower Rhine, became the first Governor of this province. He bought the Island of Manhattan from the Indians for tools and jewelry and thereby documented to the English the Netherlands' right of possession. On the southern tip of Manhattan, he constructed a fort on the spot which is now called the "Battery". Minuit organized an extensive fur trade with the Indians. The managing members of the company acquired great wealth and, especially, property. Not happy with this turn of events, Minuit entered Swedish service in America and later died in a hurricane.

Der aus Sommerhausen/Franken stammende Franz Daniel Pastorius wurde zum Führer pietistischer Einwanderer in den USA

Franz Daniel Pastorius, who came from Sommerhausen/Franconia became the leader of the pietistic emigrants in the U.S.A.

William Penn (1654–1718), Gründer des Staates Pennsylvania

William Penn (1654–1718), the founder of the State of Pennsylvania

men Germantown. Sie war Mittelpunkt der deutschen Siedlungen in Pennsylvania und Pastorius wurde 1685 der erste Bürgermeister – er war ebenso geistiger Führer als auch Lehrer und Anwalt. Er pflegte zeitlebens die Freundschaft mit William Penn, dessen Idealen er nachstrebte. – Heute ist Germantown ein Vorort von Philadelphia. Zahlreiche Mitglieder der Frankfurter Landkompanie kehrten übrigens später wieder nach Deutschland zurück.

Neben den religiösen Gruppen der Quäker, Presbyterianer, Lutheraner, Reformierten und Mennoniten gab es auch eine Gruppe der Heernhuter Brüdergemeinde, die in Deutschland von August Hermann Franke und Ludwig von Zinzendorf gegründet bzw. geführt worden sind. Der erste von ihnen, Georg Böhnisch, kam 1734 nach Pennsylvania und gründete die Stadt Bethlehem, die heute als „Steelcity“ bekannt ist.

The twenty-year-old Jacob Leisler, born in 1640 in Bockenheim near Frankfurt, was also hired by the Dutch West India Company. He arrived in New Amsterdam in 1660 and three years later, through marriage, had become part of the local merchant class. One year later, when the English took this city over as "New York", he was one of its seven wealthiest businessmen. He was named Lieutenant Governor by William of Orange (English king, 1689) and organized the successful defense against the attacking French. In 1691, when the Governor named by the King arrived in New York, Leisler was accused of subversion by the wealthy families, with whom he was at the time engaged in a dispute regarding an inheritance, and executed. His family was rehabilitated and compensated seven years later.

Significant impulses for the settling of North America came from a man who, by way of his character, energy, and purposefulness, was to have a far-reaching effect on public life in North America for almost a century:

William Penn (1654–1718), son of a meritorious English admiral, became a Quaker in his youth. His whole life long, he championed religious tolerance and political liberalism. King Charles II granted Penn a huge piece of land in the North American wilderness as compensation for a large debt of money and named the land "Pennsylvania". Penn, driven by religious ardor, desire for property, and pioneering idealism, traveled through Western Europe looking for settlers for Pennsylvania.

Franz Daniel Pastorius, from Sommerhausen in Franconia, at 25 an attorney in Winzheim, became an agent in Frankfurt on Main for the Frankfurter Landkompanie, a pietistical group which wanted to participate in William Penn's "holy experiment" in Pennsylvania. Pastorius became the head of this pietistical group and prepared for colonization with William Penn during a visit in Philadelphia (August 20, 1683).

At this time, a group of Mennonites, thirteen families from Krefeld, were on their way via Rotterdam to England, where they undertook the trip to America in 75 days on board the ship "Concord". These 35 Germans landed in Philadelphia on October 6, 1983.

By 1690, these 35 immigrants had increased to 170. The settlers cultivated flax and raised sheep. This provided the basis for their weaving manufactory. Here, too, the first

Im Unterschied zu diesen Einzelgruppen setzte zu Anfang des 18. Jahrhunderts von der Pfalz ausgehend der erste Massenausbruch nach Nordamerika ein. Die gegenreformatorischen Bestrebungen des Kurfürsten zwangen 13.000 Pfälzer zur Auswanderung nach England; von ihnen kam mehr als die Hälfte nach Nordamerika. Neben ihrem Glauben brachten sie vor allen Dingen Nüchternheit, Gemeinschaftssinn und einen ausgeprägten Selbstbehauptungswillen mit. Die deutschen Einwanderer siedelten sich entlang der Grenze („Frontier") an, und gegen Ende des 18. Jahrhunderts gab es eine fast ununterbrochene Reihe von deutschen Grenzsiedlungen vom Mohawk-Tal in New York bis nach Savannah in Georgia.

Zu dieser Zeit beispielsweise war die gesamte Bevölkerung von Pennsylvania zur Hälfte deutschsprachig. Das Bemühen, die deutsche Sprache zu erhalten und zu pflegen, wurde durch deutsche Druckereien, wie etwa die von Christoph Saur in Germantown und durch die Herausgabe von Almanachen, Kalendern, Büchern und Zeitschriften betrieben. Das erste deutschsprachige Buch wurde 1730 herausgebracht und die erste deutschsprachige Zeitung war die „Philadelphische Zeitung", herausgegeben von Benjamin Franklin und in romanischer Schrifttype gedruckt. Die meisten Zeitungen, wie etwa der „Pennsylvanische Staatsbote" oder die „New Yorker Staatszeitung und Herold" erschienen im Fraktursatz. Die erste deutschsprachige Bibel in lutherischer Übertragung erschien 1743 bei Christoph Saur in Germantown.

Im Zusammenhang mit der Vertreibung der Salzburger Emigranten (1731) kam auch eine Gruppe von 42 Familien über Süddeutschland nach London und 1733 nach Charleston.

Eine bedeutende Rolle in den Beziehungen zwischen den britischen Kolonien in Nordamerika und Westeuropa spielte Benjamin Franklin (1706–1790), der sich als Schriftsteller, Erfinder und Politiker hervorgetan hat. Er hatte bereits im sogenannten Albany-Plan von 1754 einen engen Zusammenschluß der amerikanischen Kolonien gefordert. Als Botschafter an den Höfen in Paris und London zwischen 1757–1785, hatte er sowohl anfangs zur Mäßigung der Auseinandersetzungen zwischen den Kolonien und Großbritannien als auch später zum Eingreifen Frankreichs auf Seiten

paper mill on American soil was developed. The settlement was named Germantown. It was the center of German settlements in Pennsylvania, and Pastorius became its first mayor in 1685. He was a teacher as well as a lawyer. Throughout his life, he maintained a friendship with William Penn, to whose ideals he aspired. Today Germantown is a suburb of Philadelphia. Many members of the Frankfurt Land Company, by the way, later returned to Germany.

In addition to the Quaker, Presbyterian, Lutheran, Reformed, and Mennonite religious groups, there was also a group belonging to the Moravian Church, which was founded and led by August Hermann Franke and Ludwig von Zinzendorf in Germany. The first member of this group, Georg Böhnisch, came to Pennsylvania in 1734 and founded the city of Bethlehem, which is today known as "Steel City".

As distinct from these individual groups, the first mass departure for North America began at the beginning of the 18th century from the Palatinate, when Counter-Reformation efforts on the part of the Prince Elector forced 13,000 inhabitants of the Palatinate to emigrate to England. More than half of them went to North America. In addition to their belief, they brought with them, above all, sobriety, a sense of community, and a pronounced will to assert themselves. The German immigrants settled along the frontier and, by the end of the 18th century, there was an almost continuous succession of German frontier settlements from the Mohawk Valley in New York down to Savannah, Georgia.

At this time, for example, half of the entire population of Pennsylvania spoke German. An effort was made to preserve and cultivate the German language through German printing establishments, such as that of Christoph Saur in Germantown, and through the publication of almanacs, calendars, books, and newspapers. The first German-language book was brought out in 1730, and the first German-language newspaper was the "Philadelphische Zeitung", published by Benjamin Franklin and printed in Roman type. Most of the newspapers, such as the "Pennsylvanischer Staatsbote", or the "New Yorker Staatszeitung und Herold" were printed in Gothic type. Christoph Saur's first German-language bible came out in 1743 in Germantown in Martin Luther's translation.

Benjamin Franklin (1706–1790), (Gemälde von Healy, Musée de Versailles)

Benjamin Franklin (1706–1790), (a painting by Healy, Museum of Versailles)

der Nordamerikaner beigetragen. Er besuchte auch Hannover und Göttingen und genoß bei den dortigen Wissenschaftlern besondere Achtung. Es kam zu einem regen Gedankenaustausch mit deutschen Hochschullehrern. Franklins Eintreten für Freiheit und Menschenwürde – die universale Lehre der Aufklärung – fand bei den deutschen Gelehrten große Resonanz. Nach verbreiteter Auffassung in Deutschland wurde der Freiheitskampf in Nordamerika ausgetragen „für etwas Edleres, als warum die Fürsten einander bekriegen, aus Ruhmsucht nicht, nicht aus Eroberungsgeist, sondern für die heiligsten Rechte der Menschheit, für Freiheit und Sicherheit des Eigentums" (M. C. Sprengel: Allgem. histor. Taschenbuch für 1784, Berlin 1783).

Indem die Amerikaner diese Ideale zur praktischen Grundlage ihres Staates erhoben, bewiesen sie den Europäern, daß die theoretischen Konzepte der Aufklärung in die Praxis umgesetzt werden konnten. Die direkten Auswir-

In connection with the expulsion of the Salzburg emigrants (1731), a group of 42 families also came via Southern Germany to London and, in 1733, to Charleston.

ignificant role in the relations between the British colonies in North America and Western Europe was played by Benjamin Franklin (1706–1790), who distinguished himself as an author, inventor, and politician. In the socalled Albany Plan of 1754, he had already called for a close federation of the American colonies. As ambassador to the courts of Paris and London between 1757 and 1785, he contributed initially to restraint in the conflicts between the colonies and Great Britain as well as, later, to France's intervention on the side of the North Americans. He also visited Hanover and Göttingen, and was highly esteemed by the scientists in those cities. An active exchange of ideas with German university teachers developed. Franklin's espousal of freedom and human dignity as the universal doctrines of the Enlightenment was very appealing to the German scholars. According to the idea propagated in Germany, the struggle for independence in North America was being fought "for a purpose more noble than the reasons princes make war with one another, not for glory, not for conquest, but for the most sacred rights of humanity, for liberty and protection of property" (M. C. Sprengel: Allgem. histor. Taschenbuch für 1784, Berlin 1783).

In that the Americans had made these ideals into the practical foundation of their nation, they proved to the Europeans that the theoretical concepts of the Enlightenment could be put into practice. The direct effects on the French revolution and the subsequent struggles for independence in Europe are well-known.

Friedrich Wilhelm von Steuben (1730–94), who had served in the army of Frederick the Great for 14 years, also came to North America with a letter of recommendation from Benjamin Franklin in his pocket, in order to help George Washington's army in its fight for independence.

In a letter to George Washington, von Steuben wrote that it will be "the purpose of my greatest zeal to dedicate all my strength to your country and to prove myself worthy of the honorary title of an American citizen by fighting for the purpose of freedom".

Steuben was appointed Inspector General of the Con-

Friedrich Wilhelm Augustus Ferdinand Baron von Steuben wurde zur Symbolfigur deutscher Einwanderer in den USA

Friedrich Wilhelm August Ferdinand Baron von Steuben, became the symbol figure for German wanderers in the U.S.A.

kungen auf die Französische Revolution und auf die folgenden Freiheitsbewegungen in Europa sind bekannt.

Mit einem Empfehlungsbrief Benjamin Franklins in der Tasche, kam auch Friedrich Wilhelm von Steuben (1730–1794), der 14 Jahre im Dienst der Armee Friedrichs der Großen gestanden hatte, nach Nordamerika, um in der Armee von George Washington einen Beitrag im Unabhängigkeitskampf zu leisten.

tinental Army by Washington. His task was that of disciplining the troops of American settlers and enabling them to fight successfully against the well-trained "redcoats". Proof of his knowledge of human nature is provided by a letter to a friend in Germany, in which he writes: "Above all, the character of this nation cannot be compared in the slightest with that of the Prussians, Austrians, or French. You command a soldier: Do that!, and he does it, but I must tell *my* people: This is the *reason* you must do the following; and *only then* will he obey the order".

Steuben is credited with modifying the troop regulations he had learned with the Prussian army to suit the needs and circumstances of the American Continental Army, thereby also taking into consideration the psychological situation of these fighters for liberty.

In the flatlands of Valley Forge, he trained the army in such a way that they were completely combat-ready and the number of deserters decreased rapidly. The duties of the officers and soldiers in the American army were summarized in the so-called "Regulations", which soon came to be called the "Blue Book". Steuben stood out especially during the siege of Yorktown, during which he was the only officer with experience in siege operations.

Another German officer, Johann von Kalb, who had made himself a baron and was the son of a Franconian farmer, had fought in the Seven Year's War and came to America with Joseph Marquis de Lafayette and offered his services to Washington. He was made major general, as was Steuben, and served Washington in the New Jersey and Maryland campaigns and finally died with severe wounds in battle with the English.

Germans made up a particularly large share of the mercenaries which the English crown had bought for the struggle to keep the American colonies. Almost 30,000 mercenaries, especially from Hesse and Braunschweig, were recruited and put into action against payment of approximately 7 million pounds sterling. Only about 17,000 of these later returned to their homeland. Half of the rest fell in battle, and the other half deserted the Union Jack. They settled in the new States. Frederick the Great, whom the English had also approached for assistance, said, "Even if the English crown were to give me millions – which it has –

In einem Brief an George Washington schrieb von Steuben, daß es „das Ziel meines größten Eifers sein (wird), Ihrem Lande alle meine Kräfte zu widmen und mich des Ehrentitels eines amerikanischen Bürgers würdig zu erweisen, indem ich für die Sache der Freiheit kämpfe". Steuben wurde von Washington zum Generalinspekteur der Kontinentalarmee ernannt und hatte die Aufgabe, die Truppen der amerikanischen Siedler zu disziplinieren und sie in die Lage zu versetzen, gegen die gut ausgebildeten „Rotröcke" erfolgreich zu kämpfen.

Als Ausweis seiner Menschenkenntnis gilt ein Brief an einen Freund in Deutschland, in dem es hieß: „Vor allem ist der Charakter dieser Nation nicht im geringsten mit dem der Preußen, der Österreicher oder Franzosen zu vergleichen. Du befiehlst einem Soldaten: Mach dies!, und er tut es, aber

I would not place two rows of soldiers at its disposal for the fight against the colonies."

This tragedy of the selling of soldiers was literarily reflected in Friedrich Schiller's "Intrigue and Love". But there were high-ranking German officers on the British side, too, such as General von Knyphausen and General Baron von Riedesel, who became famous through the publication of his wife's diary.

In 1786, by the way, Steuben had attempted to offer the governorship of the United States of Amerika to Prince Henry of Prussia, the brother of Frederick the Great. Prince Henry answered, "I can hardly believe that anyone can have the serious intention of altering the basic form of government which has now been established in the United States of America. If the entire nation should decide unanimously

Steuben in Valley Forge. Die Szene zeigt Friedrich Wilhelm von Steuben beim Exerzieren von sechs Rotten Soldaten im Winterlager von Valley Forge. Selbst mit einem Gewehr über der Schulter erklärt er seinen in zwei Gliedern gestaffelten Rekruten zwei im Manual vorgeschriebene Übungen. Während die hintere Reihe gerade die Kugel mit dem Ladestock in den Lauf stößt, exerziert die vordere das vorschriftsmäßige Niederknien.
(Fresko von Edwin Austin Abbey im State Capitol zu Harrisburg, Pennsylvania – Entwurf 1896)

Steuben in Valley Forge. The scence shows Friedrich Wilhelm von Steuben drilling six troops of soldiers in the winter quarters of Valley Forge. Carrying a rifle over his own shoulder, he is explaining to his two lines of recruits two of the exercises in the drill manual. Whereas the rear line is just packing the bullet into the barrel using the ramrod the front row is practicing kneeling down as per military regulations.
(Fresco by Edwin Austin Abbey in the State Capitol of Harrisburg, Pennsylvania – design 1896)

Soldaten, vom hessischen Kurfürst an England verkauft, wurden im amerikanischen Unabhängigkeitskrieg eingesetzt

Soldiers, sold by the Hessian Prince Elector to England, are sent into action in the American war of independence

durch das veröffentlichte Tagebuch seiner Frau bekannten General Baron von Riedesel.

Steuben hatte sich übrigens 1786 darum bemüht, dem Bruder Friedrichs des Großen, Prinz Heinrich, die Statthalterschaft der Vereinigten Staaten von Amerika anzutragen. Prinz Heinrich antwortete darauf: „Ich vermag kaum zu glauben, daß jemand ernstlich die Absicht hegen kann, die jetzt in den Vereinigten Staaten von Amerika etablierten Grundformen der Regierung zu ändern. Sollte aber die ganze Nation einmütig beschließen, andere Regierungsformen einzuführen und als Vorbild dafür die Verfassung Großbritanniens wählen, so würde ich sagen, daß mir diese

the "Missouri Rhineland". The Germans lived here largely isolated from the Anglo-American settlers, formed singing groups, carried out schuetzenfests (riflemen's festivals), founded gymnastics clubs, and cultivated German traditions such as their way of celebrating Christmas or Easter.

When the gold rush began at the end of the 40's numerous Germans, Austrians, and Swiss set out for California along with many immigrants, to join in the search for the gleaming metal. For many, this attempt had as little success as the effort to become established in Texas. Although places with German names, such as New Braunfels or Fredericksburg, still exist today, even the "Society for the Protec-

die vollkommenste aller Verfassungen zu sein scheint . . ." Prinz Heinrich lehnte schließlich dieses Angebot ab.

Die Beziehungen zwischen den Vereinigten Staaten und Preußen waren jedoch die ersten zwischenstaatlichen Beziehungen mit den Ländern des Deutschen Reiches: Der Freundschafts- und Handelsvertrag, über den seit 1784 verhandelt wurde, hatte grundsätzliche Bedeutung deshalb, weil er lange vor Inkrafttreten der Genfer Konventionen die Grundsätze über die Wahrung der Menschlichkeit in Kriegszeiten regelte. Durch diesen Vertrag sind elementare menschliche Grundrechte in das Völkerrecht eingegangen; die Vertragsprinzipien geben dem Gedanken unbedingter Fairneß und Partnerschaft zwischen beiden Seiten Ausdruck. Der Vertrag gewährt den Staatsangehörigen beider Länder sowohl Schutz von Leben und Eigentum als auch die Freiheit des Gewissens und der Religionsausübung.

Für Preußen ging es bei diesem Vertrag um die Belebung des Handels und den Ausbau der preußischen Seehäfen Emden und Stettin. Als Importwaren sah Preußen Virginia-Tabak, Reis, Indigo und Walfischtran vor, als Exportgüter wurden schlesisches Leinen, russischer Hanf, Berliner KPM-Porzellan (Königlich-Preußische Manufaktur), und preußische Industrieerzeugnisse wie Eisenwaren und Tuche angeboten. Bei der Verlängerung dieses Vertrages spielte John Quincy Adams, der Sohn des zweiten USA-Präsidenten John Adams, eine bedeutende Rolle. Er war der erste amerikanische Gesandte in Berlin.

Im Deutschen Reich führte das Aufkommen der Reaktion nach den Napoleonischen Kriegen, insbesondere die Verhängung der sogenannten „Karlsbader Beschlüsse" zu einer verstärkten Auswanderung in die Vereinigten Staaten. Demokratisches Engagement hatte Deutsche und Österreicher in ihrer Heimat mißliebig gemacht. In den 30er und 40er Jahren waren es vor allem Auswanderer, die aufgrund der beginnenden Industrialisierung bzw. der schwierigen Verhältnisse in der Landwirtschaft eine neue Heimat suchten. Nachdem 1829 Gottfried Duden in Deutschland sein Buch „Bericht über eine Reise nach den westlichen Staaten Nordamerikas" veröffentlicht hatte, zog ein großer Strom von Einwanderern durch das Missourital, vor allen Dingen nach Saint Louis. Um 1860 hatte die Stadt 185.000 Einwohner, davon fast 100.000 Einwanderer – zum großen

tion of German Immigrants in Texas", founded by Duke Adolf von Nassau, was not able to do much to help the often disappointed immigrants.

A champion for German unification, Friedrich List (1789–1846), lived in America during the years 1825–1830 as a farmer, then as the editor of a German weekly in the small city of Reading, Pennsylvania. An adherent of democratic administrative reform in Wuerttemberg, he was sentenced to confinement and only freed upon promising to emigrate. He discovered coal beds in Pennsylvania and, with the help of a small fortune he thus earned, brought about the construction of a railway on wooden rails. He acquired great renown through his journalistic support of the young American protective duty movement and returned to Germany as American consul in the hope of being able to find acceptance for his ideas there. He propagated his plans for the construction of a German railroad net and supported the founding of the German Zollverein (tariff union). In his well-known work, "The national system of political economy", he also dealt in detail with the economic situation in the United States. The founding of the German Zollverein (1834) led to an expansion of trade with the U.S.A., particularly via the sea harbors of Hamburg and Bremen.

The economic depression in the U.S.A. which began in 1837 brought about difficulties in payment transactions between the two economic sectors. A treaty (1844) with the member countries of the Zollverein was made in order to assist the U.S. balance of payments through exports. After the economic conditions of the U.S.A. rapidly improved in around 1846, the basis between the two market areas continued to be that of free trade.

Immigration from German-speaking Central Europe to the United States (see table) was marked in the middle of the 19th century by a numerically small group which, however, had a very significant effect: the Forty-Eighters. After the failure of the revolutions of 1848-9 in Berlin, Vienna, and the other German capitols, some 10,000 revolutionaries fled via Switzerland to Great Britain and from there to the U.S.A. Among these were the leaders of the Baden uprising, Friedrich Hecker and Gottfried Kinkel. The latter

Teil Deutsche. Man nannte die Siedlungen im Missouritale auch „Missouri-Rhineland". Die Deutschen lebten hier isoliert von den anglo-amerikanischen Siedlern, bildeten Sängervereine, führten Schützenfeste durch, gründeten Turnvereine und pflegten deutsche Traditionen wie z. B. die Art, das Weihnachts- oder Osterfest zu feiern.

Mit Einsetzen des Goldrausches Ende der 40er Jahre zogen mit vielen Einwanderern auch zahlreiche Deutsche, Österreicher und Schweizer nach Kalifornien, um sich an der Suche nach dem blitzenden Metall zu beteiligen. Für viele blieb diese Suche ebenso erfolglos wie das Bemühen, in Texas Fuß zu fassen. Zwar gibt es hier auch heute noch Orte mit deutschen Namen wie z. B. New Braunfels oder Frederiksburg, aber auch der vom Herzog Adolf von Nassau gegründete „Verein zum Schutze deutscher Einwanderer in Texas" konnte den oft Enttäuschten nicht wesentlich helfen.

Ein Vorkämpfer für die deutsche Einigung, Friedrich List (1789–1846), lebte von 1825–1830 in Amerika als Landwirt, dann als Redakteur einer deutschen Wochenschrift in dem Städtchen Reading in Pennsylvania. Als Anhänger einer demokratischen Verwaltungsreform in Württemberg war er zu Festungshaft verurteilt und nur gegen das Versprechen der Auswanderung freigelassen worden. Er entdeckte in Pennsylvania Steinkohlenlager, und mit Hilfe eines dadurch erworbenen kleinen Vermögens veranlaßte er den Bau einer Eisenbahn auf Holzschienen. Durch seine publizistische Unterstützung der jungen amerikanischen Schutzzollbewegung gewann er hohes Ansehen und kehrte als amerikanischer Konsul nach Deutschland zurück in der Hoffnung, seine Ideen hier durchsetzen zu können. Er propagierte seine Pläne für den Bau eines deutschen Eisenbahnnetzes und trat für die Gründung des Deutschen Zollvereins ein. In seinem berühmten Werk „Das nationale System der politischen Ökonomie" hat er sich auch ausführlich mit den wirtschaftlichen Verhältnissen in den Vereinigten Staaten befaßt. Die Gründung des Deutschen Zollvereins (1834) führte zu einer Ausweitung des Handels mit den USA, insbesondere über die beiden Seehäfen Hamburg und Bremen.

Die wirtschaftliche Depression in den USA seit 1837 brachte den Zahlungsverkehr zwischen beiden Wirtschafts-

Friedrich Hecker: Führer der Revolution von 1848 in Baden. Einer der „Fortyeighters", die nach der gescheiterten Revolution in die USA auswanderten

Friedrich Hecker: Leader of the revolution of 1848 in Baden. One of the "Fortyeighters" who emigrated to the U.S.A. after the failure of the revolution

was freed from the Prussian fortress of Spandau by his former pupil, Carl Schurz. The Forty-Eighters included the most varied political groupings of this epoch: There were Radical Republicans like Karl Heinzen, Gustav Struve, and Fritz Anneke, Communists August Willich and Wilhelm Weitling,

bereichen in Schwierigkeiten. Um der US-Zahlungsbilanz auf dem Wege über den Export wieder aufzuhelfen, kam (1844) ein Vertrag mit den Zollvereinsstaaten zustande. Nachdem sich um 1846 die wirtschaftlichen Verhältnisse der USA schnell gebessert hatten, blieb der Freihandel weiterhin die Basis zwischen beiden Wirtschaftsräumen.

Die Einwanderung aus dem deutschsprachigen Mitteleuropa in die Vereinigten Staaten war um die Mitte des 19. Jahrhunderts durch eine zwar zahlenmäßig kleine, aber in ihrer Wirkung bedeutende Gruppe gekennzeichnet: die Achtundvierziger (the Forty-Eighters). Nach dem Scheitern der Revolutionen von 1848/49 in Berlin, Wien und den anderen deutschen Landeshauptstädten flohen etwa 10.000 Revolutionäre über die Schweiz nach Großbritannien und von dort in die USA. Dazu gehörten u. a. die Führer des badischen Aufstandes Friedrich Hecker und Gottfried Kinkel; letzterer war von seinem früheren Schüler Carl Schurz aus der preußischen Festung Spandau befreit worden war. Die Achtundvierziger setzten sich aus den unterschiedlichsten politischen Gruppierungen dieser Epoche zusammen: Da waren die Radikal-Republikaner wie Karl Heinzen, Gustav Struve und Fritz Anneke, die Kommunisten August Willich und Wilhelm Weitling, ebenso liberale Militärs wie Franz Sigel und Peter Joseph Osterhaus. Sie alle blieben in den USA politisch tätig, verbreiteten Flugschriften, gaben Zeitschriften heraus und griffen zu den Waffen, als es im Sezessionskrieg galt, mit Präsident Lincoln für die Sache der Freiheit und gegen die Sklaverei zu kämpfen.

Die Achtundvierziger-Revolution in Deutschland hatte erheblichen Einfluß auf die Entwicklung der Auswanderung, insbesondere nach den USA. Hieraus resultierten einerseits die Auffassungen der Amerikaner über die politischen Verhältnisse in Deutschland, andererseits präzisierte sich das dortige Amerikabild durch Informationen, die die Auswanderer nach Deutschland gaben. Wichtig ist auch, daß die deutsche Auswanderung eine unmittelbare Entlastung des Arbeitsmarktes und damit teilweise auch eine Abschwächung der sozialen Frage im Reich bewirkte.

Carl Schurz (1829–1906), aus der Nähe von Köln gebürtig, war schon als 19jähriger Student dank seines großen rednerischen Talents ein Führer der revolutionären demokrati-

Vor dem Rathaus in Richmond erinnert ein Denkmal mit George Washington (an der Spitze) an alle aus Virginia stammenden US-Präsidenten

In front of Richmond Town Hall a monument of George Washington on horseback is a reminder of all the Presidents who came from Virginia.

Carl Schurz, „Fortyeighter“ und späterer US-Botschafter in Madrid

Carl Schurz, “Fortyeighter” and later U.S. Envoy in Madrid

schen Studentenbewegung in Bonn. Er beteiligte sich als Leutnant der Aufständischen Armee an der Badischen Revolution und entkam der drohenden Hinrichtung durch Flucht in die Schweiz. In London traf er die ebenfalls emigrierten Revolutionäre Mazzini (Italien) und Kossuth (Ungarn). Im Bewußtsein, demokratische Ideen im damaligen Deutschland nicht durchsetzen zu können, wanderte er 1852 in die USA aus, wo er sich in Philadelphia und Wisconsin politisch betätigte: Er wurde Mitglied der jungen Republikanischen Partei.

Carl Schurz setzte sich für die Sklaven-Emanzipation und für die Wahl Abraham Lincolns zum Präsidenten der USA ein. So wurde er von Lincoln vier Jahre nach seiner Ankunft zum US-Botschafter in Madrid bestellt. Da ihm das Tempo der Sklaven-Emanzipation nicht schnell genug war, meldete er sich von dort wieder in die USA zurück und beteiligte sich als fähiger Divisionsgeneral am Bürgerkrieg.

Präsident Johnson beauftragte ihn nach dem Kriege mit der Abfassung eines berühmt gewordenen Berichtes über die Nachkriegssituation in den Südstaaten. Als Wa-

as well as the liberal military, such as Franz Sigel and Peter Joseph Osterhaus. They all remained politically active in the U.S.A., distributed handbills, published periodicals, and took up arms to fight with President Lincoln for freedom and against slavery in the War of Secession.

The Revolution of Forty-Eight in Germany had a considerable effect on the development of emigration, particularly to the U.S.A. This resulted, on the one hand, in the ideas the Americans had regarding the political situation in Germany; on the other, a more precise picture of America was formed through the information which the emigrants passed back to Germany. It is also important to note that German emigrations provided a direct relief to the labor market and thus also implied in part a mitigation of the social question in the Reich.

Carl Schurz (1829–1906), born in the vicinity of Cologne, was, even as a 19-year-old student, a leader of the revolutionary democratic student movement in Bonn, thanks to his great oratory talent. He was a lieutenant in the rebel army in the Baden Revolution and escaped threatening execution by fleeing to Switzerland. In London, he met the revolutionaries Mazzini (Italy) and Kossuth (Hungary), who had also emigrated. Having recognized that it was futile to attempt to gain acceptance for democratic ideas in the Germany of that era, he emigrated to the U.S.A. in 1852, where he became politically active in Philadelphia and Wisconsin: He became a member of the young Republican party.

Carl Schurz advocated the emancipation of the slaves and the election of Abraham Lincoln as president of the U.S.A. Four years after his arrival, he was thus named U.S. ambassador to Madrid by Lincoln. As the emancipation of the slaves did not progress quickly enough for him, he reported back to the U.S.A. from Madrid and participated in the Civil War as a competent division general.

Following the war, President Johnson entrusted him with the writing of a since-famous report on the post-war situation in the southern states. As Washington correspondent of the “New York Tribune” and co-editor of the “Detroit Post”, he had in the meanwhile become the leader of the liberal wing of the Democratic Party. In 1869, he became Senator from Missouri. In this capacity, he championed the eradication of favoritism in office and of corrup-

shingtoner Korrespondent der „New York Tribune“ und Mitherausgeber der „Detroit Post“ war er inzwischen Führer des liberalen Flügels der Demokratischen Partei geworden, 1869 wurde er Senator für Missouri. In dieser Eigenschaft setzte er sich besonders für die Beseitigung der Ämterpatronage und der Korruption ein. Als Innenminister trat er für eine Reform des Beamtenwesens, für die gerechtere Behandlung der Indianer sowie für die Schaffung der Nationalparks in den USA ein. In den Jahren zwischen 1881 und 1898 war er führender Mitarbeiter der Zeitungen „New York Evening Post“, „The Nation“ und „Harper's Weekly“. Als Journalist trat er gegen den amerikanisch-spanischen Krieg auf und war in der Folgezeit – parteipolitisch nicht doktrinär festgelegt – hochgeachtet als „elder statesman“. Nicht unerwähnt bleiben sollte, daß seine Frau den ersten Kindergarten in den USA für ihre und die Nachbarkinder auf der Farm in Watertown (Wisconsin) gründete.

In der Geschichte der amerikanischen Arbeiter- und Gewerkschaftsbewegung haben die deutschen Einwanderer von Anfang an eine wichtige Rolle gespielt. Schon 1850 gründete der „Achtundvierziger“ Wilhelm Weitling zusammen mit Hermann Kriege die erste Gewerkschaftsorganisation „Bund der Arbeiter“ und veranstaltete den ersten Arbeiterkongreß in Philadelphia. In der Monatszeitschrift „The Workers Republic“ vertrat Weitling seine sozialutopischen Theorien. Joseph Weydemeyer war Exponent der marxistischen Klassenkampftheorien in den USA. Obwohl die Lage der Industriearbeiter im Zusammenhang mit der sich explosionsartig entwickelnden Großindustrie in den USA durchaus schwierig war, fanden diese extremen marxistischen Theorien keinen großen Widerhall.

In dieser Zeit bildeten sich vier große Gewerkschaften, von denen die Central Labor Union in besonderem Maße unter dem Einfluß der deutschen Einwanderer stand. 1897 wurde die „Social Democratic Party of America“ gegründet, u. a. von dem Sozialdemokraten Victor Berger, einem Führer der Central Labor Union. Modell für diese Organisation war die Sozialdemokratische Partei Deutschlands. Mit Hilfe der Union wurde bei der Wahl in Milwaukee 1910 Emil Seidel der erste sozialistische Bürgermeister in den USA.

Unter Mitwirkung des deutschstämmigen Senators Robert F. Wagner erließ Präsident Franklin D. Roosevelt

tion. As Secretary of the Interior, he advocated a civil service reform, more just treatment of the Indians, and the creation of national parks in the U.S.A. Between 1881 and 1898, he was a leading staff member of the "New York Evening Post", "The Nation", and "Harper's Weekly". As a journalist, he came out against the Spanish-American War and later on – not tied to a particular party in doctrine – was highly respected as an "elder statesman". One should not neglect to mention that his wife founded the first nursery school in the U.S.A. for her children and those of neighbors on the farm in Watertown, Wisconsin.

German immigrants played an important role in the history of the American labor and union movement from its very beginning. As early as 1850, "Forty-Eighter" Wilhelm Weitling founded the first union organization, the "Bund der Arbeiter", with Hermann Kriege and organized the first labor congress in Philadelphia. Weitling professed

Walter P. Reuther, deutsch-amerikanischer Gewerkschaftsführer in den fünfziger Jahren

Walter P. Reuther, German-American trade union boss in the 50's

(1935) den „Social Security Act“, ein Gesetz, das im Zusammenhang mit dem „New Deal“ soziale Sicherheit am Arbeitsplatz bewirken sollte. Um die Schlagkraft der amerikanischen Gewerkschaftsbewegung zu erhöhen, betrieb der Deutschamerikaner Walter P. Reuther den Zusammenschluß der beiden mächtigsten Gewerkschaftsorganisationen CIO und AFL im Dezember 1955. Walter P. Reuther hatte in der Zeit des Kalten Krieges und danach wesentlichen Anteil an der Abwehr kommunistischen Einflusses in den Gewerkschaften.

chwerpunkt der deutschen Einwanderung war zunächst Pennsylvania: Um die Mitte des 18. Jahrhunderts waren etwa 4/5 der dortigen Einwanderer Deutsche. So blieb die Frage, ob Deutsch oder Englisch die Amtssprache dieses Staates sein solle, längere Zeit in der Schwebe. Die Siedlungen der Einwanderer schoben sich immer weiter nach Westen und bildeten vom Susquehannah und Deleware eine lange Kette bis in die Alleghannies und darüber hinaus. Auch die angrenzenden Staaten New Jersey, Delaware, Maryland und Ohio wurden zügig besiedelt. Um 1840 lebten in New Jersey zu je einem Drittel Holländer, Engländer und Deutsche.

Über die Beziehungen zu den Indianern wird überwiegend Positives berichtet. Es fehlte nicht an zahlreichen Versuchen zur Christianisierung der Indianer, aber gerade für die aus religiösen Gründen Ausgewanderten war es eine oft bittere Erfahrung, in die Auseinandersetzungen der europäischen Kolonialmächte und in solche mit den Indianern hineingezogen zu werden. So berichtet ein Pfarrer aus dem Ort Libanon:

„Man nahm oft die Flinte mit zur Kirche, um sich unterwegs nicht nur gegen die wilden Thiere, sondern auch gegen die noch weit wilderen Indianer zu vertheidigen, und wenn man Gottesdienst hielt, wurden Männer mit geladenen Gewehren auf Wache ausgestellt.“

Um 1750 wurden die Siedlungen bis zum Ohio ausgedehnt, vereinzelt zog man auch nach Süden (Georgia und South Carolina), wo die Salzburger die Siedlungen Alt- und Neu-Ebenezer gründeten. Um 1776 kann man 250.000 Deutsche in Nordamerika als gesichert annehmen (nach Fr. Ratzel). Bis 1821 (dem Beginn der US-Einwanderungsstatistik) gibt es keine gesicherten Zahlen.

his social-utopian theories in the monthly periodical “The Workers’ Republic”. Joseph Weydemeyer was an advocate of the Marxist theories of class struggle in the U.S.A. Although the situation of industrial laborers was indeed difficult, in view of the explosively developing large-scale industry in the U.S.A., these extreme Marxist theories did not find a great response.

During this period, four major unions were formed, of which the Central Labor Union was particularly influenced by German immigrants. In 1897, the “Social Democratic Party of America” was founded by, among others, Social Democrat Victor Berger, a leader of the Central Labor Union. The model for this organization was the Social Democratic Party of Germany. During the elections in Milwaukee in 1910, with the help of the Union, Emil Seidel became the first Socialist mayor in the U.S.A.

With the assistance of Senator Robert F. Wagner, who was of German origins, President Franklin D. Roosevelt (1935) enacted the Social Security Act, a law which, together with the New Deal, was meant to provide social security in employment. In order to increase the power of the American labor union movement, German-American Walter Reuther organized the merging of the two most powerful union organizations, the CIO and the AFL, in December of 1955. Walter P. Reuther played a large part in resisting communist influences in the unions during and after the Cold War.

Initially, German immigration centered in Pennsylvania; in the middle of the 18th century, about 4/5 of the immigrants living there were Germans. For this reason, the question as to whether German or English should become the official language of this state remained undecided for a long time. The immigrant settlements pushed farther and farther to the west and formed a long chain reaching from the Susquehannah and Delaware to the Allegheníes and beyond. The neighboring states of New Jersey, Delaware, Maryland, and Ohio, were also rapidly settled. In around 1840, it was reported that New Jersey’s population consisted of Dutch, English, and Germans, one-third each.

Reports regarding relations with the Indians were predominantly positive. There was no lack of attempts to Christianize the Indians.

But it was often a bitter experience, particularly for those who had emigrated for religious reasons, to be drawn

Zwischen 1821 und 1884 sind 3.946.972 deutsche Einwanderer (Meyer's Lexikon, 1885) in die USA gekommen, zuzüglich ca. 300.000 Menschen aus Österreich-Ungarn und der deutschsprachigen Schweiz. Das Auf und Ab der Einwanderung war auch immer Ausdruck der jeweiligen wirtschaftlichen und politischen Verhältnisse in Mitteleuropa.

So folgte der Hungersnot von 1816/17 ein Auswanderungsschub von 20.000 Menschen. Bis 1830 flachte der Zustrom ab, um dann bis 1843 308.000 zu erreichen. In den folgenden 10 Jahren werden 1,2 Millionen Zuwanderer registriert, wobei eine gewisse Abwanderung nach Kanada und eine Rückwanderungsquote bis zu teilweise 30 % beachtet werden muß. Als Folge der fehlgeschlagenen Revolutionen in Europa steigt z. B. 1854 die Rate auf 127.694 an, um dann insbesondere während des Bürgerkrieges wieder stark abzufallen. In den achtziger Jahren erreichte die Auswanderer-Entwicklung ihren Höhepunkt. Von sämtlichen deutschen Auswanderern (1871/90) reisten allein 91,1 % in die

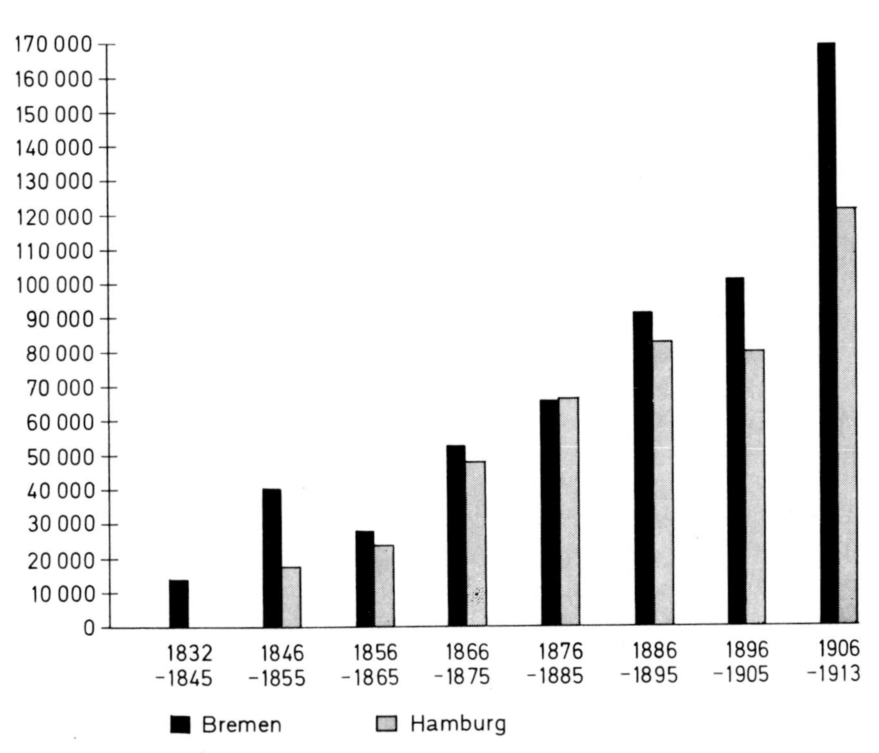

Jahresdurchschnitt der Auswandererzahlen in den beiden wichtigsten deutschen Häfen. Vor 1832 (für Hamburg vor 1845) lagen keine verläßlichen Werte vor

Yearly average of the number of emigrants in the most important German ports. Before 1832 (for Hamburg before 1845) there were no reliable statistics

into conflicts of the European colonial powers and with the Indians. A minister from the town of Lebanon thus reports:

"One often took a shotgun along to church, to defend oneself not only against the wild animals, but also against the yet much wilder Indians, and when services were held, men with loaded rifles were posted to stand guard."

By around 1750, the settlements had been extended as far as Ohio, here and there also toward the south (Georgia and South Carolina), where people from Salzburg founded the settlements of Old and New Ebenezer. In about 1776, one can assume that there were certainly 250,000 Germans in North America (according to F. Ratzel). Up to 1821 (the beginning of U.S. immigration statistics), there are no certain figures.

Between 1821 and 1884, 3,946,972 German immigrants (Meyer's Encyclopedia, 1885) came to the U.S.A., plus approximately 300,000 people from Austria-Hungary and German-speaking Switzerland. The rise and fall of immigration was always a reflection of the respective economic and political situation in Central Europe.

An emigration trust of 20,000 people thus followed the famine of 1816–17. The influx then leveled off until 1830, then reaching 308,000 by 1843. During the following 10 years, 1.2 million immigrants were registered, whereby a certain amount of migration to Canada and a return emigrant quota sometimes reaching 30 % must be noted. As a result of the miscarried revolutions in Europe, for example the figures rise to 127,694 in 1854, then falling off again sharply, especially during the Civil War. The further development reached its height in the 80's.

It should also be pointed out here that of all German emigrants (1871–90), 91.1 % of them left for the U.S.A. After the First World War, in 1923, emigration again reached a peak, with 115, 416.

Behind all these dry figures stand individual and group fates. It is rare that one hears about those that failed, ended up impoverished and in misery, or died. The crossing alone, for which most had to sacrifice all their possessions, took a death toll of 20 % at the beginning of the 1800's. This was particularly true for crossings with sailships.

Friedrich Gerstäcker reports in his notes on the departure of emigrants in Bremen and the conditions on the ship:

USA aus. Nach dem Ersten Weltkrieg erreichte die Auswanderung 1923 mit 115.416 noch einmal einen Höhepunkt.

Hinter all diesen nüchternen Zahlen stehen Einzel- und Gruppenschicksale: Nur selten wird von denen gesprochen, die gescheitert, verelendet und umgekommen sind. Allein die Überfahrt, für die meistens fast die ganze Habe geopfert werden mußte, forderte zu Anfang des vorigen Jahrhunderts 20 % an Opfern. Dies galt besonders für die Überfahrt mit Segelschiffen.

Friedrich Gerstäcker berichtet in seinen Aufzeichnungen von der Abfahrt der Auswanderer in Bremen und von den Zuständen auf dem Schiff:
„d. 16ten May.
Die Constitution! –
Ist ein schönes dreimastiges, eigentlich 2 1/2 Mastiges, da der Besanmast keine Querstangen hat, Schiff.
Das hier also nun bestimmt war, uns einem neuen Vaterlande entgegen zu führen! Es ist Paketboot, und Schnellsegler, sind also die besten Hoffnungen, daß, sowie der Wind ordentlich günstig wird wir bald und glücklich in Amerika landen können, Gott gebe es! – Nun aber ist meine Feder zu schwach Dir den Spektakel und die Verwirrung zu beschreiben, die jetzt an Bord der Constitution begann! . . .

. . . Nun will ich mir einmal Mühe geben Dir das Zwischendeck so genau wie nur irgend möglich zu beschreiben,

Auswanderer im Zwischendeck

Emigrants "between decks"

"May 16th.
The Constitution! –
is a beautiful three-masted, actually 2–1/2-masted ship, since the mizzenmast has no crossjack yards.

So this was what was destined to bring us to a new homeland! It is a mail ship and a clipper, so that there are the greatest hopes, if the wind is favorable, that we will soon and happily be able to land in America, God grant it! – Now, however, my quill is too weak to describe to you the spectacle and confusion which has now commenced on board the Constitution! . . .

. . . Now I should like to try my very best to describe the steerage deck to you as precisely as possible. Imagine a room approximately 11 paces long, 9 paces wide, 8 feet high, with sleeping places or berths on both sides, two nailed with boards above one another in each case, more or less like this: whereby 10 people lie in each berth, 5 on top and 5 below. Now imagine this space between the rows of berths paces wide, in the middle of which, however, the boxes and suitcases of the emigrants are stacked, these standing alongside the berths as well, and you will see that there is just enough room left so that a man can, with great care, just about climb up around the boxes! –

Now imagine, in poor weather, about 110 to 115 emigrants closed in in this room, imagine their perspiration, the laughing, romping, vomiting, lamenting, children crying, etc., etc., and you will then have a rather true picture of this

Übernahme der Passagiere eines verunglückten Auswandererdampfers

Distress at sea: Transferring passengers from an illfated emigrant ship

denke Dir einmal einen Raum von ungefähr 11 Schritt Länge 9 Schritt Breite, 8 Fuß hoch, an beiden Seiten mit den Schlafstellen oder Coyen versehn, von denen immer 2 von Brettern genagelt übereinander sind, wo in jeder Coye 10 Mann liegen, 5 oben und 5 unten, denke Dir nun diesen Raum zwischen den Reihen Coyen in der Breite von Schritten, in dessen Mitte aber noch die Kisten und Koffer der Auswanderer aufgestapelt sind, die aber auch noch an den Coyen entlang stehen, und Du wirst einsehen, daß gerade noch soviel Platz ist, daß man mit einiger Vorsicht rund um die Kisten ein Mann hoch gehn kann! –

Denke Dir nun in diesem Raum bei schlechter Witterung 100 und ungefähr 10 bis 15 Auswanderer eingeschlossen, denke Dir ihre Ausdünstung das Lachen, Toben, Übergeben, Lamentieren, Kinderschreien etc, etc, und Du wirst dann ein ziemlich treues Bild dieses Raumes haben! Glaube aber nicht etwa, meine liebe gute Mutter, daß ich mich etwa sehr unglücklich hier fühlte, im Gegenteil, ich als einzelner junger Mann kann mich hier in jede Lage sehr leicht und bequem finden, und es hat sogar dieses ungewohnte, unbequeme aber doch interessante Leben etwas Anziehendes für mich, das es aber auf die Länge der Zeit wohl wahrscheinlich verlieren wird, doch dann kommt ja aber die Gewohnheit wieder dazu, und so wird mir es schon gefallen, aber die armen Frauen beklage ich, die an ein angenehmeres Leben doch auf jeden Fall gewöhnt, jetzt Alles entbehren müssen, und wenn ich mit Familie jemals solche Reise unternehmen sollte, nie würde ich dann bei ei-

room! Do not think, however, my dear, good mother, that I feel very unhappy here. On the contrary, I as a single young man can adjust very easily and comfortably to any situation. Indeed, I find this unaccustomed, uncomfortable, but yet interesting life somehow attractive. Over the course of time, it will probably become less attractive, but then habit will take over, and so I will probably like it. But I do pity the poor women, who are in any case used to a more pleasant life. And if I should ever undertake such a journey with family, I would never travel in steerage in a ship full of emigrants! Yet you will hear much more detail about life here as this voyage continues! – Let us first get to open sea! – . . ."

The joy of arriving in New York compensated the immigrants, at least for a short while:

"When we now left the ship upon which we had spent 64 – days, when we took leave of the sailors, of the steersmen, we were almost unhappy about it, and even the sailors were sorry to see us go! . . . As we cast off the ship, we gave the old Constitution a thundering hurrah! and the sailors resoundingly returned it three times! –

Amazing that man can even become accustomed to that which was unpleasant to him. Here we now lay on the Quarantine Pier, without beds or food, without everything, for the night. But one has to make do, and I did not spend the worst night in the halls of the Q. P., although it was hard wood, and I was used to soft! – In the evening, we had ourselves rowed on land, drank some beer there, and once more buttered bread and cheese, and thereby restored our

Essens-Ausgabe für die Auswanderer

Meal time for the emigrants

Zwei Kabinen der Ersten Klasse auf einem Auswanderer-Schiff

Two of the first class cabins on an emigrant ship

nem Schiffe voller Auswanderer ins Zwischendeck gehn! Doch wirst das Leben hier, in Folge dieser Reise wohl noch genauer erfahren! Laß uns nur erst auf offener See sein!“

Die Freude der Ankunft in New York entschädigte die Einwanderer, mindestens für kurze Zeit:
„Wie wir nun so das Schiff verließen wo wir 64 Tage darauf zugebracht hatten, als wir von den Matrosen von den Steuerleuten Abschied nahmen. Es war uns beiden beinah wieder nicht recht und sogar die Matrosen nahmen ungern Abschied von uns! . . . Wie wir aber nun abstießen vom Schiff, brachten wir noch der alten Constitution ein donnerndes Hoch! und laut tönend wurde es dreimal von den Matrosen zurückgegeben! –

Daß sich doch auch der Mensch sogar an das gewöhnen kann was ihm unangenehm war. Wir lagen nun hier wieder auf dem Quarantainekai ohne Betten ohne Essen, ohne Alles die Nacht, man muß sich aber einrichten so gut es geht, und nicht die schlechteste Nacht habe ich auf den Dielen des Q. H. zugebracht, obgleich es hartes Holz war, und ich weiches gewöhnt war! –

Den Abend ließen wir uns ans Land rudern, tranken dort etwas Bier, und wieder einmal Butter Brod und Käse und restaurirten dadurch unsere Mägen in etwas. Ich hatte gedacht wir würden mit recht breitbeinigen Beinen auf dem Lande herumspatzieren, doch gings wie ein David, und als ich nur einmal wieder Grünes um mich sah, war ich auch schon so recht in der Seele vergnügt.

Es war das erstemal daß ich ein Dampfschiff bestiegen habe, und die ungeheuere Schnelligkeit machte mich erstaunen mit der es die Wellen durchschnitt, in einer kleinen halben Stunde legte es 2 deutsche Meilen zurück und wir kamen so 1/2 11 Uhr in der ungeheueren Stadt New York an, wir 5 hatten zusammen 2 Karren genommen, die unsere Sachen nach dem german boarding house Schwartz, führen sollten Pearl street 479 und wir bezahlten zusammen dafür 1 Dollar. Es sind das so Karrenführer, die mit einem einspännigen Karren zu tausenden in den Straßen liegen aber man muß sich furchtbar zusammennehmen und stets vorher die Ladung behandeln, sonst wird hier der dutchman, wie sie ihn nennen, furchtbar angeführt.

So sind wir denn nun in New York dem unermeßlichen Häusercoloss, sind in Amerika, der langersehnten neuen

stomachs somewhat. I had thought that we would walk on land rather straddlelegged, but it went like with David, and once I saw green about me again, I was again in great spirits. It was the first time that I had been on a steamship, and the incredible speed with which it cut through the waves amazed me. In just a half-hour, it covered 2 German miles, and so we arrived in the incredible city of New York at about 10:30. The five of us had taken 2 carts together, which were to bring our things to the German Boarding House Schwartz, Pearl Street 479, and we paid 1 dollar all together for that. There are thousands of these drivers with their one-horse carts in the streets, but one must be very much in control of oneself and always discuss the shipment beforehand, or else the Dutchman, as he is called here, is taken for quite a ride.

And so we are now in New York, the colossus of untold buildings, in America, the long-yearned-for new homeland. As to how things will go on from now on, the dear Lord will have to help a bit.“

tarting at the beginning of the 19th century, New York became the most important harbor for German immigration to the U.S.A. Similarly to Philadelphia (1764), here, too (1784), a “Deutsche Gesellschaft“ (German Society) was founded which was set up to provide assistance to immigrants, to procure housing and work, and to explain the laws, regulations, and customs of the host country. These organizations represented the rights of the immigrants toward government officials, took care of complaints, provided legal help, and set up offices for the poor. In New York, beginning in 1847, there was a state “Commissioner for Immigration”, who was responsible for immigration. In 1855, Castle Garden, at the southern tip of Manhattan, was set up as the landing place for immigrants. Later Ellis Island became the central gates through which all immigrants had to pass.

Around 1850, 56, 141 Germans lived in New York. The number tripled by 1870 and reached 324, 224, by the turn of the century. This figure, which did not include the first generation of immigrants and their descendents, gave the impression that the most Germans lived here, although the percentual share was always higher in Milwaukee. In the same way, New York was the first step into freedom for fugitives from Germany in our century who had to flee from the National Socialists for political and religious reasons.

Auswanderer im Registrierungssaal auf Ellis Island
(Holzstich nach einer Zeichnung von E. Thiel, 1895)

Emigrants in the registery room on Ellis Island
(wood cut from a drawing by E. Thiel, 1895)

Heimath. Wie es nun weiter werden soll, da muss der liebe Gott noch ein wenig mithelfen."

eit Anfang des 19. Jahrhunderts wurde New York der wichtigste Hafen für die deutsche Einwanderung in die USA. Ähnlich wie in Philadelphia (1764) wurde auch hier (1784) eine „Deutsche Gesellschaft" gegründet, die zur Hilfeleistung für Einwanderer, zur Vermittlung von Wohn- und Arbeitsplätzen und zur Aufklärung über Gesetze, Bestimmungen und Sitten des Gastlandes eingerichtet worden war. Diese Gesellschaften vertraten die Rechte der Einwanderer gegenüber den staatlichen Behörden, kümmerten sich um Beschwerden, gaben Rechtshilfe und richteten Praxen für die Armen ein. Seit 1847 gab es in New York den staatlichen „Commissioner for Immigration", der für das Einwanderungswesen zuständig

The scientists who came to the U.S.A. after 1945 and became known under the project name "Paper Clip", entered via New York, too, as did the "German Fräuleins", the fiancées and wives of members of the American forces in Germany.

The settlement area for German immigrants broadened along with the growth of New York. For the various states, the following figures (1880) were given per 10,000 inhabitants:

Wisconsin	1,400	Michigan	540
Minnesota	880	Iowa	540
Illinois	770	Ohio	510
New York	700	California	490
Nebraska	670	Missouri	490
New Jersey	570	Maryland	490.

war. Auf der Südspitze Manhattans wurde 1855 Castle Garden als Landeplatz für Einwanderer eingerichtet, später wurde Ellis Island das zentrale Tor, durch das sämtliche Einwanderer gehen mußten.

Um 1850 lebten in New York 56.141 Deutsche, deren Zahl sich um 1870 verdreifachte und um die Jahrhundertwende 324.224 erreichte. Diese Zahl, die die erste Einwanderer-Generation und deren Nachkommen nicht enthielt, führte zu dem Eindruck, daß hier die meisten Deutschen leben, obwohl in Milwaukee der prozentuale Anteil immer höher war. New York war eben der erste Schritt in die Freiheit für Flüchtlinge aus Deutschland in unserem Jahrhundert, die aus politischen und religiösen Gründen vor den Nationalsozialisten fliehen mußten.

Die Wissenschaftler, die nach 1945 in die USA kamen und unter der Aktionsbezeichnung „paperclip“ bekannt geworden sind, reisten ebenso über New York ein, wie die „German Fräuleins“, die Bräute und Ehefrauen von Angehörigen der amerikanischen Streitkräfte in Deutschland.

Mit dem Wachstum New Yorks weitete sich auch der Siedlungsraum der deutschen Einwanderer aus: Für die übrigen Staaten ergaben sich (1880) folgende Siedlerzahlen pro 10.000 Einwohner:

Wisconsin	1.400	Michigan	540
Minnesota	880	Iowa	540
Illinois	770	Ohio	510
New York	700	Kalifornien	490
Nebraska	670	Missouri	490
New Jersey	570	Maryland	490

Wie es bei der Landnahme und Ansiedlung im allgemeinen zuging, schildert Koch in einem für Amerikafahrer bestimmten Handbuch über die deutschen Niederlassungen am Saginaw-Fluß in Michigan:

Für die erste Anlage von Frankenlust war im Jahre 1848 ein Flächenraum von 6 bis 700 Acker angekauft worden, und am 4. Juli (dem großen Festtage Nord-Amerikas, an welchem die Unabhängigkeit der vereinigten Staaten proclamirt worden), zogen unter Leitung des Pastor Sievers sieben Colonisten aus Franken in Bayern heran und begannen das schwierige Werk der ersten Colonisirung. Bald folgten mehrere Franken nach und im ge-

How things generally ran during the taking possession of the land and settling is described by Koch in a handbook meant for people going to America, about the German settlements on the Saginaw River in Michigan:

"In Frankenlust in the year 1848, an area of 6 to 700 acres was initially bought, and on July 4th (North America's great holiday, on which the independence of the United States was proclaimed), under the leadership of Pastor Sie-

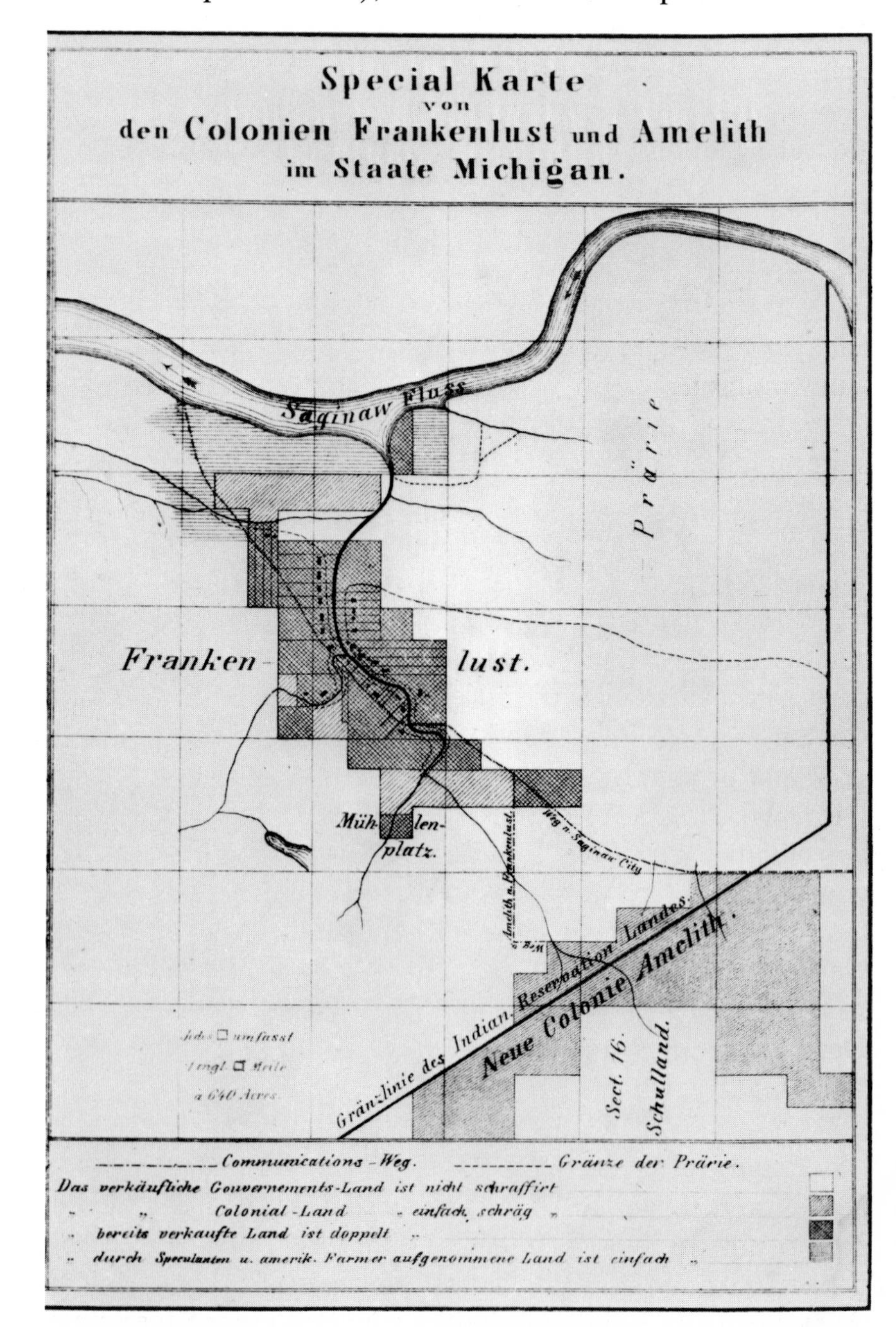

Karte der deutschen Siedlung „Frankenlust“ und „Amelith“

Map of the German settlements "Frankenlust" and "Amelith"

genwärtigen Jahre 1850 auch eine Anzahl Colonisten aus Norddeutschland, Hannoveraner und Braunschweiger, diesen wurde dann theils von den früher angekauften Ländereien überlassen, theils für sie neues Land erkauft. So ist denn jetzt schon die Colonie auf mehr als 30 selbstständige Haushaltungen angewachsen, hat außer 24 Wohnhäusern mehrere Scheuern und Ställe, hat bereits über 100 Acres Waldland geklärt und in Bestellung gehabt und besitzt an Vieh circa 150 Köpfe Kühe, Ochsen und Kälber und eine große Anzahl Schweine; außerdem Hühner, Tauben und dergl. kleinere Hausthiere. Die Häuser sind durchgängig oberhalb der Prärie auf Waldland erbaut, mehrentheils Blockhäuser, doch sind auch ein paar gute Främ- (Ständer-) Häuser errichtet, denen allmählich mehrere nachfolgen werden . . ."

Unternehmer, Erfinder und Forscher

Zu den eindrucksvollsten und sicher auch glückhaftesten Einwanderern, die zu Ruhm und Reichtum gelangten, gehörte Johann Jakob Astor, der aus Walldorf bei Heidelberg stammt. 1763 geboten, arbeitete er auf dem Hof der Eltern und erlernte das Fleischerhandwerk. Zusammen mit seinem Bruder Georg ging er 16jährig nach England und stellte dort Musikinstrumente her. 1783 reiste er nach New York, wo er mit seinem zweiten Bruder Henry in einer Metzgerei tätig war. Dann widmete er sich dem Pelztierhandel und gründete zahlreiche Handelsstationen, insbesondere im Nordwesten der USA. An der Mündung des Colombia-Flusses gründete er eine Niederlassung mit dem Namen „Astoria". Diese Siedlung wurde Mittelpunkt des Pelztierhandels im amerikanischen Westen. Als, insbesondere nach dem Krieg von 1812, der Pelztierhandel seinen Höhepunkt überschritten hatte, widmete sich Astor dem Grundstücksgeschäft in New York. Zeitweilig gehörte ihm die Hälfte von Manhattan, so daß man ihn auch „Mister Manhattan" nannte. Der Wert seiner Besitzungen wurde in seinem Sterbejahr 1848 auf ungefähr 20 Millionen Dollar geschätzt.

Johann August Sutter, 1803 in Kandern in Baden geboren, wuchs in der Schweiz auf, erwarb im Tal des Sacramento ein riesiges Gebiet und richtete dort einen Großgrundbesitz mit indianischen Arbeitern und einigen weißen Aufsehern ein. Bei den Arbeiten zum Bau einer Sägemühle wurde Gold gefunden. Diese Nachricht sprach sich in Windeseile herum, und Tausende von Glücksjägern kamen zu

vers, seven colonists from Franconia in Bavaria moved there and began the difficult work of the first colonization. Soon more Franconians followed, and, in the present year of 1850, a number of colonists from Northern Germany, from Hanover and Braunschweig, too. They were in part given some of the earlier purchased lands, in part new land was bought for them. The colony has thus now grown to more than 30 independent households, has, in addition to 24 houses, several barns and stalls, has already cleared 100 acres of woodland and cultivated it, and, in animal stock, has about 150 heads of cows, oxen and calves, and a great number of pigs; in addition, hens, pigeons, and similar small domestic animals. As a rule, the houses have been build above the prairie on woodland, mainly log cabins, but a couple of good frame (pillar) houses have also been built, gradually to be followed by more . . .
. ."

Entrepreneurs, inventors, and researchers

One of the most impressive and certainly one of the lukkiest immigrants to attain fame and fortune was John Jacob Astor, born Johann Jakob Astor, who came from Walldorf near Heidelberg. Born in 1763, he worked on his parents' farm and learned the butcher's trade. At 16, he went to England with his brother Georg and made musical instruments there. In 1783, he traveled to New York, where he worked in a butcher's shop with his second brother, Henry. Then he devoted himself to the fur trade and founded numerous trading stations, particularly in the Northwest of the USA. At the mouth of the Columbia River, he founded a settlement named "Astoria". This settlement became the center of the fur trade in the American West. When, especially following the War of 1812, the fur trade had begun to lag, Astor concentrated on the real estate business in New York. For a time, half of Manhattan belonged to him, so that he was also called "Mister Manhattan". The value of his property in 1848, the year of his death, was estimated to be approximately 20 million dollars.

Johann August Sutter, born in 1803 in Kandern in Baden, grew up in Schwitzerland, acquired a huge tract in the Sacramento Valley, and established a large estate there with Indian workers and a few white overseers. During the construction of a sawmill, gold was found. This news spread like wildfire, and thousands of fortune hunters came to "Sutter's

nefeld und des Iren Fitzmaurice, die den ersten Trans-Ozean-Flug von Ost nach West durchführten.

1930 folgte der erste Flug von Wolfgang von Gronaus berühmt gewordenen „Dornier Wal“, der damit die Konstruktion des Flugbootes in den Weltluftverkehr einführte. Die Krönung dieser Entwicklung war der erste Flug der „Dornier Do X“, die 169 Reisende von Europa nach New York brachte.

Ein regelmäßiger Zivilflugdienst zwischen Deutschland und Amerika wurde 1936 mit Zwischenlandungen auf den Bermudas und den Azoren eröffnet. Am 8. 7. 1939 – kurz vor Kriegsbeginn in Europa – eröffnete die Pan American Airways den regelmäßigen Flugdienst auf der klassischen Nordatlantik-Route mit einer Boeing-Maschine.

Der intellektuelle Einfluß von Deutschen in den Vereinigten Staaten begann mit der Gründung deutscher Schulen und im Laufe des 19. Jahrhunderts durch Gründung amerikanischer Universitäten nach deutschen Maßstäben. So wurde Carl Follen Professor für Literatur an der Harvard University und Georg Blaettermann Professor für moderne Sprachen an der University of Virginia. Franz Lieber begann in Boston 1829 mit der Herausgabe der „Enzyklopädia Americana“ auf der Basis des deutschen Brockhaus-Lexikons, 1833 wurde dieses Werk abgeschlossen.

Das Interesse am Geistesleben in Deutschland wuchs u. a. durch das Erscheinen der Übersetzung von Madame de Staël's Werk „Über Deutschland“ im Jahre 1814.

Besondere Anziehung für das Studium junger Amerikaner übte die Universität Göttingen aus, wo sich z. B. George Tickner und der spätere Harvard-Präsident Edward Everett einschrieben; dazu gehörten auch der Historiker George Bancroft und der berühmte Philosoph Ralph Waldo Emerson.

Von Amerikanern ebenfalls begehrt waren die Universitäten Heidelberg, Halle und Berlin.

Für die Verbreitung der Hegelschen Philosophie in Amerika sorgte der mit 16 Jahren ausgewanderte Henry Brokmeyer, der 1866 die „Saint Louis Philosophical Society“ gründete.

Bedeutung erlangte auch das Werk des zusammen mit Carl Schurz eingewanderten Gustav Koerner „The German

In 1930 followed the first flight by Wolfgang von Gronau's now famous “Dornier Wal”, which thereby introduced the design of the seaplane to world aviation. The culmination of this development was the first flight of the “Dornier Do X”, which brought 169 travelers from Europe to New York.

Regular civilian air service was begun in 1936 between Germany and America with intermediate landings on the Bermudas and the Azores. On July 8, 1939 – shortly before war broke out in Europe – Pan American Airways began regular service on the classical North Atlantic route with a Boeing plane.

The German intellectual influence in the United States began with the founding of German schools and, during the course of the 19th century, the founding of American universities according to German standards. Carl Follen thus became professor of literature at Harvard University and Georg Blaettermann professor of modern languages at the University of Virginia. Franz Lieber began in Boston in 1829 with the publishing of the “Encyclopedia Americana”, on the basis of the German “Brockhaus-Lexikon”. This work was completed in 1833.

The interest in intellectual life in Germany grew in part through the appearance of the translation of Madame de Staël's work “About Germany” in the year 1814. Young Americans were particularly attracted to studies at the University of Göttingen where, for example. George Tickner and the later Harvard President Edward Everett enrolled, as did historian George Bancroft and the famous philosopher Ralph Waldo Emerson.

The Universities of Heidelberg, Halle and Berlin were also coveted by Americans.

The dissemination of Hegel's philosophy in America was effected by Henry Brokmeyer, who emigrated at the age of 16 and in 1866 founded the “Saint Louis Philosophical Society”.

Importance was also achieved by the work of Gustav Koerner, who had immigrated with Carl Schurz, “The German Elements in the United States of North America from 1818–1848”. This remained the standard work on the

Elements in the United States of North America from 1818–1848“; dies blieb das Standardwerk über die Geschichte der frühen Einwanderung der Deutschen nach Nordamerika.

Um 1903 wurde auf Veranlassung des preußischen Kultusministeriums ein regelmäßiger Austausch von Professoren der Universitäten von Harvard und Columbia mit deutschen Professoren organisiert. Dieser Austausch wurde besonders in der Ära der Weimarer Republik ausgebaut und Kapazitäten wie Werner Heisenberg und Max Born lehrten in den USA und weckten bei amerikanischen Studenten das Interesse am Studium der Naturwissenschaften in Deutschland.

Ein besonders interessantes Kapitel deutsch-amerikanischer Zusammenarbeit ist das 1919 in Weimar gegründete Bauhaus und seine Geschichte. So ist z. B. der 1871 als Enkel eines eingewanderten „Achtundvierzigers“ geborene Lyonel Feininger in besonderem Maße Motor für die Aktivitäten dieser Künstlergruppe gewesen, in der u. a. Wassilij Kandinsky, Paul Klee, Georg Muche und Oskar Schlemmer tätig waren. Nachdem diese vielleicht überhaupt aktivste Künstlergruppe unseres Jahrhunderts von den Nazis verboten worden war, erfolgte in Chicago 1937 die Gründung des „New Bauhaus“. Eine Anzahl der verfolgten Künstler trugen so ihre Ideen in die Vereinigten Staaten; nach 1945 kamen die in den USA weiterentwickelten Gedanken und Pläne, besonders im Bereich des Städtebaus, wieder von Amerika zurück nach Europa.

Nach 1933 kamen etwa 200.000 deutsche Auswanderer in die USA, zu denen bedeutende Köpfe deutschen Geisteslebens gehörten. Darunter befanden sich auch viele Deutsche jüdischen Glaubens. Präsident Roosevelt lockerte 1934 dementsprechend die restriktiven Einwanderungsbestimmungen der USA. Zu den Flüchtlingen gehörten die Nobelpreisträger Albert Einstein und Thomas Mann sowie sein Bruder Heinrich; die berühmte Frankfurter Schule für Sozialwissenschaften integrierte sich in die Columbia University in New York mit den Wissenschaftlern Horkheimer, Adorno und Marckuse. Hannah Arendt, Erich Fromm, Walter Gropius und Mies van der Rohe, sowie die Komponisten und Dirigenten Arnold Schönberg, Kurt Weill, Bruno Walter und Otto Klemperer fanden Zuflucht in Amerika.

history of the early immigration of Germans to North America.

Around 1903, upon the initiative of the Prussian Ministry of Culture, a regular exchange of professors from Harvard and Columbia Universities with German professors was organized. This exchange was particularly expanded during the era of the Weimar Republic, and authorities such as Werner Heisenberg and Max Born taught in the USA and aroused interest on the part of American students to study the natural sciences in Germany.

articularly interesting chapter in German-American cooperation is the Bauhaus, founded in 1919 in Weimar, and its history. Lyonel Feininger, for example, born in 1871 as the grandson of an immigrated Forty-Eighter, was to a particularly great extent the propelling force for the activities of this group of artists in which, among others, Vassily Kandinsky, Paul Klee, Georg Muche, and Oskar Schlemmer were active. After this group of artists – perhaps the most active of any in our century – was forbidden by the Nazis, the “New Bauhaus” was formed in Chicago in 1937. A number of persecuted artists thus brought their ideas to the United States, After 1945, further-developed thoughts and plans again traveled from America back to Europe, particulary in the sphere of city planning.

After 1933, approximately 200,000 German immigrants entered the USA, including great minds of German intellectual life. Among them were also many Germans of the Jewish religion. President Roosevelt accordingly relaxed the restrictive immigration laws of the USA in 1934. Among the refugees were Nobel Prize winners Albert Einstein and Thomas Mann, as well as his brother Heinrich. The famous Frankfurter Schule für Sozialwissenschaft (Frankfurt School of Social Sciences) was integrated into Columbia University in New York with scientists Horkheimer, Adorno, and Marckuse. Hannah Arendt, Erich Fromm, Walter Gropius, and Mies van der Rohe, as well as composers and conductors Arnold Schoenberg, Kurt Weill, Bruno Walter, and Otto Klemperer, found refuge in America.

Besonders intensiv war die Mitwirkung deutscher Regisseure und Schauspieler an amerikanischen Bühnen und an der Entwicklung der Filmmetropole Hollywood. Fast alle großen Regisseure und Schauspieler gaben ihr Debüt in den 20er Jahren in den USA, viele blieben aus wirtschaftlichen oder politischen Gründen dort tätig. Dazu gehören insbesondere der in Berlin geborene Ernst Lubitsch, der 1921 nach New York ging, Friedrich Wilhelm Murnau, der aus Friedrichshafen stammende William Dieterle und Otto Premminger aus Wien. Die Filmgrößen Billy Wilder, Douglas Sirk, Marlene Dietrich, Peter Lorre u. v. a. haben in Hollywood Weltruhm erlangt.

Sehr stark war der Zustrom aus der Reihe der Schriftsteller und Journalisten, unter ihnen Hermann Broch, Oskar Maria Graf, Stefan Zweig, Carl Zuckmayer, Alfred Döblin, Lion Feuchtwanger, Erich Maria Remarque, Franz Werfel und Berthold Brecht. Zu den Einwanderern gehört auch der 1923 in Fürth geborene Henry Kissinger, amerikanischer Außenminister der Regierung Nixon.

Nach dem Ende des Zweiten Weltkrieges gelangte eine zahlenmäßig wesentlich kleinere Gruppe von Wissenschaftlern in die USA, die insbesondere im Bereich der naturwissenschaftlichen und technischen Forschung in den Jahren des Krieges Bedeutung erlangt hatte. Der prominenteste Vertreter dieser Gruppe ist zweifellos Wernher von Braun, der an der Konstruktion der deutschen Raketenwaffen in Peenemünde wesentlichen Anteil hatte. Als neuer Bürger der Vereinigten Staaten hat er an verschiedenen Raketen- und Weltraumprojekten der Vereinigten Staaten (NASA) mitgearbeitet und wurde von Präsident Kennedy für seine Verdienste besonders geehrt.

The participation of German directors and actors on the American stage and in the development of the film metropolis Hollywood was particularly intensive. Almost all the great directors and actors gave their debuts during the 20's in the USA. Many remained active there for economic or political reasons. These included, in particular, Berlin-born Ernst Lubitsch, who went to New York in 1921, Friedrich Wilhelm Murnau, William Dieterle from Friedrichshafen, and Otto Preminger from Vienna. Film greats Billy Wilder, Douglas Sirk, Marlene Dietrich, Peter Lorre, and many others, attained world fame in Hollywood.

The inpour from the ranks of writers and journalists was very great. Among these were Hermann Broch, Oskar Maria Graf, Stefan Zweig, Carl Zuckmeyer, Alfred Döblin, Lion Furtwanger, Erich Maria Remarque, Franz Werfel, and Berthold Brecht. One of the immigrants was also Henry Kissinger, American Secretary of State in the Nixon government, who was born in Fürth in 1923.

Following the end of the Second World War, a numerically considerably smaller group of scientists came to the USA, having achieved importance particularly in the natural sciences and technical research during the war years. The most prominent representative of this group is unquestionably Wernher von Braun, who played a great part in the design of German missiles in Peenemünde. As a new citizen of the United States, he worked on various United States (NASA) missile and space projects and was especially honored by President Kennedy for his merits.

Politische Beziehungen bis zum Marshallplan

Von der Reichsgründung bis zum Ersten Weltkrieg

Die Reichsgründung 1871 brachte eine stärkere Zentrierung der deutsch-amerikanischen Beziehungen auf die neue Schaltstelle des Reichs in Berlin. Es konnte damals niemand ahnen, daß gerade diese Stadt nach 1945 zum Prüfstein und zum Symbol der Stabilität deutsch-amerikanischer Politik werden würde. Auch für die deutschen Einwanderer in die USA bedeutete die neue Reichsgewalt einen stärkeren

Political relations up to the Marshall Plan

From the founding of the Empire to the First World War

The founding of the German Empire in 1871 brought about a stronger concentration of German-American relations in the new control point of the Empire in Berlin. No one at the time could devine that it was this city which was to become a touchstone and symbol of German-American politics after 1945. The new power of the Empire meant a stronger support for Germans immigrating to the USA, too,

Rückhalt, obwohl die Auswanderungswelle gerade in den achtziger Jahren aufgrund der wirtschaftlichen Schwierigkeiten im neuen Reich einen nie wieder erreichten Höhepunkt erzielte.

George Washingtons Abschiedsadresse von 1797 an den Senat enthält die Warnung vor „verstrickenden Bündnissen“ und galt seitdem als Grundsatz amerikanischer Außenpolitik, der in der Monroe-Doktrin von 1823 seinen verbindlichen Niederschlag fand. Diese war entstanden als Warnung gegen mögliche russische Expansionsversuche von Alaska aus, und gegen mögliche Interventionen der Heiligen Allianz in Süd- und Mittelamerika. Europäischer Kolonialismus sollte abgeschirmt werden, um den USA die Möglichkeit der freien Entfaltung in Richtung Westen und insbesondere Möglichkeiten der kraftvollen Ausdehnung in Richtung auf den spanischen Kolonialbesitz zu geben. Bis 1898 (spanisch-amerikanischer Krieg) hielten die USA an der Monroe-Doktrin und der Nichteinmischung in europäische Angelegenheiten fest.

Bis 1890 etwa waren die internationalen Beziehungen geprägt durch das System der europäischen Großmächte. An dessen Stelle trat das System der Weltmächte, das einerseits durch die konkurrierende Kolonialpolitik europäischer Staaten, andererseits durch das internationale Auftreten Japans und der USA bestimmt wurde. Die rasante ökonomische und technische Entwicklung hatte die Kontinente einander näher gerückt; Verkehrs- und Nachrichtenmittel sorgten für schnellere Informationen und die Industrie und Landwirtschaft der aufstrebenden Großmächte suchte weltweit nach Rohstoffquellen und Absatzmärkten. Die Finanzwirtschaft suchte nach den Möglichkeiten für Kapitalinvestitionen, wobei die Bereiche Eisenbahnbau, Bergwerke und Plantagen besonders gefragt waren.

Mit dem verstärkten Eintritt Deutschlands in den Welthandel und in die Weltwirtschaft durch die Eröffnung seiner Kolonialpolitik (seit 1884) waren die Berührungspunkte zwischen den USA und dem in Mitteleuropa dominierenden Deutschland enger geworden. Die Industrialisierung, der Ausbau der Handelsflotte und der sie schützenden Seestreitkräfte bestimmten das wirtschaftliche und politische Leben. Etwa seit 1890 erschienen die USA auf dem Weltmarkt und drängten das britische Übergewicht nach und nach zurück. Durch die deutsche Vorherrschaft auf dem Kontinent war der britische Wettbewerb stark eingeengt.

although it was precisely in the 80's that, due to economic difficulties in the new Empire, the emigration wave reached a peak it would never again attain.

George Washington's Farewell Address of 1797 to the Senate contained a warning against "entangling alliances" and thereafter was considered the basic principle of American foreign policy, bindingly reflected in the Monroe Doctrine of 1823. This doctrine was developed as a warning against possible Russian expansionism from Alaska and against possible intervention on the part of the Holy Alliance in South and Central America. European colonialism was to be hindered, in order to make it possible for the USA to spread freely toward the West and, especially, to make powerful expansion toward the Spanish colonial possessions possible. Until 1898 (Spanish-American War), the USA kept to its rule of remaining at a distance from European concerns, and obeyed the Monroe Doctrine.

ntil about 1890, international relations were defined through the system of European Great Powers. This was replaced by the system of World Powers, which was determined, on the one hand, by the competing colonial policies of European nations and, on the other hand, by the appearance of Japan and the USA on the international scene. The rapid economic and technical development had caused the continents to move closer together. Transportation and communication provided more rapid transmission of information, and the industrial and agricultural spheres of the rising great powers searched for sources of raw materials and markets all over the world. The financial world looked for opportunities to invest capital, whereby railroad construction, mining, and plantations were particularly in demand.

With Germany's increased participation in world trade and world economy via the institution of colonialism (beginning in 1884), the points of contact had become closer between the USA and Germany, which was dominant in Central Europe. Industrialization, the development of a mercantile fleet and naval forces to protect them determined economic and political life. The USA appeared on the international market in about 1890 and little by little repressed the British dominance.

British competition was hampered by the German predominance on the continent. Economic policy generally

Wirtschaftspolitik wurde allgemein eine Staatsangelegenheit und auf diese Weise – verstärkt durch National-Egoismus und den Drang nach Wachstum und Herrschaft – wurden die bisher vorherrschenden liberalen Prinzipien im Welthandel beiseite gedrängt. Das in Großbanken angesiedelte Kapital betrieb durch Investitionen – Bau von Eisenbahnen, Bergwerken und Fabriken – Kapitalexport.

Mit brutaler Gewalt entwickelte sich ein fast uferloses politisch-wirtschaftliches Macht- und Expansionsstreben der Großmächte rund um den Globus, an dem Deutschland und die USA nun auch teilnahmen.

Der amerikanische Imperialismus trat im letzten Jahrzehnt des 19. Jahrhunderts deutlich zutage. Hatte man schon 1897 Hawaii annektiert, so entstand aus amerikanischer Einmischung in die Insel-Auseinandersetzungen auf der Insel Kuba der amerikanisch-spanische Krieg (April bis August 1898). Nach ihrem Sieg errichteten die USA ihr Protektorat über Kuba und Puerto Rico und gründeten mit der Besetzung der Philippinen und der Insel Guam weitere Stützpunkte in Fernost. Zwischen Deutschland und den USA kam es zu Spannungen, weil Wilhelm II. für die deutsche Flotte einen Stützpunkt auf den Philippinen zu erlangen hoffte; dies wurde durch britisch-amerikanisches Vorgehen abgeblockt. Stattdessen erwarb das Reich durch Kauf (30. 6. 1895) die Karolinen und Marianen-Inseln, sowie die Inselgruppe Palau.

Zwischen August 1898 und Oktober 1899 kam es zu einer Auseinandersetzung um die Samoa-Gruppe, wo die Einflußzonen der Briten, Amerikaner und Deutschen zusammentrafen. Es gab mehrere Modelle der Aufteilung dieses Raumes, wobei Westafrika als Ausgleichsgebiet zur Debatte stand. Der gerade ausgebrochene Burenkrieg veranlaßte England schließlich zum Nachgeben. Für die Aufteilung der Samoa-Inseln bezahlte Deutschland einen politisch hohen Preis.

Die USA erweiterten ihren politischen Einfluß durch wirtschaftliche und politische Aktivitäten im Zusammenhang mit dem Bau des Panama-Kanals und durch eine erfolgreiche Vermittlung bei dem russisch-japanischen Friedensschluß 1905 durch Präsident Theodore Roosevelt. Die einseitige Parteinahme der breiten deutschen Öffentlichkeit und teilweise auch der Reichsregierung gegen England während des Burenkrieges führte zu einer starken Verstimmung der Amerikaner gegen Deutschland.

became a national matter and thus – strengthened by national self-interests and the urge for growth and power – the hitherto prevailing liberal world trade principles were pushed aside. The capital placed in large banks exported capital through investments – the construction of railroads, mines, and factories.

With brutal force, an almost boundless push toward political-economic power and expansion developed on the part of the great powers around the globe, in which Germany and the USA now also participated.

American imperialism became clearly manifest in the last decade of the 19th century. Whereas Hawaii had already been annexed in 1897, American intervention in the dispute on the island of Cuba resulted in the Spanish-American War (April to August, 1898). Following its victory, the USA made Cuba and Puerto Rico into protectorates and, by occupying the Philippines and the Island of Guam, set up additional strongpoints in the Far East. Strained relations developed between Germany and the USA, because William II had hoped to acquire a base on the Philippines for the German fleet. This was blocked by British-American advances. Instead, the Empire acquired by purchase (June 30, 1895) the Caroline and Mariana Islands, as well as the Palau Island group.

Between August, 1898, and October, 1899, a conflict developed regarding the Samoa Islands, where the spheres of influence of the British, Americans, and Germans coincided. There were several models for the partition of this area, whereby West Africa was suggested as compensation. The Boer War, which had just broken out, finally forced England to yield.

The USA increased its political influence through its economic and political activities in connection with the construction of the Panama Canal and through President Theodore Roosevelt's successful mediation of the Russian-Japanese Treaty of Portsmouth of 1905. The unilateral broad public German support and, to an extent, also that of the imperial government, against England during the Boer War led to a widespread ill feeling on the part of the Americans against Germany.

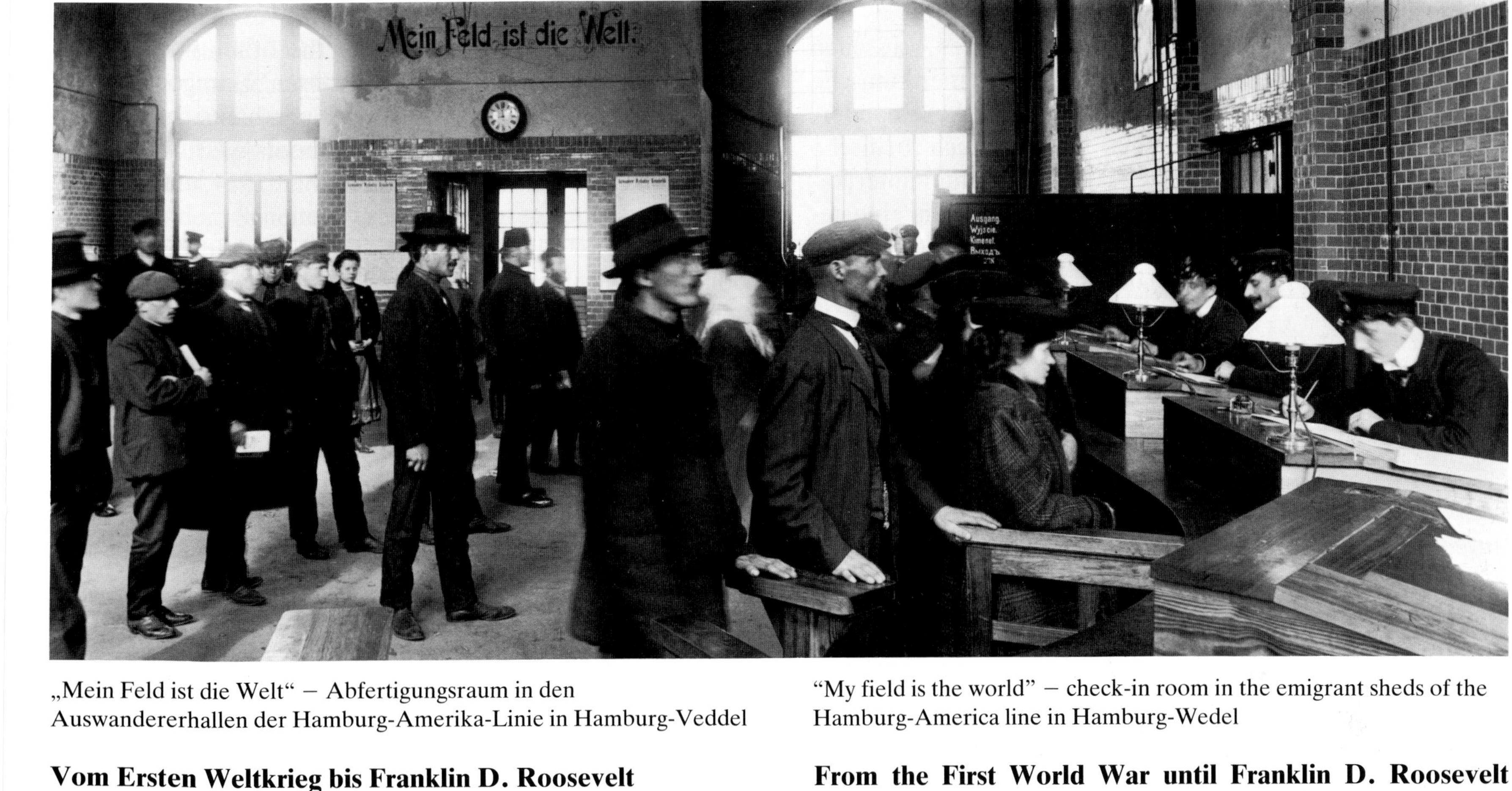

„Mein Feld ist die Welt" – Abfertigungsraum in den Auswandererhallen der Hamburg-Amerika-Linie in Hamburg-Veddel

Vom Ersten Weltkrieg bis Franklin D. Roosevelt

Die Entwicklung, die zum Kriegseintritt der Vereinigten Staaten in den Ersten Weltkrieg führte, ist von weitreichender Bedeutung für die deutsch-amerikanischen Beziehungen geworden. Dies besonders auch deshalb, weil die politischen Folgewirkungen unmittelbar bis in die Gegenwart hinein spürbar sind. Das Schicksalsjahr 1917 bewirkte schließlich, daß die beiden Flügelmächte Europas – die USA und Rußland –, die Geschicke Europas in entscheidender Weise mitbestimmten.

Es war von Anfang an außer Frage, daß die Erklärung der britischen Blockade (2. 11. 1914) und die später erfolgten deutschen Gegenmaßnahmen zu einem Kampf um die Seewege werden würde. Die Anfrage der amerikanischen Regierung (6. 8. 1914) an die Reichsregierung, ob diese die Londoner Seerechtsdeklaration von 1909 anerkennen würde, war schon von Berlin bejaht worden. Mit der von Deutschland erklärten Verschärfung des Unterseebootkrieges (18. 2. 1915) auch gegen die Neutralen, zeichnete sich die beginnende Auseinandersetzung mit den Vereinigten Staaten ab. Die US-Regierung protestierte gegen die Fest-

"My field is the world" – check-in room in the emigrant sheds of the Hamburg-America line in Hamburg-Wedel

From the First World War until Franklin D. Roosevelt

The course of events which led to the entrance of the United States into the First World War was of fateful significance for German-American relations. This is particularly true because the resulting political effects can be directly felt up to the present. The fateful year of 1917 finally enabled Europe's two flanking powers – the USA and Russia – to decisively determine Europe's destiny.

From the very beginning, there was no question but that the declaration of the British blockade (November 2, 1914) and the subsequent German countermeasures would lead to a maritime conflict. The American government's inquiry (August 6, 1914) of the government of the German Empire as to whether it would recognize the London Maritime Law Declaration of 1909 had already been affirmed by Berlin. Germany's declared acceleration of submarine warfare (February 18, 1915), against neutral countries as well, marked the beginning conflict with the United States. The U.S. government protested against the designation of the borders of the German maritime war zone, and the torpedoing a short time later of the British liner "Lusitania", in

der für unbewiesen bzw. überhöht hielt. Auch an der Genua-Konferenz (April bis Mai 1922), die im wesentlichen der Reparationsfrage galt, nahmen die Vereinigten Staaten nicht mehr teil.

In dem für die deutsche Nachkriegspolitik besonders schwierigem Jahr 1923 mit Ruhr-Sanktionen, Revolten und Hochinflation zeigen sich Großbritannien und die Vereinigten Staaten bemüht, die schwierige Frage der Reparationen vom Politischen zum Wirtschaftlichen hin zu lösen. So verdient der Vorschlag des amerikanischen Staatssekretärs Hughes Beachtung, der die Bildung einer internationalen Sachverständigen-Kommission zur Wiedergutmachungsfrage vorschlug. Als schließlich Frankreich diesen Vorschlag ablehnte und zur Besetzung des Ruhrgebietes schritt, protestierte der Präsident der Vereinigten Staaten gegen Frankreichs Vorgehen. Die USA zog ihre Truppen vom Rhein zurück. Dies verschärfte die Beziehung zu Frankreich, das ein Schuldner der USA war; darüber hinaus mußte nun die deutsche Bevölkerung die von ihr geschätzte amerikanische Besatzung gegen eine französische eintauschen.

In klarer Frontstellung zur französischen Ruhrpolitik erfolgte ein britischer Vorschlag zur Bildung einer Sachverständigen-Kommission für die Reparationsfrage. Dieser wurde von den Vereinigten Staaten unterstützt. Der neue amerikanische Präsident Coolidge erklärte sich bereit, an einer Lösung der Reparationsfrage mitzuwirken. Unter Vorsitz des amerikanischen Vizepräsidenten, General Dawes und seines Mitarbeiters Owen Young wirkten nun die USA an führender Stelle mit, um eine Regelung dieses komplexen Fragenbereiches zu bewirken. Durch die Teilnahme der USA war gewährleistet, daß die Reparationen auf Dauer nicht die Wiedererstarkung der deutschen Wirtschaft gefährden sollten. Hierbei konnten die USA auch ihre gesamte Kraft als Wirtschaftsmacht mit in die Waagschale werfen.

Ein Ergebnis dieser Beratungen war der sogenannte Dawes-Plan, der dem Reich hinsichtlich der Zahlungen eine gewisse Schonzeit zubilligte und insbesondere auf die Erhaltung der deutschen Zahlungsfähigkeit hin orientiert war. Obwohl er an erster Linie zur Befriedigung der Ansprüche

state of war between the USA and Germany was ended by means of a treaty (August 25, 1921) signed in Berlin and put into effect through the exchange of ratification certificates. Through this treaty, the USA was then granted all the rights and advantages it would have obtained through the Versailles Treaty. The reparations question was settled in a separate German-American agreement. Even before this, the representative of the United States in the Allied Reparations Commission had left this conference because he considered the reparations demands of many countries to be unproven or too high. The United States no longer participated either in the Genoa Conference (April to May, 1922), which was primarily concerned with the reparations question, either.

In the year 1923, which was particularly difficult for German postwar politics, with its Ruhr sanctions, revolts, and high inflation, Great Britain and the United States endeavored to solve the difficult economic question of reparations through political means. The suggestion of American Secretary of State Hughes of forming an international commission of experts on reparations thus deserves to be noted. When France finally rejected this suggestion and moved to occupy the Ruhr, the President of the United States protested against France's step; the USA withdrew its troops from the Rhine. This aggravated relations with France, who was in debt to the USA. In addition, the German people now had to exchange the American occupation, which it appreciated, for a French one.

A clear formation of fronts in view of the French Ruhr policy was a British suggestion to form a commission of experts on reparations. This was supported by the United States. The new American president, Coolidge, declared that he was willing to participate on working toward a solution of the reparations question. Led by American Vice-President General Dawes, and his assistant, Owen Young, the U.S.A. now led the efforts to find a solution to this complex series of questions. The participation of the U.S.A. ensured that the reparations would not, in the long run, endanger German economic recovery. In this connection, the U.S.A. was able to bring to bear its entire strength as an economic power.

US-Lebensmittelhilfe für Deutschland nach dem I. Weltkrieg

U.S.-aid in the way of foodstuffs for Germany after the First World War

der alliierten Siegermächte gegen Deutschland dienen sollte und diesem deshalb auch schwere finanzielle Opfer zumutete, so bildete er auch einen gewissen Schutz des deutschen Volkes gegen weitere soziale Not und Verelendung. Es darf dabei nicht übersehen werden, daß der Dawes-Plan im Bereich der Finanz- und Wirtschaftspolitik tief in die deutsche Staatshoheit eingriff. Trotz massiver Widerstände von Links und Rechts war es die Hauptaufgabe der Reichsregierung, den Dawes-Plan nun auch hinsichtlich der zu verabschiedenden Reichsgesetze (Bankgesetz, Reichsbahngesetz u. a.) durchzusetzen.

Nachdem durch den Locarno-Vertrag (1925) und durch den Dawes-Plan eine gewisse Stabilisierung der europäischen Staatenwelt unter Mitwirkung der USA eingeleitet worden war, folgte ein sich verstärkendes Engagement der USA in Europa, wie etwa deren Beteiligung am Haager

One result of these consultations was the so-called Dawes Plan, which granted the Reich a certain deferment of payment and was especially oriented toward the maintenance of German solvency. Although it was primarily meant to satisfy the demands of the victorious allied powers against Germany and thus did burden Germany with heavy financial sacrifices, it also provided a certain amount of protection of the German people against further social need and misery. It should not be overlocked that, in the area of financial and economic policy, the Dawes Plan constituted a deep infringement on German national sovereignty. Despite massive resistance from left and right, it was the primary task of the government of the Reich to carry out the Dawes Plan in relation to the Reich laws that were to be passed (Bank Law, German State Railroad Law, etc.)

Wall Street: Der „Schwarze Freitag" 1929

warb um Verständnis für die schwierige deutsche Wirtschafts-, Kredit- und Finanzlage. Die insgesamt sehr zögernden und schwierigen Verhandlungen der Mächte über die Lösung der wirtschaftlichen Entwicklung trugen ihren Teil dazu bei, daß in Deutschland die Rechtskräfte an Boden gewannen und der Bewegungsspielraum der Reichsregierung unter erheblichen Termindruck geriet und immer schwieriger wurde. Der letzte große außenpolitische Erfolg der Weimarer Republik war die Lausanner Schlußkonferenz (8. 7. 1932), die schließlich das Ende der Reparationszahlungen brachte.

Von der „Quarantäne" zum Sieg in Europa (1933–1945)

Die deutsch-amerikanischen Beziehungen hatten sich seit 1933 zunächst langsam, dann aber in immer schnellerem Tempo verschlechtert. Ein deutliches Zeichen hierfür war die sogenannte Quarantäne-Rede des US-Präsidenten F. D. Roosevelt (5. 10. 1937), in der er die aggressiven Staaten, besonders Japan und Italien angeprangert hatte.

Sein Ziel war es, die Vereinigten Staaten aus dem Neutralismus und Isolationismus herauszuführen. In dem Maße, in dem nun Deutschland nicht nur die Bestimmungen des Versailler Vertrages nacheinander aufhob, sondern auch unabhängige Staaten okkupierte (Österreich und Tschechoslowakei), verschlechterten sich die Beziehungen zusehends. Dabei ging es auch um den erklärten Gegensatz

Wall Street: "Black Friday" 1929

"Black Friday" (October 24, 1929) burst into the consolidating European political and economic scene like a stroke of lightning. The American officials and financiers did not succeed in checking the immense boom on the New York Stock Market. This was very dangerous because the papers that were offered there had been bought on margin, to a great extent. The entire American economy was suddenly caught up in a great panic. The collapse of companies and shutdowns and beginning unemployment were the results.

Since the international capital market was basically controlled from Wall Street, this financial catastrophe affected all the major industrial countries. As a result, the host of unemployed in Germany increased rapidly. In view of the great economic crisis, the fulfillment of the Dawes and Young Plans had become questionable. The American President, Herbert Hoover, therefore suggested a general moratorium (June 19, 1931), which the Western Powers reluctantly endorsed. The moratorium came to late, however, to prevent the colapse of German banks.

This deferment of payment was of fundamental significance for the difficult situation of the Weimar Republic in the years 1931–1932. The Reich government asked for understanding for the difficult German economic, credit, and financial situation. The on the whole very hesitant and difficult negotiations of the powers regarding the solution of the economic development did their part toward allowing

zwischen Demokratie und Diktatur; insbesondere Kirchenkampf und Antisemitismus des sogenannten nationalsozialistischen Deutschland führten zur Empörung der öffentlichen Meinung in den USA. Nach der „Kristallnacht“ (9./10. 11. 1938) rief Präsident Roosevelt den amerikanischen Botschafter in Berlin, Dodd, ab.

Dabei ist es unverständlich, daß Hilter den Machtfaktor USA bei den meisten seiner politischen und militärischen Entscheidungen bis 1941 weitgehend außer acht gelassen hat.

Er besaß persönlich nicht das geringste Verständnis für die Vereinigten Staaten; ihre moralischen und völkerrechtlichen Prinzipien in der Außenpolitik waren ihm unfaßlich. Auch die warnenden Berichte aus der Deutschen Botschaft in Washington, dahingehend, daß ein Krieg mit England unabweisbar zu einer Auseinandersetzung mit den USA führen würde, wurden in der Wilhelmstraße nicht beachtet.

Im Zuge der von ihm praktizierten „öffentlichen Diplomatie“ hatte Präsident Roosevelt (14. 4. 1939) an die Diktatoren in Deutschland und Italien öffentliche Botschaften gerichtet und sie in diesen aufgefordert, gegen die von ihm namentlich benannten Staaten keine Aggressionen durchzuführen; aufgezählt waren sämtliche Länder Europas und des Nahen Ostens. Hitler antwortete darauf (28. 4. 39) in einer Reichstagsrede und bot allen von Roosevelt genannten Staaten einen Nichtangriffspakt an. Dabei interpretierte Hitler die Monroe-Doktrin in der Weise, daß die Vereinigten Staaten in Europa nichts zu suchen hätten.

Die amerikanische Regierung befand sich in Sorge über die politische Einflußnahme Deutschlands, Spaniens und Italiens im ibero-amerikanischen Bereich. Deshalb verstärkten die USA ihre panamerikanischen Bestrebungen auf der Grundlage einer neuen „Politik der guten Nachbarschaft“, die Länder der westlichen Halbkugel enger zusammenzuschließen und die demokratischen Ideale gegen faschistische Propaganda zu stärken.

Auch die von Berlin betriebene Annäherung an Italien und Japan (Dreier-Achse Berlin-Rom-Tokio) führte zwangsläufig zu einer Verschlechterung der deutsch-amerikanischen Beziehungen. Japan zögerte jedoch mit dem Beitritt zum Militärbündnis Berlin–Rom so lange, bis die Niederlage Frankreichs (Sommer 1940) die weltpolitische Lage zugunsten der Achsenmächte verändert zu haben schien.

the right wing to gain ground in Germany and subjecting the latitude of the Reich government to considerable pressure and making it increasingly difficult. The final major success of the Weimar Republic in foreign policy was the Lausanne Conference (July 8, 1932), which finally brought an end to the reparations.

From the “quarantine” to Victory in Europe (1933–1945)

German-American relations had deteriorated since 1933, at first slowly, then at an increasingly rapid tempo. A distinct sign of this was the so-called “quarantine” speech of U. S. President F. D. Roosevelt (October 5, 1937), in which he denounced aggressive nations, in particular Japan and Italy.

is goal was to lead the United States away from neutrality and isolationism. To the extent that Germany now not only disregarded the stipulations of the Versailles Treaty, but also occupied independent nations (Austria and Czechoslovakia), relations deteriorated noticeably. Also involved here were the clear contrast between democracy and dictatorship and the struggle between church and state. The anti-semitism of National Socialistic Germany also led to indignation in public opinion in the USA. After the so-called “Crystal Night” (November 9–10, 1938), President Roosevelt recalled the American ambassador in Berlin, Dodd.

It is incomprehensible that Hitler to a large extent disregarded the USA power factor in most of his political and military decisions up to 1941. Personally, he did not possess the least bit of understanding for the United States; its principles of a foreign policy guided by morality and international law were inconceivable to him. Even the reports from the German Embassy in Washington, warning that a war with England would peremptorily lead to a conflict with the USA, was disregarded in the Wilhelmstrasse.

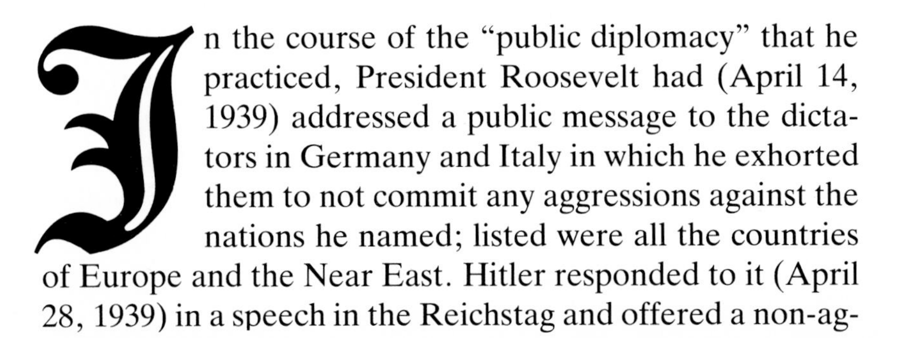

n the course of the “public diplomacy” that he practiced, President Roosevelt had (April 14, 1939) addressed a public message to the dictators in Germany and Italy in which he exhorted them to not commit any aggressions against the nations he named; listed were all the countries of Europe and the Near East. Hitler responded to it (April 28, 1939) in a speech in the Reichstag and offered a non-ag-

Welt nunmehr klar zugunsten der USA entschieden worden war. Hinzu kommt, daß der amerikanische Präsident die alten Anschauungen vom verstockten Preußentum und deutschen Militarismus weiter pflegte und nicht bereit war, diese Auffassungen zu korrigieren. Auch konnte er wohl die Vorstellungen von der Identität zwischen Volk und Regierung in Deutschland nicht abstreiten und glaubte schließlich auch an die „Unverbesserlichkeit“ der Deutschen. Ähnlich starr war auch sein Bild von der Sowjetunion und Stalin. In Kenntnis der kommunistischen Diktatur glaubte er – im krassen Gegensatz zu Churchill – an die Besserungsmöglichkeiten des Kommunismus und an eine faire und offene Zusammenarbeit mit der Sowjetunion.

Verhängnisvoll wirkte sich – insbesondere für den deutschen Widerstand gegen Hitler – die Verkündigung des Grundsatzes der bedingungslosen Kapitulation aus. Überhaupt zeigte sich in der Zeit nach 1943 auf der alliierten Seite eine stärkere Radikalisierung der politischen Auffassungen und Ansichten. Dazu gehört auch der „Morgenthau-Plan“, der die Zerstörung der deutschen Industrie und die Eingrenzung der deutschen Wirtschaft auf den Bereich der Landbestellung vorsah. Dieser Plan wurde von der NS-Propaganda weidlich ausgenutzt, um die Deutschen zu verstärktem Widerstand anzufeuern.

Der Zweite Weltkrieg war trotz seiner weltweiten Ausmaße im Ursprung und Wesen ein europäischer Krieg, von Hitler angezettelt. Er trug seinen Keim schon im Versailler Vertrag und brachte zum zweiten Mal die gleiche Generation Deutsche und Amerikaner in politische und militärische Gegnerschaft.

Von der Kapitulation zum Marshallplan

In einer Direktive (JCS 1067 vom 26. 4. 45) des US-Generalstabschefs an den Befehlshaber der amerikanischen Truppen hieß es über die grundlegenden Ziele der amerikanischen Militärregierung in Deutschland: „Es muß den Deutschen klargemacht werden, daß Deutschlands rücksichtslose Kriegführung und der fanatische Widerstand der Nazis die deutsche Wirtschaft zerstört und Chaos und Leiden unvermeidlich gemacht haben, und daß sie nicht der Verantwortung für das entgehen können, was sie selbst auf sich geladen haben. Deutschland wird nicht besetzt zum Zwecke seiner Befreiung, sondern als besiegter Feindstaat“.

torship, he believed – in total contrast to Churchill – in the possibilities of reforming Communism and of fair and open cooperation with the Soviet Union.

Also fateful – especially for German resistance to Hitler – was the proclamation of the principle of unconditional surrender. Generally speaking, a greater radicalization of political opinions and views on the Allied side became evident in the period following 1943. This also included the “Morgenthau Plan”, which planned the destruction of German industry and a limitation of the German economy to the cultivation of the soil. This plan was fully exploited by Nazi propaganda, in order to rouse the Germans to increased resistance.

Despite its world-wide dimensions, the Second World War was, in its origins and nature, a European war, provoked by Hitler. Its seeds were already present in the Versailles Treaty, and it brought Germans and Americans into political and military opposition for the second time in a single generation.

From Capitulation up to the Marshall Plan

In a directive (JCS 1067 of April 26, 1945), from the U. S. Chief of Staff to the Commander in Chief of the American troops, regarding the basic goals of the American military government in Germany, it was stated: “The Germans must be made to understand that Germany’s ruthless warfare and the Nazis’ fanatical resistance destroyed the German economy and made chaos and suffering inevitable, and that they cannot escape the responsibility for that which they have incurred upon themselves. Germany is not being occupied in order to liberate it, but as a conquered enemy country.“

In June 5th, the Interallied Four-Power Administration of Germany was proclaimed in Berlin, based on related agreements made among the Allies during the war. These included, in particular, the “Protocol regarding occupation zones in Germany and the administration of Greater Berlin” (September 12, 1944) and the “Agreement on the control system in Germany” (November 14, 1944).

In a memorandum on April 13, 1945, Harry S. Truman defined the goals of American policy toward Germany as follows:

Am 5. Juni wurden in Berlin die Interalliierte Viermächte-Verwaltung für Deutschland proklamiert, die auf entsprechenden Abmachungen der Alliierten untereinander während des Krieges basierte; dazu gehört vor allen Dingen das „Protokoll betreffend Besatzungszonen in Deutschland und die Verwaltung von Groß-Berlin“ (12. 9. 1944) und das „Abkommen über das Kontrollsystem in Deutschland“ (14. 11. 1944).

Harry S. Truman legte in einer Denkschrift am 13. 4. 1945 die Zielsetzungen der amerikanischen Politik gegenüber Deutschland wie folgt fest:

„Vernichtung der nationalsozialistischen Organisationen und ihres Einflusses, Bestrafung der Kriegsverbrecher, Auflösung der deutschen Militärmacht, Schaffung einer Militärregierung mit Ziel einer politischen Dezentralisierung, Reparationen aus dem Nazivermögen und aus künftiger Produktion, Veränderung der Waffenherstellung und Vernichtung aller Spezialbetriebe für deren Fabrikation, Kontrolle über die deutsche Wirtschaft zur Sicherung der genannten Ziele.“

Hingegen kam ein einheitliches Konzept der vier Siegermächte über die Behandlung Deutschlands nie zustande. Unterhalb der obersten vollziehenden Gewalt, die durch den sogenannten alliierten Kontrollrat in Berlin ausgeübt wurde, gab es zwei militärische Kommandostellen, und zwar für die Westalliierten SHAEF und die SMA in Berlin-Karlshorst. Nach der Auflösung von SHAEF wurde für die amerikanische Zone Omgus mit dem Sitz in Frankfurt eingerichtet. Zur amerikanischen Zone gehörten Bayern, Hessen, das nördliche Baden und Württemberg und als Nachschubhafen für die amerikanischen Streitkräfte der Raum um Bremen.

Im Jahre 1945 fielen auch fundamentale Entscheidungen für Berlin. Während General Eisenhower noch im September 1944 als militärisches Hauptziel Berlin angegeben hatte, so hielt er im März 1945 in einem Funkspruch an Feldmarschall Montgomery Berlin für „nicht mehr erwähnenswert“. So überließ man Berlin und dessen Eroberung den Sowjets. Die Inanspruchnahme der zunächst den USA und Großbritannien zugesprochenen Sektoren in Berlin verzögerte sich bis zum 1. 7. 1945. Für die Verbindung nach Berlin wurden den Westmächten drei Eisenbahnlinien, zwei Autobahnen und der erforderliche Luftraum in 30 Kilometer Korridorbreite zugestanden; dabei wurde vereinbart,

Eisenhower, Clay und McNarney auf dem Flugplatz Tempelhof/Berlin, 1946

Eisenhower, Clay, and McNarney on the Tempelhof/Berlin Airport, 1946

“Destruction of the National Socialistic organizations and their influence, punishment of war criminals, breakup of German military power, creation of a military government aimed at political decentralization, reparations from Nazi wealth and future production, modification of German arms manufacture and destruction of all special factories for their production, control over the German economy to assure the above-mentioned goals.“

A unified concept on the part of the four victorious powers regarding the treatment of Germany did not, however, ever materialize. Beneath the highest executive authority, which was exercised by the so-called Allied Control Council in Berlin, there were two military command posts for the Western Allies, SHAEF and the SMA in Berlin Karlshorst. Following the breakup of SHAEF, Omgus was set up for the American Zone, with its headquarters in Frankfurt. Included in the American Zone (see map) were Bavaria, Hesse, northern Baden and Wuerttemberg, plus, as a supply port for the American armed forces, the area around Bremen.

In the year 1945, fundamental decisions were also made which affected Berlin. Whereas General Eisenhower had

kannte die Notwendigkeit zu schnellen – möglicherweise separaten – Handlungen der USA. Der alliierte Kontrollrat in Berlin hatte dem Ersuchen der Sowjetunion zur Sperrung der Grenzen zwischen den westlichen und ihrer Besatzungszone zugestimmt, um eine Abwanderung von bis dahin 1,6 Millionen Menschen zur sowjetischen Besatzungszone in den Westen zu verhindern, weil dies auch dort zu einer Belastung der ohnehin prekären Ernährungsfrage führen würde (30. 6. 1946). Der Reiseverkehr zwischen den beiden Teilen Deutschlands war seitdem nur mit dem sogenannten Interzonenpaß möglich.

Außenminister Byrnes forderte in zunehmendem Maße auch die Wiederherstellung der politischen Einheit Deutschlands und die Schaffung einer Zentralregierung, um die anstehenden wirtschaftlichen Probleme lösen zu können. Die amerikanische Besatzungsmacht konnte sich seit Herbst auf die mit ihrer Hilfe installierte Zivilverwaltung stützen, die von demokratischen Parteien, insbesondere CDU, SPD und FDP getragen war.

Die von der Militärregierung eingesetzten Ministerpräsidenten für Groß-Hessen, Bayern, Nord-Baden, Nord-Württemberg und Bremen waren Persönlichkeiten, die eine loyale Zusammenarbeit mit den Amerikanern betrieben.

In der durch Hoffnungslosigkeit und Apathie gekennzeichneten psychologischen, wirtschaftlichen und politischen Lage Deutschlands hielt der amerikanische Außenminister James F. Byrnes in Stuttgart (6. 9. 1946) eine bedeutsame Rede, die die Weichen stellen sollte für eine neue amerikanische Deutschlandpolitik. Bei Beachtung der Notwendigkeit von Reparationen legte er den Akzent besonders auf die Schaffung von Voraussetzungen dafür, daß Deutschland sein Schicksal auch in die eigene Hand nehmen könne. Die Errichtung einer deutschen Friedenswirtschaft schien ihm zur Stabilisierung der wirtschaftlichen und politischen Verhältnisse in Deutschland eine wesentliche Bedingung.

Eine ähnliche Bedeutung wie die Rede von James F. Byrnes in Stuttgart hatte auch die von Winston Churchill in Fulton (Missouri), der eine ungeschminkte Darstellung der internationalen Situation in Europa gab und erstmalig vom „Eisernen Vorhang“ zwischen Stettin und Triest sprach. Chur-

itate the solution of the existing economic problems. Since the autumn, the American occupation forces had been able to depend upon the civil government, which had been installed with their help and which was supported by the democratic parties, particularly the CDU, SPD and LDP. The minister-presidents of Greater Hesse, Bavaria, Northern Baden, Northern Wuerttemberg, and Bremen, who had been appointed by the military government, were personalities who cooperated loyally with the Americans.

In the midst of a psychological, economic, and political situation in Germany which was marked by hopelessness and apathy, the American Secretary of State, James F. Byrnes, gave a major, significant speech in Stuttgart (September 6, 1946). which was to serve as a basis for a new American policy on Germany. While recognizing the necessity of reparations, he accented the creation of prerequisites for enabling Germany to again take its fate into its own hands. The establishment of a German peacetime economy seemed to him to be a prerequisite for the stabilization of the economic and political situation in Germany.

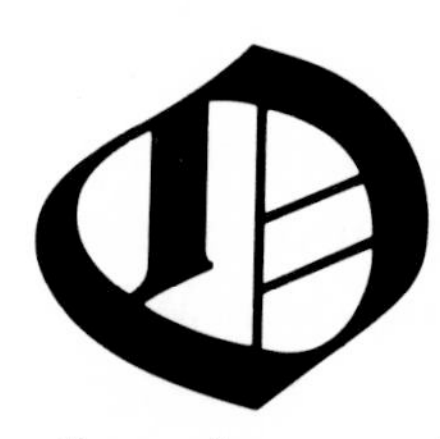

f significance similar to that of James F. Byrnes's speech in Stuttgart was Winston Churchill's speech in Fulton, Missouri, which presented an unvarnished description of the international situation in Europe and for the first time spoke of an “iron curtain” between Stettin and Trieste. Churchill urged an alliance among the countries of Europe and, in particular, political and economic freedom for the Soviet-occupied parts of this continent. In September of the same year, he held an equally noted address in Zurich and urged the revival of the European idea. These efforts finally led to the formation of the Council of Europe in August of 1949.

Since the tedious negotiations with the Soviet Union about reparations questions and the ultimate solution of the German question did not produce any results, indeed the domestic situation in the Eastern Bloc states and in the Balkans was coming to a head, President Truman (March, 12, 1947) made a declaration in a message to Congress, known as the Truman Doctrine.

Der amerikanische Außenminister James F. Byrnes bei seiner Rede in Stuttgart, 1946

The American Foreign Minister James F. Byrnes delivering his speech in Stuttgart, 1946

chill forderte die Vereinigung der Länder Europas und insbesondere die politische und wirtschaftliche Freiheit für die von der Sowjetunion besetzten Teile dieses Kontinents. Im September desselben Jahres hielt er eine ebenfalls vielbeachtete Ansprache in Zürich und forderte das Wiederaufleben der Europa-Idee. Diese Bemühungen führten schließlich zur Bildung des Europarates im August 1949.

Da die langwierigen Verhandlungen mit der Sowjetunion über Reparationsfragen und die endgültigen Regelungen der deutschen Frage zu keinem Ergebnis führten, vielmehr sich die innenpolitische Lage in den osteuropäischen Staaten und auf dem Balkan zuspitzte, gab Präsident Truman (12. 3. 1947) in einer Botschaft an den Kongreß einen Erklärung ab, bekannt als Truman-Doktrin.

Nachdem nun alle Chancen für eine gemeinsame interalliierte Deutschlandpolitik nach dem Scheitern der Moskauer Konferenz vertan waren, entwickelten in den Monaten Mai und Juni Außenminister Marshall und sein Stellvertreter, Dean Acheson in Reden vor amerikanischen Universitäten ihre Überlegungen und Pläne für die Gesundung Eu-

After all the chances for a common interallied Germany policy had been squandered after the failure of the Moscow Conference, Secretary of State Marshall and his Undersecretary, Dean Acheson developed their considerations and plans for Europe's recovery in speeches at American universities during the months of May and June. Marshall's speech at Harvard was the key point in the birth of the American relief action for Europe, which became, generally known under the name "European Recovery Program" (ERP) or the "Marshall Plan".

The Marshall Plan contained detailed economic aims, as well as the revised industrial plan for the British-American Zone of 1947, and set the amounts that were necessary to provide financial support and stimulate the economy. The Americans were not only interested in stimulating the economy, but had recognized that it was necessary, "that

ropas. Die Harvard-Rede Marshalls war der Ausgangspunkt für die Geburtsstunde der amerikanischen Hilfsaktion für Europa, die unter dem Namen „European Recovery Program“ (ERP) bzw. als „Marshall-Plan“ allgemein bekannt wurde.

Der Marshall-Plan enthielt detaillierte Wirtschaftsrichtziele, beinhaltete den revidierten Industrieplan für die Bizone von 1947 und legte die Beträge fest, die finanziell zur Stützung und Ankurbelung der Wirtschaft notwendig waren. Es ging den Amerikanern aber nicht nur um die Ankurbelung der Wirtschaft, sondern sie gewannen die Erkenntnis, daß es notwendig sei, „daß Deutschland nicht weiterleben kann, wenn nicht in irgendeiner Form eine deutsche Regierung errichtet wird. Nur so können innerhalb Deutschlands verantwortliche Stellen gebildet werden, die ausreichend Vollmachten und Wirkungsmöglichkeiten besitzen, um nationale Probleme zu behandeln“ (aus dem Bericht des amerikanischen Handelsministers W. A. Harriman an Präsident Truman vom Sommer 1947).

Insoweit kann klargestellt werden, daß der Marshall-Plan nicht nur die Basis für den wirtschaftlichen Aufbau Europas und damit Deutschlands nach dem Kriege darstellte, sondern auch als politische Konsequenz zur Gründung der Bundesrepublik Deutschland beitrug. Damit war auch – insbesondere auf Betreiben der russischen Negativhaltung – das Ende der Viermächte-Verwaltung für Deutschland im Jahre 1948 impliziert.

Für das erste Jahr dieses ERP-Programms (1. 4. 1948–30. 6. 1949) standen 5,3 Milliarden zuzüglich 1,25 Milliarden Dollar zur Verfügung, die zum Teil geschenkt, zum Teil zurückgezahlt worden sind. Für das zweite Jahr wurden 4,3 Milliarden, für das dritte Jahr 1,3 Milliarden bewilligt; die Bundesrepublik Deutschland erhielt von 1948 bis 1952 1,5 Milliarden Dollar. Für Westeuropa wurde die ERP-Hilfe offiziell am 30. 6. 1952 beendet. Die Steigerung der landwirtschaftlichen und industriellen Produktion, Maßnahmen zur Währungsstabilisierung, Verbesserung des Warenaustausches und der Dienstleistungen sowie die bessere Ausnutzung der eigenen ökonomischen Hilfsquellen waren die Auflage für die Vergabe von ERP-Mitteln an die jeweiligen Staaten. Damit war das Fundament für den Wiederaufbau Westeuropas und der Startschuß für das deutsche „Wirtschaftswunder“ gegeben.

Germany cannot continue to exist if some form of German government is not established. Only in this way can responsible authorities be formed within Germany with sufficient authority and effectiveness to deal with national problems" (from the report by American Secretary of Commerce, W. A. Harriman, to President Truman in the summer of 1947). It is thus clear that the Marshall Plan was not only the basis for the economic recovery of Europe and thus that of Germany, but also, as a political consequence, contributed to the establishment of the Federal Republic of Germany. This also implied – especially contrived by the Russians' negative attitude – the end of the four-power administration of Germany in 1948.

For the first year of this ERP program (April 1, 1948–June 30, 1949), 5.3 billion plus 1.25 billion dollars were made available, in part an outright gift, in part repaid. For the second year, 4.3 billion and for the third year 1.3 billion were granted. Between 1948 and 1952, the Federal Republic of Germany received 1.5 billion dollars. ERP aid was officially ended for Western Europe on June 30, 1952. The increase in agricultural and industrial production, measures leading toward monetary stabilization, improvement in the exchange of goods and services, as well as the better use of domestic sources of economic assistance were the conditions for the allocation of ERP funds to the various countries. The result was the basis of the recovery of Western Europe and the beginning of the German "economic miracle".

Gustav Casparek

Als die Deutschen in Not waren
When the German People needed Help

Es sind nicht nur die wortgewaltigen Proklamationen unserer Politiker, die das Verhältnis zwischen den Staaten bestimmen. Viel wichtiger noch sind die zwischenmenschlichen Begegnungen, die dieses Klima ausmachen: Eindrücke, die Touristen vom anderen Land mitnehmen, gehören dazu; das Zusammentreffen mit Menschen, ihrer Kultur und Geschichte, ihrer Musik und Malerei.

Langsam entstehendes Vertrauen

So hielt denn auch die von oben befohlene „Non-Fraternization“ (das Verbot, Beziehungen zur Zivilbevölkerung aufzunehmen) nicht lange vor, als 1944 amerikanische Soldaten die deutsche Grenze überschritten hatten, und mit ihrem Einmarsch die letzte Phase des Zweiten Weltkriegs begann. Die traurigen Augen hungriger Kinder, die aus den Trümmern der eroberten Städte hervorkrochen, erweichten als erstes jedes Soldatenherz. Besonders die farbigen Amerikaner, von den Kindern angestarrt wie Wesen einer unbekannten, anderen Welt, gaben als erstes von ihrem Kaugummi, der Schokolade und den Essenrationen ab und riskierten damit Strafen, die zu jener Zeit noch auf „Einlassen mit dem Feind“ standen.

Entsprechende Verbote sind die Regel bei kriegerischen Auseinandersetzungen. Die besonders in den letzten Kriegsmonaten sich überschlagende Nazi-Propaganda, die dem Gegner unter jedem Strohhaufen und hinter jedem Baum einen „Werwolf“, einen Widerstandskämpfer, versprach, sorgte zudem dafür, daß die amerikanische Kriegsführung nach Überschreiten der deutschen Grenze besonders vorsichtig operierte. Auch war die Propagandamaschine in den USA nicht besonders zimperlich gewesen, um die eigenen Soldaten zu motivieren und die Bevölkerung überhaupt erst auf den Kriegseintritt auf Seiten der Alliierten einzustimmen. Dieser erfolgte nach dem japanischen Luftüberfall auf Pearl Harbor; vier Tage darauf, am 11. Dezember 1941, erklärten Deutschland und Italien den Vereinigten Staaten den Krieg.

Wie sehr die Atmosphäre zwischen den Völkern vergiftet war, wird an dem Plan des damaligen US-Finanzministers Henry Morgenthau deutlich, der vorsah, ein erobertes Deutschland aufzuteilen und es in ein reines Agrarland zurückzuverwandeln, dem nie wieder Militär und Rüstung zu

It is not only the powerful words proclaimed by our politicians which determine the relationship between nations. More important still are the encounters between people which produce this climate. Impressions of another country which tourists take home with them are part of this: meeting people, getting to know their culture and history, their music and painting.

Trust develops gradually

The “non-fraternization” law which was enacted by the higher authorities, prohibiting relations with the civilian population, thus was not adhered to very long, after the American soldiers crossed the German border in 1944 and the final phase of the Second World War began. The sad eyes of hungry children who crept out of the rubble of the captured cities immediately softened the heart of every soldier. It was particularly the colored Americans, stared at by the children as if they were beings from another planet, who gave the children some of their chewing gum, chocolate, and food rations and thereby risked the penalties with which this kind of “involvement with the enemy” was still punished at the time.

uch prohibitions were usual in armed conflicts. Nazi propaganda, which had become very active during the final months of the war, promising the enemy a “Werwolf”, a member of the resistance, under every pile of hay and behind every tree, also led the American military leaders to operate particularly carefully after crossing the German border. The propaganda machine in the USA had not been very dainty either in its efforts to motivate its own soldiers and to make the people enthusiastic about entering the war to begin with. The U. S. did so, on the side of the Allies, after the Japanese air attack on Pearl Harbor. Four days later, on December 11, 1941, Germany and Italy declared war on the United States.

Just how poisoned the atmosphere between the peoples was is made obvious by the plan presented by the U. S. Secretary of the Treasury at the time, Henry Morgenthau. He intended to partition a conquered Germany and turn it back into a purely agrarian country, one which would never again be permitted arms or an army. This Morgenthau Plan was

gestatten sei. Dieser Morgenthau-Plan wurde zwar schon 1944 vom US-Präsidenten Franklin D. Roosevelt widerrufen. Doch die antideutsche Stimmung blieb und steigerte sich noch, als das ganze Ausmaß der KZ-Greuel bekannt wurde.

Nach Kriegsende 1945 waren Amerikaner wie Deutsche eigentlich nur in einem Punkt einig: Generationen würde es dauern, ehe alle Folgen dieser bislang größten militärischen Auseinandersetzung in der Geschichte der Menschheit beseitigt sein würden. Nicht nur die militärischen Schäden waren gewaltig; fast ganz Europa lag in Schutt und Asche, Millionen Menschen waren getötet worden. In Trümmern aber lagen auch, und das wog viel schwerer, alle menschlichen Beziehungen, zerstört war das Vertrauen zwischen den Völkern. Wenn trotz dieser ungünstigsten aller möglichen Voraussetzungen innerhalb weniger Jahre die Menschen wieder zueinander fanden, die Beziehungen zwischen den Staaten enger und ihre Grenzen untereinander offener wurden als jemals seit der Entstehung der Nationalstaaten, so hat das verschiedene Gründe.

Sicher hat die weltpolitische Entwicklung nach 1945 eine wesentliche Voraussetzung für die Annäherung, zumindest für die westliche Welt, geschaffen. Der Anspruch der Sowjetunion als Weltmacht, ihre in den letzten Stalin-Jahren immer rigoroser vertretene Forderung nach kommunistischer Weltrevolution, zwangen den Westen zur Gegenreaktion. 1949 wurde die Nato gegründet; ihr trat nach der am Veto Frankreichs gescheiterten Europäischen Verteidigungsgemeinschaft 1955 auch die Bundesrepublik Deutschland bei. Daß sich dieses NATO-Bündnis als militärische Allianz über die Jahrzehnte hinaus so sehr bewährte, hat jedoch nicht nur verteidigungspolitische Ursachen. Mindestens ebenso wichtig bleibt, daß unter diesem Schild die Völker viele Gelegenheiten fanden, trotz der für irreparabel gehaltenen Schäden zu Versöhnung und Verständigung zu finden.

Einen wesentlichen Beitrag zu dem neuen deutsch-amerikanischen Vertrauen leisteten auch jene Millionen Bürger derVereinigten Staaten, deren Vorfahren zum Teil

Deutschland in Trümmern – Köln

Germany reduced to ashes – Cologne

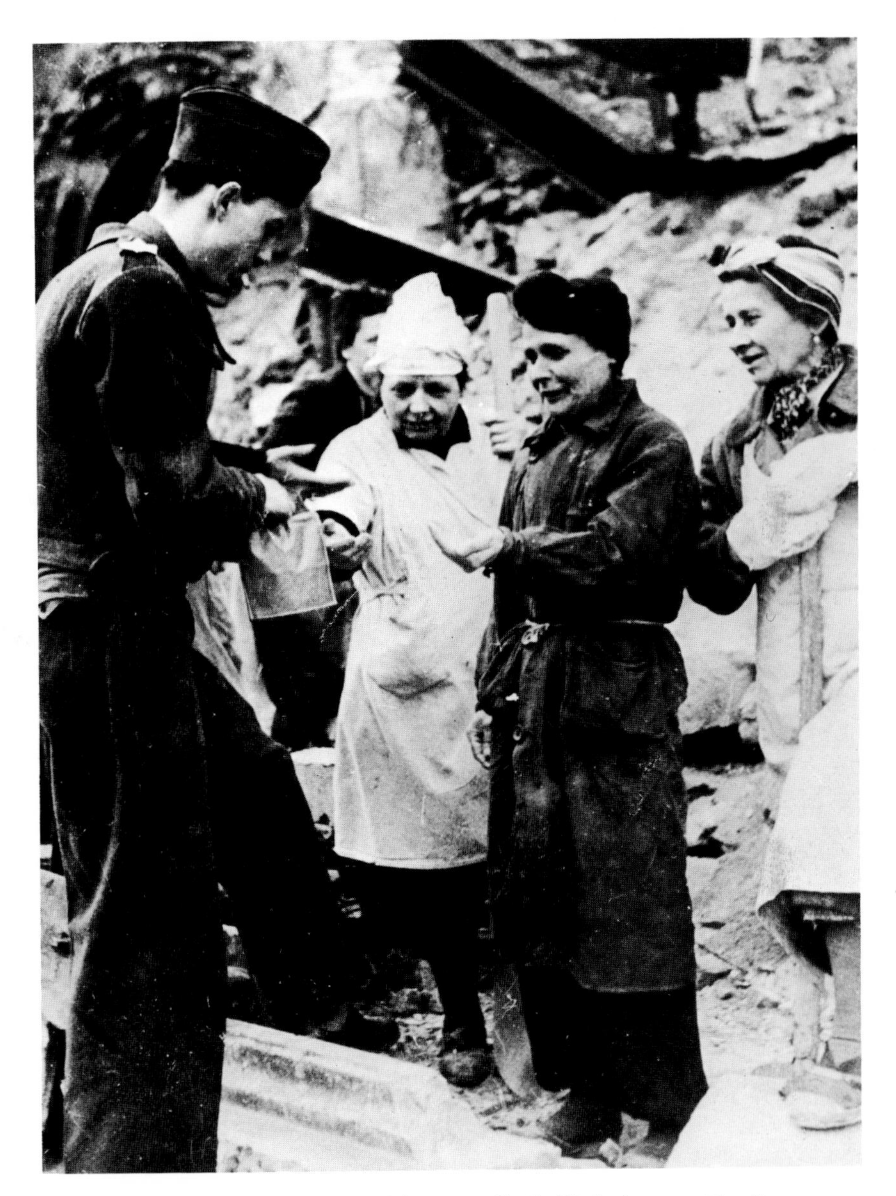

1945 – ein amerikanischer Soldat verteilt Süßigkeiten an Berliner „Trümmerfrauen“

1945 – An American soldier hands out candy to the “rubble women” of Berlin

already retracted by U. S. President Franklin D. Roosevelt in 1944. The anti-German feeling remained, however, and became even stronger when the full extent of the horrors of the concentration camps became known.

After the war ended in 1945, Americans and Germans actually only agreed about one thing: It would take generations before all the consequences of this military conflict, the most extensive in the history of humanity, could be ironed out. Not only had colossal military damage been inflicted;

Freundschafts-Bekundungen zwischen sowjetischen und amerikanischen Soldaten nach der Niederwerfung des deutschen Faschismus, hier in den Straßen von Torgau (heute DDR)

Demonstrations of friendliness between Soviet and American soldiers after the overthrow of German facism, here, in the streets of Torgau (today GDR)

Generationen zuvor aus Deutschland ausgewandert waren. Viele hatten nach wie vor familiäre oder emotionale Bindungen zur alten Heimat.

Daß das einige Zeit dominierende, krasse Freund-Feind-Bild der Amerikaner sich wandelte, ist auch den vielen Emigranten zu danken, die nach 1933 Deutschland verlassen mußten. Viele von ihnen waren Künstler und Wissenschaftler, deren Reputation in den USA half, das schiefe Deutschland-Bild zu korrigieren. Zahlreiche in den USA fortgeführte Forschungsarbeiten deutscher Wissen-

almost all of Europe was razed to the ground, and millions of people had been killed. Also in ruins – and this was far more important – were all human relations; trust between the peoples had been destroyed. Within a few years, despite these most unfavorable prerequisites, the people were able to become reconciled; relations between the countries became closer and their borders more open to one another than had been the case at any time since the founding of the national states. This had various reasons.

The world political development after 1945 certainly provided an important basis for this approchement, at least

schaftler von Albert Einstein bis Max Horkheimer ist es ebenfalls zu verdanken, daß das Ansehen des „Landes der Dichter und Denker“ unter den Kriegsereignissen nicht restlos zertrümmert wurde.

Nützliche Hilfsmaßnahmen

Kaum war in Amerika der Umfang der Armut und Zerstörung im Nachkriegs-Europa bekannt geworden, begann dort eine Hilfswelle bisher unbekannten Ausmaßes. Die „Cooperative for American Remittances to Europe“ wurde gegründet, und ab November 1945 bewahrten deren Care-

George W. Marshall, amerikanischer Außenminister nach 1945, beeinflußte die wirtschaftliche Entwicklung Deutschlands entscheidend

George W. Marshall, American Foreign Minister after 1945, had a decisive influence on the economical development of Germany

for the western world. The Soviet Union's claims to be a world power, its demand for a Communist world revolution, which it presented more and more rigorously in the later Stalin years, forced the West to react. NATO was founded in 1949; the Federal Republic of Germany also joined it in 1955, after the European Defense Community miscarried due to France's veto. Not only factors connected with defense policy are responsible, however, for the fact that this NATO alliance has proved itself so well over the course of decades. At least as important is that, under its auspices, the peoples were able to find a way to achieve reconciliation and understanding, despite the seemingly irreparable damage.

An essential contribution to the new German-American trust was also made by the millions of citizens of the United States whose ancestors had emigrated from Germany, sometimes generations before. Many of them still had family ties or emotional ones to the old homeland. It was also thanks to the many emigrants who were forced to leave Germany after 1933 that the crass friend-enemy image held by the Americans changed. Many of them were artists and scientists whose reputation in the USA helped to correct the distorted picture of Germany. Among them were Edward Teller, Max Reinhardt, Mies van der Rohe, Ernst Bloch, Thomas Mann and his brother Heinrich, Paul Hindemith, Max Ernst, and Bertold Brecht, who was ostracized after 1945 because of his “communist activities”. They and many others wrote an important chapter in German cultural history in American exile, often earned their living writing scripts in Hollywood, were kept above water by friends, of found positions in universities and other institutes. Numerous research projects continued in the USA by German scientists from Albert Einstein to Max Horkheimer are also responsible for the fact that the reputation of the “land of poets and thinkers” was not completely shattered by the events of the war.

Welcome Assistance

Hardly had the extent of poverty and destruction in postwar Europe become known in America, when a surge of assistance arose greater than any known before. The “Cooperative for American Remittances to Europe” was founded, and, beginning in November of 1945, its CARE packages li-

kommen leben mußte, konnte sich Schwarzmarkt-Luxus kaum leisten. Ganze vier Zigaretten – nicht einmal die guten „Amis", sondern die billigen deutschen – konnte sich eine Berliner Trümmerfrau von dem Geld leisten, das sie in einer Woche verdiente. Wer noch irgendwelche Wertsachen über den Krieg gerettet hatte, konnte diese gegen überlebenswichtige Nahrungsmittel eintauschen.

Die große materielle Not war nur eines der Probleme, die im Nachkriegsdeutschland zu bewältigen waren. 14 Millionen Entwurzelte, Evakuierte aus den zerstörten Städten und Flüchtlinge aus den Ostgebieten, suchten nach einer neuen Bleibe. In der amerikanischen Besatzungszone war ihr Anteil besonders hoch. Jeden vierten Bewohner dieser Gebiete hatte es durch die Kriegs- und Nachkriegsereignisse hierher verschlagen. Sie besaßen selten mehr, als das, was sie am Leibe hatten und in den Händen tragen konnten.

Die Reparationsfrage

Mit den idealistischen Zielen der Atlantik-Charta hatten die Amerikaner den Zweiten Weltkrieg gewonnen. Ihr Präsident Roosevelt und der britische Premier Winston Churchill hatten 1941 bei einem Treffen auf Kriegsschiffen vor der Insel Neufundland mit dieser Charta einen Grundstein zur Anti-Hitler-Allianz gelegt, die Perspektiven für eine bessere Welt nach dem Kriege aufzeichnete. Sie sollte gelten, so der amerikanische Präsident am 23. Februar 1942, für „alle Völker, alle Nationen, alle Menschen in allen Ländern der Welt." In acht Punkten wurde der Verzicht auf politisch-territoriale Expansion festgelegt und jede Gebietsveränderung gegen den freien Willen der beteiligten Völker abgelehnt. Gefordert wurden „Freiheit der Regierungsform für jeden Staat, Freiheit der Weltwirtschaft und des Welthandels für kleine und große, siegende und besiegte Staaten, wirtschaftliche Kooperation im Weltmaßstab, Freiheit vor Furcht durch Angriffe, Freiheit der Meere, Freiheit vor Furcht durch Gewaltverzicht sowie die Entwaffnung aggressiver Mächte." Später, vor allem unter Einfluß der Sowjets, wurde von Deutschland entgegen dieser Charta die bedingungslose Kapitulation verlangt, was auch Churchill 1944 noch einmal bekräftigte: „Die Atlantik-Charta bindet uns in keiner Weise hinsichtlich der Zukunft Deutschlands."

The great material need was only one of the problems which had to be coped with in postwar Germany. 14 million uprooted or evacuated people from the destroyed cities and refugees from the eastern territories were searching for a new dwelling. In the American occupation zone, the number was particularly high. Every fourth inhabitant of these areas had landed here as a result of war and postwar events. They seldom possessed more than what they had on their backs and whatever they could carry in their hands.

The reparations question

The Americans had won the Second World War with the idealistic goals of the Atlantic Charter. At a meeting on warships off the Island of Newfoundland in 1941, President Roosevelt and British Prime Minister Winston Churchill had laid the foundations, with this charter, for the anti-Hitler alliance, chronicling perspectives for a better world after the war. It was to apply, as the American president said on February 23, 1942, for "all peoples, all nations, all human beings in all countries of the world." In eight points, the renouncement of political-territorial expansion was established, and any territorial change against the free will of the involved peoples was condemned. Demanded was "freedom of governmental form for every nation, freedom in international economy and world trade for small and large, victorious and conquered nations, economic cooperation on a world scale, freedom from fear of attack, freedom of the seas, freedom from fear via the renunciation of violence, as well as the disarmament of aggressive powers." Later, especially under the influence of the Soviets, unconditional surrender was demanded of Germany, in opposition to this charter. Churchill again corroborated this in 1944: "The Atlantic Charter in no way binds us in regard to the future of Germany."

Truman, however, initially set the full scope of American optimism against the doubts of the British prime minister. He simply could not imagine that humanity would never be able to learn from its experiences. He had confidence in the desire of all people for peace and was prepared to provide a solid basis for this at the Potsdam Conference from June 17 th until August 2nd, 1945, with his British and Russian colleagues. In the Potsdam Agreement, conquered

Truman jedoch setzte anfangs den ganzen amerikanischen Optimismus gegen die Bedenken des britischen Premiers. Er konnte sich einfach nicht vorstellen, daß die Menschheit nie aus ihren Erfahrungen zu lernen imstande sei. So vertraute er der Friedenssehnsucht aller Menschen und war bereit, auf der Potsdamer Konferenz vom 17. Juli bis 2. August 1945 mit seinen britischen und russischen Kollegen solide Voraussetzungen hierfür zu schaffen. Im Potsdamer Abkommen wurde das besiegte Deutschland in vier Besatzungszonen aufgeteilt – außer den drei Verhandlungspartnern wurde auch Frankreich mit einbezogen –, ebenfalls gevierteilt wurde die alte Reichshauptstadt Berlin. Die Gebiete östlich von Oder und Neiße wurden Polen zugesprochen, als Ausgleich für jene Gebiete Ostpolens, die die Sowjetunion für sich beansprucht hatte.

Mit dem Potsdamer Abkommen wurde auch die Reparationsfrage geregelt. Wenngleich die in Jalta ursprünglich vereinbarten Zuweisungen an die UdSSR nicht realisierbar waren – zu viel war in Deutschland zerstört –, so sollte sie doch als das vom Krieg am härtesten betroffene Land bevorzugt behandelt werden. Jede Besatzungsmacht erhielt auf Vorschlag Trumans nur Reparationen aus der eigenen Zone, die Westmächte verzichteten freiwillig auf ein Viertel ihres Anteils zugunsten der Sowjets.

Sie trieben die Reparationen in der eigenen Besatzungszone konsequent ein. Ganze Fabriken, Bahnanlagen und vieles mehr wurden abtransportiert. In den Westzonen verlief die Entwicklung anders. Vor allem im Ruhrgebiet und auf den Werften an der Küste, wo außer den Briten vor allem auch die Russen Interesse angemeldet hatten, stießen sie auf zum Teil erbitterten Widerstand der deutschen Arbeiter. Diese besetzten ihre Fabriken, kämpften um jeden Arbeitsplatz, so daß hier die Demontage verzögert und schließlich zum größten Teil ganz eingestellt wurde.
Im Zuständigkeitsbereich der amerikanischen Armee war von diesen Reparations-Demontagen noch am wenigsten zu merken. Die US-Streitkräfte hatten große Mühe, die Bevölkerung aus eigenen Beständen notdürftig zu ernähren. So erschien es ihnen sinnvoller, die Deutschen zu verstärkter Produktion zu ermuntern, um dringend benötigte Importe finanzieren zu können.

Germany was divided into four occupation zones – France was included in addition to the three negotiating partners – and the old Reich capital, Berlin, was also divided into quarters. The areas east of the Oder and Neisse were given to Poland to make up for the areas in Eastern Poland which the Soviet Union had claimed for itself.

The Potsdam Agreement also settled the reparations question. Even though it was not possible for the allocations originally granted to the USSR in Yalta to be realized – too much in Germany had been destroyed – it was still to be handled preferentially, as the country which had been hit the hardest by the war. Each of the occupying powers, as suggested by Truman, received reparations from its own zone only. The Western powers voluntarily gave up one-fourth of its share in favor of the Soviets.

The Soviet Union systematically collected the reparations in its own occupation zone. Entire factories, railroad installations, and much more was carted off. In the Western zones, things ran differently: Especially in the Ruhr area and in the shipyards on the coast, in which, in addition to the British, the Russians had been particularly interested, they encountered some stubborn resistance on the part of the German workers. These people took over their factories and fought for every workplace, so that here the disassembly was delayed and finally completely discontinued, for the most part.

In the jurisdictional area of the American Army, these reparations disassemblies were least noticeable. The U.S. forces had great difficulty to provisionally feed the population from their own supplies. So it seemed more sensible to them to encourage the Germans to increase production, in order to make it possible to finance the urgently-needed imports.

The Americans were particularly interested in modern German technology. They were firmly convinced that German scientists would be at the same stage in development in the preliminary work for an atom bomb as researchers at home. They dropped the first test bomb, by the way, during the Potsdam Conference. Completely incredulous, although in retrospect very much relieved, they learned that Hitler had apparently completely underestimated the destructive potential of atomic power and had long since had all experiments discontinued.

Die Amerikaner waren vor allem an moderner deutscher Technologie interessiert. So waren sie fest davon überzeugt, daß deutsche Wissenschaftler in den Vorarbeiten für eine Atombombe auf dem gleichen Entwicklungsstand wie die heimische Forschung sein würden; sie zündeten die erste Testbombe übrigens während der Potsdamer Konferenz. Völlig ungläubig, wenn auch im Nachhinein sehr erleichtert, vernahmen sie, daß Hitler das Vernichtungspotential der Atomkraft offensichtlich völlig unterschätzt und alle Versuche schon lange hatte einstellen lassen.

Um so erfreuter waren sie über Wernher von Braun und seine gesamte Mannschaft, die im Ostseebad Peenemünde die V-Waffen entwickelt und in der Raketentechnik Weltspitze erreicht hatten. Die Peenemünder setzten sich vor den anrückenden Russen rechtzeitig in Richtung Westen ab und kamen so in amerikanisches Gewahrsam. Braun und viele seiner Mitarbeiter siedelten bald in die Vereinigten Staaten über, wo sie beim Aufbau der Raketenindustrie maßgeblich mitwirkten. Dieser entwickelte sich rasch. 1946 erreichte eine amerikanische Forschungsrakete eine Höhe von 88 Kilometern. Sie untersuchte die Schichten der Atmosphäre und machte Aufnahmen vom Sonnenspektrum. 1949 erreichte eine zweistufige, mit flüssigem Treibstoff angetriebene Rakete die Höhe von 402 Kilometern. Doch es sollte noch ein schwieriger Weg werden, ehe Neil Armstrong mit der „Apollo 11“ am 21. Juli 1969 als erster Mensch auf dem Mond landete.

Der politische Wiederaufbau

Die höchste Regierungsgewalt in Deutschland wurde nach Potsdam den Oberkommandierenden der Streitkräfte übertragen. Das Land wurde dezentralisiert, nur lokale Selbstverwaltungsorgane sollten nach demokratischen Grundsätzen von der Bevölkerung gewählt werden können. Religions-, Rede- und Pressefreiheit wurde gewährt, wenn auch „unter Berücksichtigung der militärischen Sicherheit“; Parteien und Gewerkschaften durften gegründet werden.

Für den Aufbau dieses politischen Lebens mußten Deutsche ohne braune Vergangenheit gefunden werden, vornehmlich Menschen, die vor 1933 politisch aktiv gewesen waren. Doch solche aufzuspüren war schwer: Manch' einer von ihnen hatte den nationalen Tönen Hitlers vertraut

Ein Beispiel für viele: Der deutsche Wissenschaftler Wernher von Braun, der nach dem Krieg in die USA ging, links: Eisenhower

An example for many: The German scientist Wernher von Braun, who went to the U.S.A. after the war, left: Eisenhower

That made them all the more pleased about Wernher von Braun and his whole team, who, in the Baltic Sea resort of Peenemünde, had developed the retaliatory weapon and brought rocket technology to its international peak. The Peenemünders escaped to the West just in time, before the advancing Russians, and thus landed in American custody. Braun and many of his associates soon immigrated to the United States, where they played an important part in establishing the rocket industry. This developed quickly. In 1946, an American test rocket reached a height of 88 kilometers. It investigated the strata of the atmosphere and took pictures of the solar spectrum. In 1949, a two-stage rocket, driven by liquid fuel, reached a height of 402 kilometers. But there was still a lot of hard work to do before Neil Armstrong landed with the "Apollo 11" on July 21, 1969, and became the first man on the moon.

Political reconstruction

After Potsdam, the supreme governmental power in Germany was transferred to the commanders-on-chief of the armed forces. The country was decentralized; only local self-government organs could be elected by the population ac-

oder den Fortgang seiner Karriere unter dem Schirm des Nationalsozialismus als besonders aussichtsreich erachtet. Viele andere waren im KZ umgekommen – ihnen war die Flucht vor Verfolgung nicht geglückt. Von den Emigranten verspürte nicht jeder Lust, die im fremden Land unter großen Mühen aufgebaute Existenz einer ungewissen Zukunft in der alten Heimat zu opfern. Nur wenige waren daheim geblieben und in die „innere Emigration" gegangen. Wie der Politiker Konrad Adenauer oder der Schriftsteller Erich Kästner versuchten sie, möglichst unauffällig zu überleben – und waren doch nicht sicher vor der Gestapo. Diese gefürchtete Geheimpolizei hatte die letzten Widerstandszellen deutlich dezimiert, vor allem nach dem Attentat auf Hitler am 20. Juli 1944. Zerbombte Städte und Flucht vor heranrückenden Truppen machten schließlich das Chaos komplett. Der amerikanische Major Fritz E. Oppenheimer, der deutsche Generalstäbler zur Unterzeichnung der Kapitulationsurkunde von Kiel nach Berlin eskortiert hatte, fand am Brandenburger Tor der alten Reichshauptstadt „keine Menschenseele. Ein paar Nazislogans an rauchschwarz zerbombte Gebäude gekleistert, war alles, was vom Dritten Reich übriggeblieben war", beschrieb er seine Eindrücke. Er fand nur „einige wenige ausgemergelte, erschöpfte Zivilisten, die in schäbiger Kleidung mit alten Eimern in der Hand an einer handgetriebenen Pumpe eine Schlange bildeten, um Wasser zu holen." Überall in Deutschland herrschten gleiche Verhältnisse.

Unter solchen Voraussetzungen sollte – unter Aufsicht der Alliierten – eine Zivilverwaltung aufgebaut werden. Die Amerikaner hatten als Richtschnur für die Besatzungspolitik ihre „Direktive JCS 1067", die am „Grundsatz der Bestrafung" festhielt, wenn sie auch die Wiederbelebung des politischen Lebens auf demokratischer Grundlage vorsah. Festgeschrieben war hier auch das Fraternisierungsverbot. 1947 wurden diese Richtlinien revidiert, und mit der Direktive JCS 1779 der Grundstock für die künftige Zusammenarbeit gelegt. In den Stäben und speziellen Einheiten zur psychologischen Kriegsführung hatten die Amerikaner besondere Deutschland-Kenner zusammengefaßt. Sie hatten die Aufgabe, hinter den einrükkenden Truppen die Zivilverwaltung mit Hilfe von Antifaschisten wieder aufzubauen – wie sie später als Kontroll-

cording to democratic principles. Freedom of religion, speech, and press were granted, although "under consideration of military security", and the establishment of political parties and unions was permitted.

In order to re-build political life, Germans who had not been Brownshirts had to be found, principally people who had been politically active before 1933. Yet it was difficult to track them down. Some of them had trusted Hitler's patriotic tone or had thought that the prospects of advancing professionally under the protection of National Socialism would be particularly great. Many others had perished in the concentration camps – they had not succeeded in fleeing from persecution. Among the emigrants, not everyone felt like sacrificing the existence they had managed to build up in the face of great difficulties in a foreign country for an uncertain future in the old homeland. Only a few had remained at home and gone into passive resistance; like politician Konrad Adenauer or author Erich Kästner, they attempted to survive as inconspicuously as possible – and were still not safe from the Gestapo. This feared secret police had decimated the remaining resistance units, especially after the assassination attempt on Hitler on July 20, 1944. Bombed-out cities and fleeing from advancing troops finally completed the chaos. The American Major Fritz E. Oppenheimer, who had escorted the German general staff officers from Kiel to Berlin to sign the capitulation documents, found, at the Brandenburg Gate in the old Reich capital, "not a living soul. A couple of Nazi slogans glued onto bombed-out buildings, black from smoke, was all which remained of the Third Reich," as he described his impressions. He found only "a few emaciated, worn-out civilians, wearing shabby clothing, who stood in line with old buckets in their hands to get water from a hand pump." The situation was the same all over Germany.

Under such conditions – under American supervision – a civilian government was to be formed. The occupation policy of the Americans was outlined by their "Directive JCS 1067", which adhered to the "principle of penalty", even though it planned for the revival of political life on a democratic basis. Also laid down here was the prohibition of fraternization. These guidelines were revised in 1947, and in Directive JCS 1779, the basis for future coop-

Offiziere und Zensoren tätig wurden, um im Laufe der Jahre immer mehr Zuständigkeiten in deutsche Hände zurückzuführen.

In den ersten Tagen nach der Besetzung war ihre Arbeit besonders schwierig. So waren die zuständigen Offiziere froh, als sie beim Einmarsch nach Köln auf Konrad Adenauer stießen, Oberbürgermeister der Stadt bis 1933. In einem Rheindorf unterhalb des Drachenfelsen hatte er das Ende der Nazi-Herrschaft abwarten wollen, war dann aber mit zahlreichen anderen Oppositionellen nach dem Juli-Attentat 1944 im Kölner Messegelände interniert worden. Die Amerikaner erklärten ihn zum Oberbürgermeister seiner Heimatstadt, wo er mit seiner geraden, wenn auch manchmal rheinisch-schlitzohrigen Art schnell das Vertrauen der Besatzer gewann. Perfekt, wie er den rheinischen Klüngel beherrschte, konnte Adenauer viel für die Kölner tun, so viel, daß ihn die Briten sofort wieder „in die Wüste schickten", kaum daß die Domstadt ihrer Besatzungszone zugeschlagen war. Diese Amtsenthebung hatte

Sie begründeten das Nordatlantische Bündnis: Präsident Eisenhower, US-Außenminister John Foster Dulles, der deutsche Außenminister Heinrich von Brentano und Bundeskanzler Konrad Adenauer

They founded the North Atlantic Alliance: President Eisenhower, U.S. Foreign Minister John Foster Dulles, the German Foreign Minister Heinrich von Brentano and the Federal Chancellor Konrad Adenauer

eration was established. The Americans had concentrated people who had a very great knowledge of Germany in the staffs and special units for psychological warfare. It was their task, after the troops had marched in, to reconstruct the civilian governmet, with the help of anti-Fascists. Later they became control officers and censors, putting more responsibility back into German hands in the course of the years.

In the early days of the occupation, their work was particularly difficult. The responsible officers were therefore happy, upon entering Cologne, to discover Konrad Adenauer, who had been Lord Mayor of the city until 1933. He had wanted to wait out the end of the Nazi rule in a village on the Rhine beneath the Drachenfels, but was then interned on the Cologne fairgrounds after the July, 1944, assassination attempt, along with many other members of the opposition. The Americans declared him Lord Mayor of his home town where, with his straightforward, if sometimes foxy Rhenish ways, he quickly won the confidence of the members of the occupation forces. Adenauer ruled over the Rhenish clique so well that he was able to do a great deal for the people of Cologne, so much, in fact, that the British got rid of him again as soon as the city had become part of their occupation zone. His removal from office resulted in the fact that Adenauer had enough time to work on rebuilding the party. The rest of the story is well-known: He united the conservative and Christian powers under the broad roof of the CDU and became the first Federal Cancellor of the newly-founded Federal Republic of Germany. During the discussions on the Constitution, his vote was decisive in making Bonn the capital and not Frankfurt, as many preferred.

The initial selection procedure introduced by the American occupation authorities was far too wide-meshed and too often ruled by chance to serve as the basis for a civilian government with a democratic structure. Even after the founding of parties became possible again after August 13, 1945, the fear remained that former important Nazis would attempt to continue with their old politics, in disguise. It seemed impossible to imagine that the frenzy into which Hitler had been able to send an entire people had burst like a soap bubble. And they were particularly afraid

zur Folge, daß Adenauer genügend Zeit fand, sich um den Wiederaufbau der Partei zu kümmern. Die weitere Geschichte ist bekannt: Er einte die konservativen und christlichen Kräfte unter dem großen Dach der CDU und wurde der erste Bundeskanzler der neugegründeten Bundesrepublik Deutschland. Während der Beratungen zum Grundgesetz gab seine Stimme den Ausschlag dafür, daß Bonn und nicht, wie von vielen gewünscht, Frankfurt die Bundeshauptstadt wurde.

Das von den amerikanischen Besatzungsbehörden eingeführte Selektionsverfahren der ersten Stunde war viel zu weitmaschig und oft vom Zufall bestimmt, als daß sich darauf eine Zivilverwaltung mit demokratischer Struktur hätte aufbauen lassen. Auch als nach dem 13. August 1945 die Gründung von Parteien wieder möglich wurde, blieb die Angst, daß ehemalige NS-Größen mit demokratischem Deckmantel ihre alte Politik fortzuführen versuchten. Unvorstellbar erschien es, daß der Rausch, in den Hitler ein ganzes Volk versetzen konnte, wie eine Seifenblase zerplatzt sein sollte. Und besondere Furcht verspürten sie, daß die Ideen des Nationalsozialismus über die Schulen an die Kinder herangetragen werden könnten.

Dieses Vorantasten wird verständlich, weil die Amerikaner viel früher als ihre Alliierten damit begannen, das öffentliche Leben so weit und so schnell wie möglich in deutsche Hände zurückzuführen. Verantwortlich hierfür wurde Lucius D. Clay, der noch während des Krieges als stellvertretender Militärgouverneur zum Chef der Zivilverwaltung ernannt wurde.

Um die schwarzen Schafe besser erkennen zu können und den alten Nazis das Einschleichen in demokratische Einrichtungen zu erschweren, wurde der berühmt-berüchtigt gewordene „Fragebogen“ erfunden. Er enthielt 132 Fragen zur Mitgliedschaft in der NSDAP und all ihren Organisationen. Durch dieses Verfahren, an dem von Anfang an deutsche Mitarbeiter beteiligt wurden, sollten Hauptschuldige (Kriegsverbrecher), Belastete, Minderbelastete, Mitläufer und Entlastete herausgefiltert werden. Jeder, vor allem wenn er irgendein öffentliches Amt bekleiden wollte, mußte in diesem mehrseitigen Papier sein ganzes Vorleben und seine Gesinnung offenlegen. Entnazifizierungs-Ausschüsse und Spruchkammern begutachteten dann diese Selbstanklagen. Wer unbelastet war, dem standen Amt und

that the ideas of National Socialism might be communicated to the children in the schools.

This groping can be understood in view of the fact that the Americans began much earlier than their allies to return public life to German hands, as quickly and to as great an extent as possible. Responsible for this was Lucius D. Clay, deputy military governor who was named head of the civilian government while the war was still going on.

In order to more easily recognize the black sheep and to make it more difficult for the old Nazis to find a hiding place within the democratic institutions, the famous-infamous "questionnaire" was drawn up. It contained 132 questions relating to membership in the National Socialist Party and all of its organizations. By means of this procedure, which from the beginning involved Germans, too, those who were principal war criminals, incriminated, less incriminated, nominal party members, and exonerated were to be filtered out. Anyone, especially if he wanted to hold any public office, had to reveal his entire past life and his views on this many-paged form. Denazification commissions and tribunals then evaluated these self-incriminations. Rank and honor were open to those who were exonerated. Members of Nazi organizations first had to help to clear away the rubble. But the rest of the population was also called upon to help with the clearance work. The Berlin "Trümmerfrauen" have become a symbol of this chapter of postwar history.

Six million questionnaires were filled out and evaluated in the three Western zones by 1950. The results: 1667 principal war criminals were identified, 23,060 incriminated, 150,425 less incriminated, and 1,005,854 nominal members registered. 1,213,873 were finally exonerated in the evaluation procedures. Numerous war criminals were sentenced by the International Military Court set up by the four powers. In the Nuremberg Trials, the surviving Nazi leaders, concentration camp overseers, and major business figures, insofar as they could be caught, met their judges.

Yet even this tribunal procedure, which was begun with great seriousness, somehow remained unsatisfactory. There were too many answers in the questionnaires which could not be verified, there were too many loopholes to make it possible to really separate the chaff from the wheat. The

Würden offen. Mitgliedern von Nazi-Organisationen mußten erst einmal beim Schutträumen mitanpacken. Doch auch die übrige Bevölkerung wurde zu Aufräumungsarbeiten herangezogen. Die Berliner „Trümmerfrauen" sind zum Begriff für dieses Kapitel Nachkriegsgeschichte geworden.

Sechs Millionen Fragebögen wurden bis 1950 in den drei Westzonen ausgefüllt und überprüft. Das Ergebnis: 1.667 Hauptschuldige wurden erkannt, 23.060 Belastete, 150.425 Minderbelastete und 1.005.854 Mitläufer registriert. 1.213.873 gingen schließlich als Unbelastete aus den Überprüfungsverfahren hervor. Zahlreiche Kriegsverbrecher wurden vor dem von den vier Mächten errichteten Internationalen Militärgerichtshof abgeurteilt. In den Nürnberger Prozessen fanden die überlebenden Nazi-Führer, KZ-Aufseher und Wirtschafts-Größen, soweit man ihrer habhaft werden konnte, ihre Richter.

Doch auch diese mit großem Ernst begonnene Spruchkammer-Praxis blieb irgendwo unbefriedigend. Zu viele Antworten in den Fragebögen waren nicht auf ihren Wahrheitsgehalt hin nachprüfbar, es gab zu viele Schlupflöcher, als daß alle Spreu vom Weizen zu trennen gewesen wäre. Mit dem sich entwickelnden Kalten Krieg änderten sich dann Probleme und Ziele, so daß 1950 diese Art kollektiver Entnazifizierung als abgeschlossen erklärt wurde.

„Re-education"

Mit sichtbar größerem Erfolg wurde die „Re-education" betrieben. Dieses amerikanische Programm der „Umerziehung", von den Briten auch für ihre Besatzungszone übernommen, hatte zum Ziel, die Ideale der Atlantik-Charta und demokratisches Bewußtsein in die Bevölkerung hineinzutragen. Wenn sich in der späteren Bundesrepublik Deutschland das Demokratieverständnis in kürzester Zeit so entwickeln und festigen konnte, und sich der überwiegende Teil der Bevölkerung gegen alle Radikalität von Links wie auch von Rechts immunisierte, so sind das nicht zuletzt Früchte dieser Bemühungen der Westalliierten.
Zu Zentren dieser Arbeit entwickelten sich in der amerikanischen Zone die „United States Information Centers", die Amerika-Häuser, wie sie bald überall genannt wurden. Es begann mit zwei kleinen Bibliotheken. Ab 4. Juli 1945

problems and goals changed along with the development of the Cold War, so that in 1950 this kind of collective denazification was declared ended.

"Re-education"

"Re-education" was conducted with great visible success. The goal of this American program, which was also used by the British for their occupation zone, was to bring the ideals of the Atlantic Charter and democratic consciousness to the people. The understanding of democracy in the Federal Republic of Germany developed and established itself in a very short time, and most of the people were immunized against all kinds of radicalism from the Left as well as the Right. This was to a great extent the fruit of these efforts on the part of the Western Allies.

In the American Zone, the "United States Information Centers", the America Houses, as they were soon called everywhere, became centers of this work. It began with two small libraries. Beginning on July 4, 1945, the "Psychological Warfare Division" in Bad Homburg put some 700 selected American books at the disposal of a limited circle of interested Germans. This war regarded as a kind of experiment, one which was successful from the very beginning. The interest was unusually great. This library, by the way, provided the basis for the America House which was built in Wiesbaden in 1947.

In November of 1946, there were already 16 America Houses; a year later, the number had risen to 20. In the heyday of the "Information Center" program, there were 27 of these institutions, including West Berlin. Associated with them were an additional 136 "Reading Rooms", libraries only, which provided the people in smaller places with reading material.

The heart of every America House was and is the library. These contain primarily scientific literature by important American authors. Also available are several hundred of the most important American newspapers and magazines. In addition, the America Houses began to organize a varied program of events, which began as early as 1946. There were discussions and lectures on topical subjects. A large sphere was devoted to the conveyance of American culture. Performers appeared, painters and sculptores were

wurde von der „Psychological Warfare Division“ in Bad Homburg einem begrenzten Kreis deutscher Interessenten etwa 700 ausgewählte amerikanische Bücher zur Verfügung gestellt, gedacht als eine Art Experiment, das von Anfang an erfolgreich verlief. Das Interesse war ungewöhnlich stark. Diese Bibliothek bildete übrigens den Grundstock für das 1947 in Wiesbaden gegründete Amerika-Haus.

Im November 1946 gab es bereits 16 Amerika-Häuser, im Jahr darauf hatte sich ihre Zahl auf 20 erhöht. In der Blütezeit des „Information-Center“-Programms gab es, einschließlich Westberlins, 27 dieser Einrichtungen. Ihnen angeschlossen waren weitere 136 „Reading Rooms“, ausschließlich Bibliotheken, die in den kleineren Orten die Bevölkerung mit Lektüre versorgten.

Das Herzstück eines jeden Amerika-Hauses war und ist die Bibliothek. Diese enthält in erster Linie wissenschaftliche Literatur wichtiger amerikanischer Autoren. Außerdem liegen hier einige hundert der bedeutendsten Zeitungen und Zeitschriften der USA aus. Darüber hinaus begannen die Amerika-Häuser bereits 1946 mit einem vielseitigen Veranstaltungsprogramm. Es gab Diskussionen und Vorträge zu aktuellen Themen. Breiten Raum wurde der Vermittlung amerikanischer Kultur eingeräumt: Künstler traten auf, Maler und Bildhauer in Ausstellungen vorgestellt, Fotoschauen zeigten den amerikanischen Alltag. Dieses breitgefächerte Angebot ist bis heute erhalten geblieben, wenngleich die Zahl der Häuser sank; auch für das reiche Amerika ergaben sich Sparzwänge. Heute bestehen in der Bundesrepublik noch sieben Amerika-Häuser (Berlin, Frankfurt, Hamburg, Hannover, Köln, München und Stuttgart). Fünf Deutsch-Amerikanischen Instituten (Freiburg, Heidelberg, Nürnberg, Saarbrücken und Tübingen) sind Bibliotheken angegliedert, die ebenfalls aus diesem amerikanischen Programm betreut werden, jedoch keine Veranstaltungen durchführen.

Bildung, Medien und Kultur

Schon sehr früh versuchten die Amerikaner, mit ihrem „Reeducation“-Programm vor allem Multiplikatoren zu erreichen, Deutsche also, die ihr erworbenes Wissen an ihre Landsleute weitergeben konnten. Hier hat beispielsweise das „Haus Schwalbach“ hervorragende Dienste geleistet. In einer Villa in den Taunushöhen oberhalb von Bad Schwal-

introduced in exhibitions, photo shows presented American day-to-day life. This broad program has been maintained up to the present, even though the number of houses has declined; even wealthy America has had to save. Today there are still seven America Houses in the Federal Republic (Berlin, Frankfurt, Hamburg, Hannover, Cologne, Munich, and Stuttgart). Five German-American Institutes (Freiburg, Heidelberg, Nuremberg, Saarbrücken, and Tübingen) have associated libraries which are also attended to by this American program, but in which cultural events do not take place.

Education, media and culture

Very early on, the Americans especially tried to reach multipliers with their “re-education” program – Germans, that is, who could pass on the knowledge they had gained to their countrymen. “Haus Schwalbach”, for example, did excellent work in this area. In a villa in the hills of the Taunus above Bad Schwalbach, there was a comprehensive education and training program. People involved in adult education were able to obtain initial information here, leaders of political parties and other organizations received guidance on how to conduct meetings and discussions. Teachers broadened their horizons and learned about the developments in world history which had been unavailable to them in the syllabuses that were used between 1933 and 1945. They were also able to pick up the thread of the pedagogical reform movement which had received so much stimulation from Germany in the 20’s, before it was broken off by Hitler’s accession to power, whereas it had progressed abroad through research. Pupils learned for the first time, here in Haus Schwalbach, about joint pupil-teacher administration, which required them to think instead of standing at attention. And the young editors of school newspapers found, in addition to advisors, suitable material to use in learning their as yet untrained “craft”.

Particular attention was also paid to the media within the framework of “re-education”. The first free newspaper without Nazi influence was the “Aachener Nachrichten”, which was already established in January of 1945, after this western border city became the first German town to be conquered by the Allies, on October 21, 1944. Yet, like all the other German newspapers inherited from Hitler, it fell

tuierte sich am 1. September 1948 in Bonn und arbeitete das Grundgesetz für die Bundesrepublik Deutschland aus. Am 8. Mai 1949 war diese Arbeit beendet, die neue Verfassung wurde verabschiedet und Bonn zur – vorläufig noch provisorischen – Bundeshauptstadt erklärt.

Nach den ersten Bundestagswahlen am 14. August 1949 konstituierte sich der Deutsche Bundestag am 7. September 1949 in Bonn. Fünf Tage darauf wurde Theodor Heuss zum ersten Bundespräsidenten der jungen Republik gewählt; Konrad Adenauer erhielt am 15. September bei der Wahl des Bundeskanzlers die meisten Stimmen. Mit diesem Beginn eines weiteren Kapitels der deutschen Geschichte wurden die Voraussetzungen für die Aussöhnung mit den Siegermächten geschaffen, die in die Bündnis-Partnerschaft unter den Westmächten mündeten.

Die Freiheitsglocke (Liberty Bell) in Philadelphia, die 1776 die Unabhängigkeit der USA verkündete, wurde als Friedensgeschenk für die Bundesrepublik Deutschland nachgegossen und 1950 dem Regierenden Bürgermeister von West-Berlin, Ernst Reuter, übergeben (US-Briefmarken)

A cast replica was made of the freedom bell (Liberty Bell), the bell which heralded the independence of the USA in 1776. The replica was presented to the Federal Republic of Germany as a token of peace and was handed over to the then incumbent Mayor of West Berlin, Ernst Reuter (U.S.-stamps)

Through the blockade, the Soviets gambled away the last little bit of understanding the people of West Berlin still had for them. The people no longer used the subway run by East Berlin. Even today, their aged cars still rattle along practically empty like ghost trains over the West Berlin tracks.

Particularly the students, who had been registered at Humboldt University in East Berlin up to then, were in a state of fermentation. It was now insisted that all the sciences be taught from a Communist point of view. Angry about this forced politicalization, students and many of their professors founded the "Freie Universität Berlin" on November 22, 1948, in the western part of the city. Everything was improvised during the first years. Some of the lectures took place in Quonset huts. The students brought tables and chairs from home. Henry Ford, the American automobile manufacturer, visited this new university shortly after it was founded and was so enthusiastic about it that, spontaneously and without consulting the board of trustees of the newly-founded Ford Foundation, he placed considerable funds at the disposal of the Free University.

The first elections

The Cold War between the East and West had not yet reached its peak at this time, but the friction continued to escalate. A reunification of Germany became less and less likely. The West, too, now drew the necessary conclusions. A parliamentary council with politicians from the three Western zones assembled on September 1, 1948, in Bonn, and wrote the Basic Law of the Federal Republic of Germany. This work was completed on May 8, 1949, the new constitution was passed, and Bonn was declared – still provisionally – to be the Federal capital.

Following the first parliamentary elections on August 14, 1949, the German Bundestag assembled for the first time on September 7, 1949, in Bonn. Five days later, Theodor Heuss was elected the first President of the young republic. Konrad Adenauer received the most votes in the election of the Federal Chancellor on September 15th. This beginning of a new chapter in German history provided the prerequisites for reconciliation with the victorious powers, which developed into the alliance partnership among the Western powers.

Arthur Burns

Die Menschen hier und dort
People – here and there

Als Botschafter der Vereinigten Staaten von Amerika in der Bundesrepublik Deutschland habe ich mich oft über die politischen, wirtschaftlichen und sicherheitspolitischen Beziehungen zwischen unseren beiden Ländern geäußert. Hier möchte ich mich einem noch grundsätzlicheren Thema zuwenden – den menschlichen Beziehungen zwischen den beiden Ländern.

Wir begehen in diesem Jahr den 300. Jahrestag der Ankunft der ersten Siedler aus Deutschland in Nordamerika. Die 13 Mennoniten- und Quäkerfamilien, die sich im Jahr 1683 in Germantown, einem heutigen Teil von Philadelphia, niederließen, kamen auf der Suche nach Freiheit – der Freiheit, nach ihrem religiösen Glauben zu leben, und der Freiheit, ein wirtschaftlich besseres Los für sich und ihre Kinder zu finden. Beides haben sie gefunden. Ich darf sagen, daß eine große Mehrheit der Vorfahren von schätzungsweise 60

As the Ambassador of the United States in the Federal Republic of Germany, I have often spoken about the political, economic, and security relationships between our two countries. I would like to address a more fundamental theme – the human relationship between our countries.

We are commemorating this year the 300th anniversary of the arrival in North America of the first permanent immigrants from Germany. The 13 Mennonite and Quaker families who in 1683 settled in Germantown, now a part of the City of Philadelphia, came in search of freedom – the freedom to pursue their religious beliefs and the freedom to seek economic betterment for themselves and their children. They found both. I dare say that a great majority of the forebears of the approximately 60 million Americans who today claim German ancestry came in search of these same objectives – personal freedom and economic opportunity.

Die Steuben-Parade in New York dokumentiert die deutsch-amerikanische Verbundenheit

The Steuben-Parade in New York is a clear demonstration of the ties between Germany and the United States of America

Millionen Amerikanern, die sich heute auf eine deutsche Herkunft berufen, auf der Suche nach den gleichen Zielen kam – persönliche Freiheit und wirtschaftliche Chancen.

Amerika ist im Laufe der Jahrhunderte mit diesen grundlegenden menschlichen Bestrebungen identifiziert worden. Unsere Unabhängigkeitserklärung und unsere Verfassung bringen diese Ideale beredt zum Ausdruck und haben in allen Teilen der Welt als eine Richtschnur für Menschen gedient, die für sich selbst ein neues Leben erstreben – ein Leben, das ihnen ermöglicht, frei zu reden oder zu schreiben, Gott auf ihre Weise zu dienen und wirtschaftliche Chancen zu nutzen, ohne durch starre Gepflogenheiten oder autoritäre Herrschaft eingeschränkt zu werden.

Die menschliche Bedeutung dieses jahrhundertealten Stromes von Einwanderern nach Amerika – zuerst aus Westeuropa, später aus Ost- und Südeuropa und noch später aus Lateinamerika, Asien und anderen Teilen der Welt – kann kaum überschätzt werden. Amerikaner können zu Recht mit Stolz feststellen, daß ihr Land ein Land der Hoffnung und des Willkommens für entwurzelte Menschen geblieben ist – daß es selbst heute noch viel mehr Einwanderer aufnimmt als die übrige Welt. Noch immer kommen die meisten dieser Menschen auf der Suche nach persönlicher Freiheit und wirtschaftlichen Chancen für sich selbst und ihre Kinder.

Umgekehrt haben auch die Vereinigten Staaten ständig Nutzen aus dem unaufhörlichen Strom der Einwanderer gezogen. Selbst wenn sie gelegentlich soziale Probleme verursachten, so haben sie doch letztlich unser industrielles, politisches und kulturelles Leben bereichert. Mein Land hätte sich nicht in der Weise entwickeln können, wie es dies getan hat, noch hätte sich dort die Gesellschaft so entfalten können, wie sie sich heute darbietet, wenn nicht der moralische Mut und die geistigen und technischen Fähigkeiten gewesen wären, die unaufhörlich aus der Alten Welt, und vor allem aus Deutschland, zu uns gebracht wurden.

Die Namen vieler deutscher Einwanderer nach Amerika sind auf beiden Seiten des Atlantik wohlbekannt, und wenn ich heute einige erwähne, dann sollen sie nur als Beispiel für all jene dienen, die das Leben und die Kultur Amerikas bereichert haben. Da ist – um ihn als ersten zu nennen –

Across the centuries, America has been identified with these basic human strivings. Our Declaration of Independence and our Constitution eloquently express these ideals, and they have served in all parts of the world as a beacon for people seeking a new life for themselves – a life that would enable them to speak or write freely, to worship God as they saw fit, and to pursue economic opportunities without being encumbered by rigid customs or authoritarian rule.

Bei der alljährlichen Steuben-Parade in Manhattan: links Berlins Oberbürgermeister Richard von Weizsäcker, rechts New Yorks Bürgermeister Ed Koch

The annual Steuben parade in Manhattan: left – Berlin's Lord Mayor Richard von Weizsäcker, right – the Mayor of New York, Ed Koch

The human significance of the centuries-old stream of immigration to America – at first from Western Europe, later from Eastern and Southern Europe, still later from Latin America, Asia, and other parts of the world – can hardly be exaggerated. Americans may justly note with pride that their country has remained a land of hope and welcome for uprooted people – that it accepts even at present many

Franz Daniel Pastorius, der Gründer von Germantown, eine prophetische Gestalt, die eine klare Vision von dem aufgezeigt hat, was die Vereinigten Staaten als Land werden sollten. Durch sein Eintreten für die Trennung von Kirche und Staat, für Toleranz der religiösen und ethnischen Vielfalt und für die Abschaffung der Sklaverei war er seiner Zeit weit voraus. Ein anderer war William Rittenhouse, Geistlicher und zugleich Papierhersteller, aus Mühlheim an der Ruhr, dessen Urenkel, David Rittenhouse, der erste Direktor der amerikanischen Münze war und bleibenden Ruhm als Mathematiker, Astronom und Erfinder erwarb. Thomas Jefferson war von ihm so angetan, daß er sagte: „Er hat zwar keine Welt geschaffen, aber er ist ihrem Schöpfer sehr viel näher gekommen als irgendein Mensch, der je gelebt hat." Dann der Drucker, Journalist und Verleger Christopher Saur, der als erster die Bibel in einer europäischen Sprache in Amerika gedruckt hat. Ein noch berühmterer Einwanderer war John Peter Zenger, der heute noch in den Vereinigten Staaten als der „Schutzheilige" der Pressefreiheit bekannt ist. Und dann gab es Hans Nikolaus Eisenhauer, einen Einwanderer aus Eiterbach im heutigen Südhessen, der Mitte des 18. Jahrhunderts in Amerika eintraf und weder Reichtum noch Ruhm erwarb, aber der Vorfahre von Dwight David Eisenhower wurde – dem 34. Präsidenten der Vereinigten Staaten.

Und es gab auch noch die Helden des Revolutionskrieges Johann von Kalb und Friedrich Wilhelm von Steuben; die politischen Denker und Reformer Friedrich Hecker, Carl Schurz, John Altgeld und Robert Wagner; den Brückenbauer John Augustus Roebling; den Orgelbauer Henry Steinway; die Unternehmer John Jacob Astor und Levi Strauss; die Künstler Emanuel Leutze und Albert Bierstadt; den politischen Zeichner Thomas Nast; die Musiker und Komponisten Leopold Damrosch, Arnold Schoenberg, Bruno Walter, Kurt Weill; den Sprachwissenschaftler Maximilian Berlitz; den Bankier und Philanthropen Paul Moritz Warburg; den Theologen Paul Tillich; die Architekten Ludwig Mies van der Rohe und Walter Gropius; den Wissenschaftler Albert Einstein; die Schriftsteller Thomas Mann und Hannah Arendt; und – um diese eindrucksvolle Liste abzurunden – Henry Kissinger. Wo stünde Amerika heute, ja, man darf sicher sagen, wo stünde

more immigrants than does the rest of the world. Most of them still come in search of personal freedom and economic opportunity for themselves and their children.

The United States, in turn, has continued to benefit from the unceasing flow of immigrants to its shores. If they caused social problems at times, they also ultimately enriched our industrial, political, and cultural life. My country could not have developed the way it did, nor become the society that it is today, without the moral courage and the intellectual and technical skills that were continually being brought to us from the Old World, and particularly from Germany.

The names of many of the German immigrants to America are well known on both sides of the Atlantic; and if I mention some tonight, they serve only as examples of those who have energized American life and culture. There is – as the first of these – Franz Daniel Pastorius, the founder of Germantown, a prophetic figure who projected a clear vision of the kind of country that the United States was to become. In advocating the separation of church and state, tolerance of religious and ethnic diversity, and the abolition of slavery, he was well ahead of his time. Another was William Rittenhouse, a minister and papermaker from Muehlheim on the Ruhr, whose great grandson, David Rittenhouse, served as the first director of the United States Mint and achieved lasting fame as a mathematician, astronomer, and inventor. Thomas Jefferson was moved to say of him: "He has not indeed made a world, but he has intimately approached nearer its maker than any man who has lived." There was the printer, journalist, and publisher – Christopher Saur, who was the first to print the Bible in a European language in America. A more famous immigrant was John Peter Zenger, who is still known in the United States as the "patron saint" of freedom of the press. And there was Hans Nikolaus Eisenhauer, an immigrant from Eiterbach, in what is now Southern Hesse, who arrived in America in the middle of the 18th century, achieved neither wealth nor fame, but became the ancestor of Dwight David Eisenhower – the 34th President of the United States.

And there were also the heroes of the Revolutionary War – Johann de Kalb and Friedrich Wilhelm von Steuben; the political thinkers and reformers – Friedrich Hecker,

die Welt heute ohne die gewaltigen Beiträge dieser deutschen Einwanderer? Diese Männer und Frauen, ihre Kinder und Kindeskinder – die 60 Millionen Amerikaner, die sich heute auf ihre deutsche Herkunft berufen – schmiedeten die Kette, die unsere beiden Gesellschaften verbindet. Diese Bande hatten nichts zu tun mit politischen Verträgen, Sicherheitsabkommen oder Handelsvereinbarungen. Sie haben sogar schwere Belastungen in den politischen Beziehungen unserer beiden Länder überlebt – ja, selbst zwei schreckliche Kriege. Das vielleicht beste Beispiel der Stärke und Dauerhaftigkeit dieser menschlichen Bindungen zeigte sich darin, wie rasch und engagiert die Bevölkerung meines Landes nach dem Zweiten Weltkrieg das deutsche Volk unterstützte.

Es war in erster Linie die Wechselwirkung zwischen unseren beiden Völkern, die der Bundesrepublik Demokratie und physischen Wiederaufbau gebracht und zwischen unseren beiden Gesellschaften die Partnerschaft geschaffen hat, die heute besteht. Der Marshall-Plan war ohne Frage ein entscheidend wichtiges Instrument für den Wiederaufbau der zerrütteten Wirtschaft Westdeutschlands. Der Nordatlantik-Vertrag bot die entscheidende Sicherheitsgarantie vor einer Aggression. Andere Maßnahmen – wie etwa die Berliner Luftbrücke – waren weitere Zeichen der Entschlossenheit der Vereinigten Staaten, sich am Schutz der jungen Demokratie zu beteiligen, die aus der Asche des Zweiten Weltkrieges erstanden war. Aber die treibende Kraft hinter all diesen begrüßenswerten politischen Entwicklungen war das Netz menschlicher Beziehungen, das durch die Millionen Amerikaner deutscher Herkunft und die zahlreichen deutschen Flüchtlinge geschaffen wurde, die unsere Küsten in den dreißiger Jahren erreichten, durch die Hunderttausende von deutschen Kriegsgefangenen, die jahrelang in den Vereinigten Staaten lebten, durch die Zehntausende von Amerikanern und Deutschen, die beim Wiederaufbau der demokratischen Gesellschaft zusammengearbeitet haben, wie sie heute in der Bundesrepublik Deutschland besteht, und durch die Legion von Fulbright-Stipendiaten und Austauschstudenten. Es war ihr gemeinsames Wirken, das die Grundlagen für die Partnerschaft zwischen unseren beiden Ländern schuf – eine Partnerschaft, die sich als stark genug erwies, um alle möglichen temporären wirtschaftlichen Irri-

Carl Schurz, John Altgeld, and Robert Wagner; the bridge builder – John Augustus Roebling; the organ builder – Henry Steinway; the businessmen – John Jacob Astor and Levi Strauss; the artists – Emanuel Leutze and Albert Bierstad; the political cartoonist – Thomas Nast; the musicians and composers – Leopold Damrosch, Arnold Schoenberg, Bruno Walter, Kurt Weil; the linguist – Maximilian Berlitz; the banker and philanthropist – Paul Moritz Warburg; the theologian – Paul Tillich; the architects – Ludwig Mies van der Rohe and Walter Gropius; the scientist – Albert Einstein; the writers – Thomas Mann and Hannah Arendt; and – to round out this illustrative list – Henry Kissinger. Where would America be, or for that matter where would the world be, without the momentous contributions of these German immigrants!

These people, their children, and their children's children – the 60 million Americans who claim German antecedents – forged the chain that linked our two societies. These links had nothing to do with political treaties, security arrangements, or trade agreements. Indeed, they survived severe strains in the political relationship between our countries – even two terrible wars. Perhaps the best example of the strength and durability of these human ties is the speed and commitment with which the people of my country devoted themselves to assisting the German people after World War II.

It was primarily the interaction between our two peoples that brought democracy and physical reconstruction to the Federal Republic and established the partnership between our two societies that exists today. To be sure, the Marshall Plan was a critical instrument in rebuilding West Germany's shattered economy. The North Atlantic Treaty provided the essential guarantee of security against aggression. Other actions – such as the Berlin airlift – further showed the resolve of the United States to share in the protection of the young democracy that had risen from the ashes of World War II. But the driving force of all these salutary political developments was the human network created by the millions of Americans of German descent, by the numerous German refugees who reached our shores in the 1930s, by the hundreds of thousands of German prisoners of war who lived for years in the United States, by the tens of thousands of Americans and Germans who cooperated in rebuilding

tationen und politischen Meinungsverschiedenheiten zu überstehen.

Diese Amerikaner und Deutschen, die zusammengelebt und -gearbeitet haben, fanden Verständnis und Wertschätzung füreinander. Sie wußten oder erkannten bald, daß sie durch gemeinsame Werte und Überzeugungen miteinander verbunden waren – durch die Achtung vor den Menschenrechten, durch den Glauben an die Demokratie, durch die Hingabe an die Herrschaft des Rechts. Und sie gaben diese Erkenntnisse an jene ihrer Landsleute weiter, die keine direkten Kontakte mit dem jeweils anderen Volk hatten. Aber Ende der sechziger und Anfang der siebziger Jahre schied diese schöpferische Generation von Deutschen und Amerikanern mehr und mehr aus Führungspositionen und einflußreichen Stellungen aus. Das Netz menschlicher Beziehungen, das unsere Gesellschaften so eng verband, wurde damit lockerer. Die an ihre Stelle tretende Generation war nicht durch ähnliche Erfahrungen geformt worden und zeigte daher weniger persönliches Engagement für das deutsch-amerikanische Verhältnis.

In den letzten Jahren hat das dichte Netz gemeinsamer Werte zwischen unseren beiden Völkern nachgegeben – zum Teil, weil wir uns nicht mehr so nahekommen. Gleichzeitig begannen andere Entwicklungen die optimistische Stimmung in unseren Ländern zu verdüstern, vor allem bei den jungen Menschen. Dazu gehörten der verblassende Glanz des schönen Traumes von einem vereinten Europa, der anhaltende Hunger und die Verzweiflung in vielen der weniger entwickelten Teilen der Welt, der Vietnam-Krieg, in den die Vereinigten Staaten unglücklicherweise verwikkelt wurden, die Bürgerrechtsunruhen in meinem Lande, die gewaltige militärische Aufrüstung der Sowjets in den siebziger Jahren angesichts einer angeblichen Entspannung, die politischen Abenteuer der Sowjets in Asien und Afrika und ihre Invasion Afghanistans, die Unterdrückung der neu erworbenen Rede- und Versammlungsfreiheit in Polen, die um sich greifende Inflation und steigende Arbeitslosigkeit in der westlichen Welt, und – nicht zuletzt – die wachsende Erkenntnis in der Bundesrepublik Deutschland, daß ihr „Wirtschaftswunder" vorüber war.

All diese Faktoren, die zwar nicht direkt mit dem deutsch-amerikanischen Verhältnis zu tun haben, warfen

the democratic society which the Federal Republic is today, and by the legion of Fulbright scholars and exchange students. It was their interaction that formed the foundation of the partnership between our two countries – a partnership that has proved strong enough to withstand all sorts of temporary economic irritations and political differences.

These Americans and Germans who lived and worked together came to understand and appreciate one another. They knew or soon learned that they were bound together by shared values and convictions – by respect for human rights, by faith in democracy, by devotion to the rule of law. And they transmitted these insights to those of their countrymen who had no direct involvement with people of the other nation. But by the late 1960s and early 1970s this creative generation of Germans and Americans gradually moved out of positions of leadership and influence. The network of human relationships that had so closely linked our societies thus became looser. The generation taking their places had no similar formative experiences, and as a result it had a less personal commitment to the German-American relationship.

In recent years the tight net of shared values between our two peoples has been sagging, in part because we are now less intimately involved with each other. At the same time, other developments began to cloud the optimistic mood, especially of young people, in our countries. Among these was the diminished lustre of the noble dream of a united Europe, the persisting hunger and despair in many of the less developed parts of the world, the Vietnam War in which the United States had unfortunately become entangled, the civil rights turmoil in my country, the enormous Soviet military build-up during the 1970s in the face of a proclaimed detente, the political adventures of the Soviets in Asia and Africa and their invasion of Afghanistan, the suppression of the newly achieved freedom of speech and assembly in Poland, the rampant inflation and rising unemployment in the Western world, and – not least important – the growing feeling in the Federal Republic that its "Wirtschaftswunder" had come to an end.

All these factors, while not directly involving the German-American relationship, have cast their shadow upon it. It is an inescapable fact that the relationship be-

ihre Schatten auf diese Beziehungen. Es ist eine unausweichliche Tatsache, daß das Verhältnis zwischen unseren Völkern weniger eng wurde. Das Bildungssystem, das den Verlust der direkten persönlichen Erfahrung zwischen Deutschen und Amerikanern zum Teil hätte ersetzen können, hat diese Aufgabe nicht erfüllt. Es war für die junge Generation wenig dienlich, daß unsere Schulen den Fächern Geschichte und Ethik sowie den Grundlagen unserer westlichen Kultur nur geringe Aufmerksamkeit geschenkt haben.

Das Verständnis zwischen den Menschen ist immer unvollkommen. Das ist das Los des Menschen auf Erden. Wir wissen das aus unserem täglichen Leben. Eltern verstehen nicht immer ihre Kinder und Kinder nicht immer ihre Eltern. So ist es auch zwischen Ehemann und Ehefrau, zwischen Arbeitgeber und Arbeitnehmer, zwischen Vermieter und Mieter, zwischen Bankier und Kreditnehmer, zwischen Professor und Student. Aber wenn schon Mißverständnisse in unseren Familien, Schulen und Betrieben bestehen, dann entstehen und gedeihen sie noch sehr viel leichter unter Nationen, da Unterschiede in der Geschichte und Sprache zusammen mit begrenzten direkten Kontakten zwischen Menschen ein Nährboden des Mißverständnisses und leider gelegentlich sogar Mißtrauens sind. Der diplomatische Dienst ist keine ganz neue Karriere mehr für mich. Meine Tätigkeit als Botschafter in der Bundesrepublik geht jetzt schon gut in das zweite Jahr. Aber ich muß gestehen, daß ich noch immer erstaunt bin über die seltsamen Meinungen, die hochgestellte Europäer gelegentlich über die Vereinigten Staaten zum Ausdruck bringen – und ich möchte hinzufügen, daß es auch umgekehrt so ist. Muß man sich also wundern, daß viele junge Menschen in Ihrem Lande und in dem meinigen so wenig Verständnis für die Gesellschaft des jeweils anderen Landes haben?

Ich habe viele Stunden mit jungen Menschen in Deutschland verbracht, wie auch früher mit jungen Menschen in meinem Lande. Ich bewundere ihre Intelligenz, ihren Idealismus, ihren Horror vor der Rüstung und ihr Mitgefühl für die Erniedrigten. Aber ich bin auch erschrocken über das Unwissen, das so viele sogar bezüglich der Geschichte ihres eigenen Landes an den Tag legen, von ihrem Unwissen über

tween our two peoples has become less close. The educational system, which could have partially replaced the loss of direct personal experience between Germans and Americans, has failed us. The new generation has not been well served by the slight attention of our schools to the teaching of history, ethics, and the principles of our Western civilization.

Human understanding is always imperfect. That is man's lot on earth. We know this from our daily lives. Parents do not always understand their children, or children their parents. So it is also between husbands and wives, between employers and their workmen, between landlords and tenants, between bankers and borrowers, between professors and students. But if misunderstandings exist within our families, schools, and workshops, they have much greater opportunity to arise – and even flourish – among nations, since differences of history and language conspire with limited direct contacts between peoples to breed misunderstanding and at times, unfortunately, even mistrust. Foreign service is no longer an entirely new career for me; I am now well into the second year of my ambassadorship to germany. But I must confess that I still continue to be astounded by the strange opinions that highly placed Europeans now and then express about the United States, and – I should add – vice versa. Is there any wonder, then, why many of the young people in your country and mine have so little understanding of one another's society?

I have spent many hours with young people in Germany, as I previously did in the U.S.A.. I admire their intelligence, their idealism, their horror of armaments, and their sympathy for the downtrodden. But I am also appalled by the ignorance that so many of them exhibit of the history even of their own country, to say nothing about their ignorance of the United States. And I am especially troubled by their apparent lack of appreciation of what it means to live in a democracy.

It is a puzzling and saddening feature of our times that many of our young people, perhaps even more so in Germany than the U.S.A., seem unable to differentiate between the moral and political order of the West and the

die Vereinigten Staaten ganz zu schweigen. Und ich bin vor allem beunruhigt über ihren offensichtlichen Mangel an Wertschätzung dessen, was es bedeutet, in einer Demokratie zu leben.

Es ist ein verwirrendes und beunruhigendes Kennzeichen unserer Zeit, daß viele unserer jungen Menschen – in Deutschland vielleicht noch mehr als in den USA – nicht imstande zu sein scheinen, zwischen der moralischen und politischen Ordnung des Westens und dem unterdrückerischen Totalitarismus des Sowjetblocks zu unterscheiden. Schließlich sind die Werte der westlichen Demokratien keine abstrakten oder verschwommenen Konzepte. Die Freiheit des einzelnen, zu reden, zu schreiben, zu beten und sich mit anderen zu versammeln; die Gleichheit aller vor dem Gesetz; der Schutz eines jeden Bürgers vor Willkürakten der Regierung; die Freiheit, zwischen wirtschaftlichen, sozialen, kulturellen Alternativen zu wählen – diese Grundwerte der westlichen Demokratien sind eine praktische Wirklichkeit, die jeder intelligente Mensch zu erfassen in der Lage sein sollte. Sie werden ganz sicherlich zutiefst verstanden und geschätzt von jenen, die unter kommunistischer Herrschaft leben und sich dieser Werte nicht erfreuen können.

Der Grund, warum so viele junge Menschen in Europa und in Amerika die Grundwerte des Westens als selbstverständlich betrachten, muß darin liegen, daß sie niemals ohne sie gelebt haben. Sie scheinen nicht zu begreifen, daß ihr Recht, für ein Einfrieren von Kernwaffen zu demonstrieren, ihre Freiheit, öffentlich eine einseitige Abrüstung zu fordern, ihr Recht, gegen das auf die Straße zu gehen, was sie für eine falsche amerikanische Politik in Mittelamerika halten – daß all diese Privilegien ihnen in einem demokratischen System zugestanden werden, das auch sie eigentlich vor jenen schützen sollten, die ihnen diese Privilegien wegnehmen würden, so wie sie den jungen und alten Menschen in Polen, in der Tschechoslowakei, in Ungarn, in Afghanistan und in vielen anderen Ländern weggenommen wurden. Junge Menschen mit durchschnittlicher Intelligenz sollten in der Lage sein, zwischen den Triebkräften zu unterscheiden, die Amerika bewegen, und jenen, die die Sowjetunion beherrschen. Sie sollten in der Lage sein, zu erkennen, daß die erbetene Präsenz amerikanischer Truppen

oppressive totalitarianism of the Soviet bloc. After all, the values of Western democracies are not abstract or elusive concepts. The liberty of the individual to speak, write, worship, and assemble with others; the equality of all individuals under the law; the protection of every citizen against arbitrary acts of government; the freedom to choose among economic, social, and cultural alternatives – these basic values of Western democracies are practical realities that every intelligent person should be able to grasp. They certainly are thoroughly understood and appreciated by those who live under Communist rule and are not able to enjoy them.

The reason that many young people in Europe and America take basic Western values for granted must be that they have never been without them. They do not seem to realize that their right to demonstrate for a nuclear freeze, their freedom to press publicly for unilateral disarmament, their right to march against what they consider to be wrong American policies in Central America – that these privileges are theirs under a democratic system that they themselves must help protect against those who would take them away, as they have been taken away from both the young and old in Poland, Czechoslovakia, Hungary, Afghanistan, and many other places. Young people of average intelligence ought to be able to see the difference between the impulses animating America and those governing the Soviet Union. They ought to be able to recognize

Amerikanische „Rucksack-Touristen“ vor dem Kölner Dom

American “Rucksack tourists” in front of the Cologne Cathedral

Große Manöver, wie hier Reforger 73, beweisen, daß die US-Truppen in Europa schnell zur Stelle sein können

Large maneuvers such as Reforger 73, shown here. prove that the U.S. troops can be on the spot quickly

in Europa Ausdruck der Bereitschaft ist, die Werte unserer westlichen Zivilisation schützen zu helfen, während die sowjetischen Armeen, die vor 35 Jahren willkürlich Osteuropa besetzt haben, dort stehen, um die Unterdrückung jener Freiheiten sicherzustellen, nach denen sich die Bürger dort bis heute sehnen.

Die Realität und die Anziehungskraft unserer westlichen Werte sollten, so scheint es mir, jedem einleuchten, der das Leben der unglücklichen Menschen unter sowjetischer Herrschaft bedauert, die, wo immer das möglich war, mit den Füßen abgestimmt haben, weil sie nicht auf andere Weise wählen können. Es gibt Millionen Menschen, die aus Ostdeutschland, Polen, Vietnam, Kambodscha, Afghanistan, Kuba und anderen kommunistischen Ländern geflohen sind. Aber hat je irgend jemand etwas von einem Strom – ja, nur von einem Rinnsal – von Flüchtlingen in auch nur eines dieser Länder gehört?

Die fehlgeleiteten Auffassungen junger Menschen – und manche sind sogar nicht einmal mehr so jung – werden oft der Beharrlichkeit und Kraft der sowjetischen Propaganda zugeschrieben. Ich höre das immer wieder von meinen Freunden. Diese Erklärung ist jedoch eine Flucht vor der Realität. Die Sowjets nutzen sicherlich jede Gelegenheit, unsere westlichen Gesellschaften zu diffamieren und die Wahrheit über ihre eigene zu verschleiern. Aber daß sie dies mit Erfolg tun können, entspringt im wesentlichen der Tat-

that the invited presence of American troops in Europe has the express purpose of helping to protect the values of our Western civilization, whereas the Soviet armies that have willfully occupied Eastern Europe for 35 years are there to insure the suppression of the freedoms for which their citizens yearn to this day.

The reality and the attraction of our Western values, it appears to me, should be clear to anyone contemplating the lives of the unhappy people under Soviet domination who, whenever possible, have taken to voting with their feet because they cannot vote any other way. There are millions of individuals who have escaped from East Germany, Poland, Vietnam, Cambodia, Afghanistan, Cuba and other Communist countries. But is anyone aware of a flood – or even of a trickle – of refugees migrating to any of these countries?

The misguided views of young people – and even of some who are not so young – are often attributed to the persistence and power of Soviet propaganda. I hear this repeatedly from my business friends. That explanation, however, is an escape from realities. The Soviets, to be sure, use every opportunity to defame our Western societies and to disguise the truth about their own. But their ability to do so with success derives fundamentally from the fact that both parents and teachers in our countries have failed to impart to children a sufficiently sound moral and historical education,

sache, daß es weder Eltern noch Lehrern in unseren Ländern gelungen ist, den Kindern eine ausreichende gesunde moralische und historische Bildung angedeihen zu lassen, damit sie die demokratischen Institutionen schätzen könnten, die zu erben sie das Glück hatten.

In den demokratischen Systemen, die in Westeuropa und in den Vereinigten Staaten herrschen, gibt es sicherlich Mängel und Mißbräuche. Das Bemerkenswerte an einer Demokratie ist jedoch ihre Fähigkeit, sich zu verbessern und zu erneuern. Offene Kritik, Weiterentwicklung von Institutionen und geordneter Wandel nach den die Gesellschaft regierenden Gesetzen gehören zum Wesen des demokratischen Systems. Im Gegensatz dazu macht das sowjetische System jeden Versuch seiner Bürger, es wesentlich zu ändern, durch Terror und Unterdrückung zunichte.

Die jungen Menschen in Westeuropa müssen erkennen, daß sie sich, wenn sie ihre Freiheiten erhalten und sich der Grundrechte einer demokratischen Gesellschaft erfreuen wollen, als Teil des demokratischen Systems fühlen und daher bereit sein müssen – wenn es je notwendig werden sollte – dieses zu verteidigen. Als Eltern, Lehrer und Politiker haben wir auf beiden Seiten des Atlantik die Pflicht, dafür zu sorgen, daß die demokratischen Werte, die uns im Nordatlantischen Bündnis vereinen, von jenen begriffen und geschätzt werden, die einmal nach uns kommen.

Wie können wir das tun? Ich kann auf eine lange Lehrtätigkeit zurückblicken und schätze natürlich die Vorzüge einer guten Bildung. Ich bin mir darüber im klaren, daß wir sehr viel Besseres leisten müssen, um unseren jungen Menschen Ethik, Geschichte, Sprachen und politische Wissenschaften zu lehren. Das erfordert unter anderem, daß wir uns als Eltern und Erzieher sehr viel mehr der Unzulänglichkeiten unseres formalen Bildungsapparates bewußt werden, vor allem in den deutschen Gymnasien und den amerikanischen High Schools. Die Lehrbücher, die in deutschen und amerikanischen Schulen benutzt werden, sind oft veraltet und tragen schon allein aus diesem Grunde dazu bei, ernsthaft falsche Informationen über unsere jeweiligen Länder zu vermitteln. Lehrer für Geschichte und politische Wissenschaften haben eine besondere Verpflichtung, objektiv und auf dem neuesten Stand zu sein. Man kann ihnen bei der Erfüllung dieser Aufgabe durch ein Bildungssystem helfen, das jene Lehrer ermutigt und belohnt, die fleißig an ihrer eigenen Bildung weiterarbeiten.

so that they can appreciate the democratic institutions that they have been fortunate enough to inherit.

To be sure, the democratic systems that prevail in Western Europe and in the United States have their shortcomings and abuses. But what is noteworthy about a democracy is its capacity for improvement and renewal. Open criticism, evolution of institutions, and orderly change in the laws governing society are inherent elements of the democratic system. The Soviet system, in contrast, stifles through terror and repression any attempt of its citizens to change it significantly.

The young people of Western Europe must realize that if they wish to preserve their liberties, if they wish to enjoy the basic rights of a democratic society, they must feel part of that system, and they therefore must be prepared – if it ever becomes necessary – even to fight for it. As parents, teachers, and politicians, we have the responsibility on both sides of the Atlantic to make sure that the democratic values that bind us in the North Atlantic Alliance are understood and appreciated by those who follow in our footsteps.

How can we do that? I come from a background of teaching, and I naturally value the benefits of a good education. It is clear to me that we must do a far better job of educating our young people in ethics, history, languages, and political science. This requires, among other things, that we be more alert as parents and teachers to the inadequacies of our formal educational apparatus, particularly the German gymnasia and the high schools in U.S.A. The textbooks used in both German and American schools are often obsolete, and for that reason alone tend to convey serious misinformation about our respective countries. Teachers of history and political science have a special obligation to be objective and up-to-date. They can be aided in fulfilling this responsibility by an educational system that encourages and rewards those teachers who diligently continue their own education.

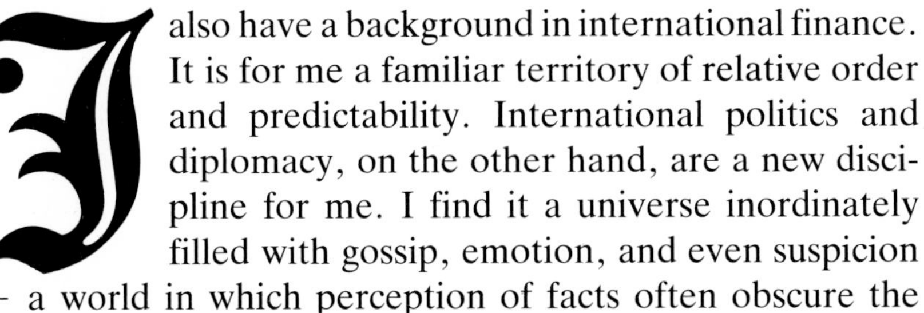
I also have a background in international finance. It is for me a familiar territory of relative order and predictability. International politics and diplomacy, on the other hand, are a new discipline for me. I find it a universe inordinately filled with gossip, emotion, and even suspicion – a world in which perception of facts often obscure the facts themselves. This, I readily admit, is the situation in my

Ich kann auch auf eine lange Tätigkeit im internationalen Finanzwesen zurückblicken. Das ist für mich vertrauter Boden einer relativen Ordnung und Voraussagbarkeit. Internationale Politik und Diplomatie sind dagegen ein neues Fach für mich. Ich betrachte es als ein Universum, das planlos von Klatsch, Emotionen und sogar Argwohn erfüllt ist – eine Welt, in der die Vorstellung von Tatsachen oft die Tatsachen selbst verdunkelt. Dies, so gebe ich gern zu, ist die Situation in meinem Lande wie in dem Ihrigen, und ich bin mir darüber im klaren, daß ein Botschafter alles in seinen Kräften Stehende tun muß, um dieses Gestrüpp von Emotionen und falschen Vorstellungen auszuräumen, das gelegentlich das Verhältnis zwischen einer Regierung und der Regierung trübt, bei der er akkreditiert ist.

Wenn jedoch eine echte Verständigung zwischen zwei Regierungen zustandekommen soll, dann hängt das im Grunde von der Art des Verhältnisses ab, das zwischen ihren Völkern besteht – und nicht zwischen Außenministern oder Botschaftern. Regierungen in demokratischen Ländern sind immer in weitgehendem Maße Ausdruck des Denkens ihrer Bürger und spiegeln dieses wider. Es ist daher äußerst wichtig, daß Verbesserungen in unseren jeweiligen Bildungssystemen durch ein weitaus größeres Netz persönlicher Kontakte zwischen den Völkern unserer beiden Länder ergänzt werden.

Unser gemeinsames Ziel sollte es sein, ein besseres gegenseitiges Verständnis für unsere jeweiligen Institutionen der Arbeit und der Freizeit, für unser Leben zu Hause und in der Gemeinde sowie für die Hoffnungen und Ängste unserer Völker zu schaffen. Ich kenne keinen anderen Weg, die Kameradschaft und das Verständnis wiederherzustellen, das nach dem Zweiten Weltkrieg zwischen Amerikanern und Deutschen existierte – eine Kameradschaft, aus der die Partnerschaft unserer Regierungen zur Förderung des Friedens und zum Schutze der Freiheit entstand.

Was wir jetzt brauchen, ist eine starke Ausweitung der Programme, in deren Rahmen Amerikaner für einige Zeit in Ihrem Lande studieren, lehren oder arbeiten können, während sich gleichzeitig Deutsche entsprechend mit meinem Lande befassen. Um dies zu erreichen, werden unsere Länder größere Mittel – sowohl was die aktive Mitarbeit als auch die privaten und öffentlichen Gelder anbelangt – für menschliche Kontakte und Austauschprogramme aufbrin-

country as it is in yours; and I recognize that an ambassador must do what he can to clear out this underbrush of emotion and faulty perception that at times disturbs the relationship be tween his government and the government to which he is accredited.

The achievement, however, of true understanding between any two governments depends fundamentally on the kind of relationship that exists between their peoples, rather than on foreign ministers or ambassadors. Governments in democratic countries are inevitably influenced by, and to a considerable degree they even echo, the thinking of their citizens. It is therefore highly important that improvements in our respective educational systems be supplemented by a vastly greater network of personal contacts between the peoples of our two countries.

Bringing about better understanding of our respective institutions of work and play, of life in our homes and communities, and of the aspirations and fears of our peoples should be our mutual goal. I know of no other way of reestablishing the camaraderie and understanding that existed between Americans and Germans after World War II – a camaraderie that forged the partnership between our governments in furthering peace and protecting freedom.

A dramatic expansion is now needed of programs under which Americans can study, teach, or work for some time in your country, while Germans become correspondingly involved in my country. To accomplish this, both our countries will have to devote larger resources – in manpower and in private and public financing – to human contacts and exchanges. I am told that the United States Government now spends about $ 115 million per year on its human exchanges with other nations, and that only a small part of that sum is devoted to West Germany. Private spending on exchange activities is much larger, but I am convinced that neither private nor public financing of this vital effort is nearly large enough. I would hope that five years from now the American Ambassador will be able to report to you that the moneys devoted by his country to exchange programs with other nations, and particularly with the Federal Republic of Germany, have increased at least tenfold. That is how essential I consider these exchanges to the freedom, security and prosperity of the Western world.

gen müssen. Wie ich höre, gibt die amerikanische Regierung gegenwärtig etwa 115 Millionen Dollar pro Jahr für ihre Austauschprogramme mit anderen Ländern aus, und nur ein kleiner Teil dieser Summe ist für die Bundesrepublik Deutschland gedacht. Die privaten Aufwendungen für Austauschtätigkeiten sind sehr viel größer, aber ich bin überzeugt, daß weder die private noch die öffentliche Finanzierung dieser lebenswichtigen Anstrengung auch nur annähernd groß genug ist. Ich möchte hoffen, daß Ihnen in fünf Jahren der amerikanische Botschafter berichten kann, daß die Gelder, die sein Land für Austauschprogramme mit anderen Ländern, und vor allem mit der Bundesrepublik Deutschland, aufbringt, sich zumindest verzehnfacht haben. Damit will ich sagen, für wie wesentlich ich diese Austauschprogramme für die Freiheit, Sicherheit und Prosperität der westlichen Welt halte.

Lassen Sie mich nun speziell auf die Austauschtätigkeiten zwischen unseren beiden Ländern eingehen, an die ich denke. Gegenwärtig werden zahlreiche akademische Austauschprogramme unter privaten Auspizien durch ein gemeinsam von den Regierungen der Vereinigten Staaten und der Bundesrepublik Deutschland durchgeführtes akademisches Austauschprogramm ergänzt. Dieses Programm entstand vor vielen Jahren, als ein weitblickender Amerikaner, Senator J. William Fulbright aus Arkansas, sich Sorgen um eine geistige Lücke machte und daran ging, sie dadurch zu schließen, indem er ein Bildungsaustauschprogramm zwischen den Vereinigten Staaten und anderen Ländern ins Leben rief. Ziel und Zweck dieses Programms wurden von dem Senator überzeugend zum Ausdruck gebracht, als er einige Jahre später schrieb:

„Die vielleicht größte Kraft des Bildungsaustauschs besteht in der Fähigkeit, aus Nationen einzelne Menschen zu machen und Ideologien in Hoffnungen und Wünsche dieser Menschen zu verwandeln. Ich glaube nicht, daß ein Bildungsaustausch notwendigerweise freundschaftliche Gefühle zwischen Völkern hervorruft, und das ist auch keine seiner wesentlichen Zielsetzungen. Es genügt vollständig, wenn er zum Gefühl einer gemeinsamen Humanität beiträgt, zu einem gefühlsmäßigen Bewußtsein, daß andere Länder nicht von Doktrinen bevölkert werden, die wir fürchten, sondern von Menschen, die wie wir Freude und

Senator J. Fulbright, Begründer des akademischen Austauschprogramms zwischen der Bundesrepublik Deutschland und den USA

Senator J. Fulbright, the founder of the academical exchange programme between the Federal Republic of Germany and the U.S.A.

Let me now turn more specifically to the exchange activities between our two countries that I have in mind. At present, various academic exchanges under private auspices are being supplemented by an academic exchange program conducted jointly by the governments of the United States and the Federal Republic. This program had its origin many years ago when an American of vision, Senator J. William Fulbright of Arkansas, became concerned about an intellectual gap and proceeded to deal with it by sponsoring an educational exchange program between the United States and other countries. Its purpose was

Wer das demokratische Amerika – und sei es auch nur in den außenpolitischen Aktionen – mit der totalitären Sowjetunion gleichstellt, verkennt die Geschichte fundamental und mißdeutet die Bedeutung und auch die moralische Begründetheit des amerikanischen Engagements für die Erhaltung unserer freien Lebensordnung und Sicherheit.

Schwankungen der amerikanischen Außenpolitik werden häufig auch von Amerikanern kritisiert. Henry Kissinger sagte einmal, daß alle vier Jahre mit der Wahl eines neuen Präsidenten die Welt neu geboren werde. Die Absicht, es anders zu machen als der geschlagene Vorgänger, führt in der Tat häufig in den ersten Amtsmonaten eines Präsidenten zu starken Pendelausschlägen. Erfahrungsgemäß kehrt das politische Pendel jedoch nach einiger Zeit wieder zum Hauptstrom der amerikanischen Außenpolitik zurück. Insgesamt besteht seit 1946 eine sehr beachtliche Kontinuität in den Grundlinien der amerikanischen Außenpolitik, besonders im Verhältnis zu Westeuropa. Im übrigen muß darauf hingewiesen werden, daß es nicht der Präsident allein ist, der die Außenpolitik bestimmt. Der Kongreß ist eine selbstbewußte Institution und hat – insbesondere in allem, was Geld kostet – das entscheidende letzte Wort. Die Tatsache, daß das Repräsentantenhaus alle zwei Jahre neu gewählt wird, führt nicht nur zu häufigen Wahlkämpfen, sondern auch dazu, daß Stimmungen im Lande sehr schnell im Kongreß Ausdruck finden. Der Kongreß hat in den letzten Jahren eine zunehmende Tendenz gezeigt, durch einzelne gesetzgeberische Maßnahmen die Außenpolitik mitzubestimmen. Die starke Stellung des Kongresses, in dem ein Präsident sich niemals auf eine feste Mehrheit stützen kann, sondern für seine Politik fallweise eine Mehrheit suchen muß, ist ein Grundtatbestand, der bei der Einschätzung der amerikanischen Außenpolitik immer zu berücksichtigen bleibt.

Eine letzte Bemerkung zu dieser verfassungsrechtlichen Besonderheit: Wir sollten nie vergessen, daß die amerikanische Verfassung von 1787 – Vorbild demokratischer Freiheiten und der Gewaltenteilung – seit fast 200 Jahren in Kraft ist, und die Entwicklung der USA von einem agrarischen Entwicklungsland zur Führungsmacht in der Welt ermöglicht hat.

tion of the American involvement to maintain our free way of life and safety.

Departures from American foreign policy are also frequently criticized by Americans. Henry Kissinger once said that every four years a new world comes into being with the inauguration of an American President. The intention to do otherwise than the defeated predecessor frequently actually results in marked variations during the first months of the new Presidency. However, experience shows that, after a while, the political pendulum returns to the main current of American foreign policy. Since 1946 there is an overall very considerable continuity in the fundamentals of American foreign policy – particularly regarding the relationships to Western Europe. It should also be pointed out that it isn't the President alone who decides the foreign policy. The Congress is a self-confident institution – particularly regarding financial matters where it has the decisive word. The fact that the House of Representatives is elected every two years not only leads to vigourous election campaigns it also enables the prevailing opinions in the country to become known quickly in the congress. During the past few years Congress has displayed an increasing tendency by means of individual law-giving measures to participate in the forming of the foreign policy. The strong position by Congress, in which a President can never rely on a fixed majority, but, on the other hand, if necessary, has to find a majority to support his policy, is a fundamental fact which always has to be taken into consideration when trying to assess American foreign policy.

One last comment regarding this constitutional peculiarity: We should never forget that the American concept of 1787 – example of democratic freedoms and the division of power – has prevailed for almost 200 years and that it has enabled the USA to develop from an "agricultural developing country" to a major world power.

Werner Walbröl

Die Wirtschaft schafft das Fundament
The Economy builds the Foundation

ie kamen zumeist mit leeren Händen, die rund sieben Millionen deutschen Auswanderer, die im Verlauf von drei Jahrhunderten in der Neuen Welt an Land gingen, um dort eine Existenz aufzubauen. Aber ihre Hände waren regsam und geschickt. Was mit der Ankunft der ersten deutschen Einwanderer im Oktober 1683 begann, führte zu einem in Zahlen und Werten gar nicht meßbaren Anteil an der heutigen Wirtschaftskraft und Macht der Vereinigten Staaten von Amerika.

Innerhalb von nur drei Jahrhunderten ist ein riesiger Kontinent zivilisatorisch voll erschlossen und kultiviert worden, geeint durch ein stabiles politisches System und einer homogenen Wirtschaftsordnung. An dieser einzigartigen historischen Leistung haben die deutschen und deutschstämmigen Bürger der USA, die heute rund ein Fünftel der Bevölkerung der Vereinigten Staaten ausmachen, einen wesentlichen und wirtschaftlichen ganz entscheidenden Anteil.

Ob sie aus religiösen, politischen, sozialen oder wirtschaftlichen Gründen nach Amerika kamen, zumeist brachten die deutschen Einwanderer Arbeitswillen, handwerkliches Können, technisches Wissen, Mut und die Bereitschaft zur Zusammenarbeit und zur Weitergabe ihrer Kenntnisse mit, gar nicht so selten auch Genialität.

Der Zustrom von ausgebildeten Arbeitskräften, dem wichtigsten Importgut für ein junges, dynamisches, sich entwickelndes Land, der mit der Ankunft der ersten deutschen Einwanderergruppe in Pennsylvania begann, ist bis heute nicht versiegt. Noch immer sind deutsches Können, gepaart mit sprichwörtlicher Gründlichkeit und Fleiß und fundiertem Wissen, das in kostspieliger Ausbildung gewonnen wurde, in den Vereinigten Staaten gefragt und geachtet. Und noch immer ist es überwiegend die handwerkliche und technische Begabung, die den deutschen Ankömmlingen in der neuen Heimat den Weg ebnet, und das Fundament für den wirtschaftlichen Neuanfang bildet.

Die 13 Weber aus Krefeld, die mit ihren Familien unter Führung von Franz Daniel Pastorius, einem fähigen und gebildeten Mann (er machte seine Aufzeichnungen zum Teil in lateinischer Sprache), 1683 in Philadelphia als erste geschlossene (religiös verbundene) Einwanderergruppe aus Deutschland an Land gingen, bauten schon bald in Germantown, wie sie ihre Siedlung in der Nähe von Philadelphia nannten, eine Textilindustrie auf und legten Weingärten an.

The majority arrived with empty hands, the seven million German emigrants who arrived in the New World in order to build a new life. But their hands were skilled and capable. What began as the arrival of a few German immigrants in October 1683 led to – in both numbers and value – an immeasurable contribution to the present day economic might and power of the United States of America. Inside of only three centuries, an entire, huge continent was populated, tamed, and united through a stable political system and a homogeneous economic order. Germans and their descendants – who today comprise about a fifth of the population of the United States – played an essential and economically speaking, deciding role.

Whether they arrived in America for religeous, political, social, or economic reasons, the majority of German immigrants brought along their willingness to work, skilled know-how, technical capability, courage, and a readiness to cooperate and extend their knowledge; in not a few cases they brought their congenial temper too.

Der Vorsitzende der German American Chamber of Commerce, Werner Walbröl (links), im Gespräch mit Minister Otto Graf von Lambsdorff und Vertretern der deutschen Wirtschaft

Der Vorsitzende der German American Chamber of Commerce, Werner Walbröl (links), im Gespräch mit Minister Otto Graf von Lambsdorff und Vertretern der deutschen Wirtschaft

1690, sieben Jahre nach der Einwanderung, errichteten sie die erste Papierfabrik Amerikas.

Die Zahl der deutschen Einwanderer wuchs trotz der mühseligen und gefährlichen Reise rasch an. In den ersten 100 Jahren deutscher Einwanderung kamen rund 300 000 Menschen in die englischen Kolonien in Nordamerika. Oft benannten die Neuankömmlinge die Siedlungsorte nach ihrer Herkunftsstadt: Berlin, Frankfurt, New Paltz, Mannheim – die Reihe könnte fortgesetzt werden. Zumeist ließen sich die deutschen Siedler in Landschaften nieder, die der Heimat entsprachen, in Virginia, New Jersey, New York und natürlich Pennsylvania, wo der deutsche Einfluß zeitweise so groß wurde, daß sich Benjamin Franklin, der einige Zeit selbst an einer der vielen damals schon existierenden deutschen Zeitungen mitarbeitete, genötigt fühlte, öffentlich für die Erhaltung der englischen Sprache als Amtssprache einzutreten.

Die Rolle der Deutschen in der neuen Heimat war mit wenigen Ausnahmen nicht politisch geprägt, sondern wirtschaftlich. Als Farmer, Handwerker, kleine Unternehmer und Händler begegnen sie uns im Rückblick auf die Besiedlung Amerikas. Das entsprach der gesellschaftlichen Schicht, aus der sie zumeist kamen. Während die englischen Kolonialherren nach Landbesitz trachteten und entsprechend gewinnorientiert investierten, waren es aus Deutschland die unteren Schichten, die sich von der Kunde über die Möglichkeiten in der Neuen Welt anziehen ließen. So bildeten dann auch in Amerika die wohlhabenden Einwanderer englischer Abstammung, die das nötige Kapital und die erforderlichen Besitzbriefe mitgebracht hatten, eine neue Oberschicht, die ihre Sprache, ihr Rechtssystem, ihre Kultur in der neuen Heimat beibehalten konnte. Die Deutschen dagegen, die als Einwanderer und nicht als Eroberer kamen, mußten sofort den Kampf um die tägliche Existenz in einer fremden Umgebung aufnehmen. Es entstand eine starke Motivation, die zu den Leistungen führte, die heute noch den Deutschen in den USA hoch angerechnet werden. Anerkannt wird bei den Deutschen auch ihre hohe Assimilationsfähigkeit und -bereitschaft, eine Eigenschaft, die es ihnen ermöglichte, in allen Teilen der USA Fuß zu fassen.

Das war nicht immer so. Anfänglich sammelten sich die deutschen Neubürger Amerikas in den Germantowns und

The influx of skill – for a young, dynamic, and developing land the most important import – began with the arrival of the first German immigrant group in Pennsylvania; it has not been halted. German skill, coupled with fabled solidity and industry, and achieved through expensive training, is still sought after and prized in the United States. And it is still by far the technical skill and craftsmanship which pays the way for German arrival in his new homeland and which creates the basis of new economic horizons.

The 13 weavers from Krefeld and their families arrived in Philadelphia in 1683 under the leadership of Franz Daniel Pastorius, a capable and educated man who had made his mark in Latin. This group, the first religiously united immigrant group from Germany in the country, soon built in Germantown – which is what they called their settlement near Philadelphia – a textile industry and cultivated grapes for wine. In 1690, seven years after their arrival, they erected the first paper mill in Amerika.

Despite the difficult and dangerous voyage, the numbers of German immigrants continued to grow. In the first century of German immigration over 300,000 people arrived in the English colonies. Often the newcomers named their settlements after their home towns: Berlin, Frankfurt, New Paltz, Mannheim – the list is endless. Most of the German settlers found a home in Virginia, New Jersey, New York, and, of course, Pennsylvania, where the German influence was so great, that Benjamin Franklin (who for a time worked as an apprentice on one of the many German-language newspapers) felt it necessary to defend the use of English as the official language!

The role of the Germans in the new homeland was by and large not political but economic. In retrospect we would see them today as farmers, craftsmen, small entrepreneurs, and traders. This was representative of the social class from which most of them came. Whereas the English colonial landlords sought after land and accordingly invested with an eye to profits, in Germany it was the lower classes which were attracted to the New World by the new possibilities it offered. The prosperous inhabitants of English descent, who had the necessary capital and who had brought with them the necessary land entitlements, constituted a new upper class. They brought with them their language, legal system, and their culture, whereas the Germans, who came as

anderen Siedlungen mit überwiegend deutscher Bevölkerung, Tradition und Lebensart. Noch heute gibt es sehr lebendige und der alten Heimat verbundene deutsche Vereinigungen, insbesondere im Osten der Vereinigten Staaten. Doch als der große Aufbruch nach Westen begann, da waren die Deutschen und die deutschen Amerikaner mit dem gleichen Mut und Unternehmungsgeist, der sie auch in die Neue Welt geführt hatte, maßgeblich mitbeteiligt an der Erschließung der neuen Gebiete, mit dem Ziel, die neuen Siedlungsräume zu sichern und zu bewirtschaften.

Zu dieser Zeit erwies sich auch die Fähigkeit zur Assimilation als wertvolle Integrationshilfe. Aus Deutschen wurden Bürger der Vereinigten Staaten, loyal, zupackend und unerschrocken. Beispiele der Standhaftigkeit und des Überlebenswillens, wie der tragische Zug der deutschen Siedler über den Donnerpaß in der verschneiten Sierra Nevada, bei dem über die Hälfte der 87 Gruppenmitglieder an Hunger und Krankheit starben, sind unvergessen und mahnen den Reisenden heute noch an die gewaltigen Schwierigkeiten, die häufig zu überwinden waren, bevor das erhoffte, bessere Leben gefunden werden konnte.

Vielfältig sind die Wirtschaftszweige, in denen sich die deutschen Einwanderer in Amerika engagierten. Vielfach haben sie die entsprechenden Berufe überhaupt erst in der neuen Heimat eingeführt.

Insbesondere als Bauern, als Farmer, haben viele deutsche Einwanderer ihre Existenz begründet. Bezeichnenderweise waren bewaldete Gegenden bevorzugte Siedlungsplätze. Schon bald waren die Erfolge dieser Farmer bei der Waldwirtschaft, aber auch beim Ackerbau und der Viehwirtschaft so deutlich, daß sie den Ruf genossen, die besten Farmer der Siedlungsgebiete zu sein.

Es gibt die Darstellung eines gewissen Benjamin Rush zu 16 Punkten, in denen sich der deutsche Farmer von seinen Kollegen aus anderen Herkunftsländern unterschied. Beim Landkauf wurde vorbereiteter Boden bevorzugt, möglichst reich bewaldet. Bezahlt wurde in bar. Die Arbeitsmethoden waren von Genauigkeit und geduldiger Anstrengung gekennzeichnet. Das Land wurde von Baumstümpfen und Steinen befreit und ein möglichst großer Flächenertrag angestrebt. Die Regeln der Fruchtfolge wurden befolgt, was man als Zeichen für den Wunsch nach Seßhaf-

Johannes Jakob Astor, geboren 1780 in Walldorf, galt 1835 als reichster Mann Amerikas

Johann Jakob Astor, born 1780 in Walldorf, was considered to be the wealthiest man in America

immigrants and not as conquerors, had to accommodate themselves immediately to a strange environment. It is still their strong motivation – which has led to success – which pays dividends for German newcomers in America. Instrumental for the Germans too has been their high willingness and ability to assimilate, a quality which has provided a foothold in all parts of the U.S.A.

That was not always the case. In the beginning the new German colonists collected themselves into the "Germantowns" and other settlements having a predominantly German population, tradition, and customs. There are still very active German organizations in the U. S. – particularly in the East – which have contact with the old homeland. However, as the great move to the West began, there were the Germans and the German-Americans with their courage and enterprising spirit, which had led them to the new world in the first place. In the move west they participated heavily in the opening of new settlements, wrestling with violent na-

amerikanischen Händen zeichneten sich durch ihre gute Führung aus, die darauf zurückging, daß jedes Haus sein Personal sorgfältig selbst ausbildete.

Vergessen dürfen wir nicht die vielen unbekannt gebliebenen Einwanderer, die als Bäcker, Fleischer und Gemüsegärtner in nahezu allen größeren amerikanischen Städten zu finden und zu Wohlstand gekommen waren. Sie brachten auch ihren Wortschatz mit, der, oft vereinfacht, noch heute für entsprechende Lebensmittel in USA verwendet wird.

Die Wirtschaft schafft das Fundament. Das gilt auch für den Einwandererzustrom nach den Freiheits kriegen und der gescheiterten bürgerlichen Revolution von 1848. Es kamen Millionen von Menschen, unter ihnen auch die sogenannten „latin farmers", Akademiker, die von Landwirtschaft nur wenig verstanden, sich dennoch als Farmer versuchten und häufig scheiterten.

Es kamen aber auch die Menschen, die mit ihrer Begabung, Ausbildung und ihrer Erfindungskraft, besonders im 19. Jahrhundert, ganz wesentlich zur technischen Entwicklung der Vereinigten Staaten beitrugen. Sie bauten die ersten Hängebrücken und langgestreckten, freitragenden Brücken, sie waren Architekten und Elektroingenieure; als Bergbauingenieure machten sie sich einen Namen, als Hersteller wissenschaftlicher Apparate und als Erfinder von Maschinen, besonders auch im landwirtschaftlichen Bereich. In der Chemischen Industrie, in der Herstellung von Pharmazeutika, waren sie tätig, und sie fabrizierten praktische Bekleidung, wie die berühmten Jeans, die Levi Strauss, mit 14 Jahren aus Bayern nach Kentucky zu seinem Onkel gekommen, in der Goldrauschzeit an der Westküste aus Wagenplanen für die Goldsucher fertigte. Man nannte die strapazierfähigen Hosen schon damals kurz „Levis". Die deutschen Einwanderer betätigten sich als Fell- und Lederverarbeiter auf industrieller Basis, waren Möbel- und Wagenmacher, und sie bauten auch Schiffe, selbst Kriegsschiffe. Industrien, die mit der Verbreitung von Kunst zu tun hatten, wie die Lithographie, waren in deutscher Hand. Geigen, Gitarren und besonders Klaviere und Flügel, wie besonders die Steinway-Instrumente, wurden von deutschen Einwanderern in USA industriell hergestellt. Heinrich Engelhard Steinweg, in Amerika Henry Steinway, kam

fruits was a German specialty, which soon led to wealth and reputation and which laid the foundation of the American preserves industry.

Other German domains were viticulture – which indeed enjoyed at first only hinted success and which prospered only after many failings beginning in 1825 – and forestry, which addressed the problems of the exploitation of the expanses of trees which extended – so it seemed – forever. No less than Carl Schurz, Interior Secretary of the U. S. from 1877 to 1881, had attempted to establish a forestry law for the protection of trees. Fruitlessly, however. In 1898 he established the forestry faculty at Cornell University. This faculty, under the direction of a German professor, existed for only five years. From forestry and the trade in the Mississippi valley and the northwest, the famous Weyerhaeuser family built a fortune.

In 1828 Claus Spreckels, from Lamstedt near Hannover, arrived in Charleston with three dollars in his pocket. During the 19th century he became the undisputed sugar king of the west, whose plantations and beet fields lay in California and Hawaii. Even as a rich man he worked as a laborer for a time in a sugar factory in Magdeburg, in order to learn old-world practices and bring them back to the new world. Spreckels erected an electric company, a gas company, a shipping line to Hawaii and New Zealand, a rail line, and yet found time for philanthropic activities. There were "sugar kings" in the East too, the Havemeyers from Bueckeburg, who brought their handwork from home and established themselves in New York City in 1799.

Germans were leaders in the starch business, in salt extraction, and in animal cultivation and meat production. One must not forget the brewing industry; the Anhaeuser family today counts among the richest in the land.

Finally there was the hotel trade. The famous Waldorf Astoria is only one example. John Jacob Astor, from Walldorf in Baden, came to the U. S. A. in 1784. Hotels in German-American hands were distinguished by their capable management, which relied on the way in which each hotel carefully trained its personnel.

We must not forget the many unknown immigrants, who were to be found as bakers, butchers, and cultivators in practically every American city and who prospered. They

1850 mit seiner Familie nach Manhattan und gründete dort mit seinen Söhnen das berühmte Unternehmen Steinway & Sons. Er war jedoch schon vorher, in Deutschland, ein bekannter und anerkannter Piano-forte-Bauer.

Aus der Vielzahl der Namen können hier nur wenige herausgegriffen werden, so John A. Roebling, der Erfinder der modernen Hängebrücke, der zu Anfang des 19. Jahrhunderts das Königliche Politechnikum in Berlin besucht und in Saxonburg, Pennsylvania, mit der Herstellung von Stahldrahtseilen begonnen hatte. Sein berühmtestes Werk ist die Brooklyn Bridge (das „achte Weltwunder"), die noch heute schöne Hängebrücke zwischen den Stadtteilen Brooklyn und Manhattan in New York. Die Vollendung dieses Werks nach vierzehnjähriger Bauzeit im Jahr 1883, konnte John Roebling nicht erleben. Die 1 800 Meter lange Brücke mit ihren 85 Meter hohen Pfeilertürmen wurde von seinem Sohn Washington August Roebling zu Ende gebaut, der bei den Bauarbeiten zum Krüppel wurde, und von seiner Wohnung aus mit Hilfe eines Fernglases die Bauarbeiten beaufsichtigte und seine Anweisungen an die Ingenieure und 2 500 Arbeiter täglich von seiner Frau überbringen ließ. Ein weiterer Deutschamerikaner, Charles Conrad Schneider aus Apolda in Sachsen, baute 1883 eine freitragende Brücke über den Niagara-Fluß, deren Konstruktion ebenfalls im Brückenbau richtungsweisend wurde.

Zu erwähnen sind die Brüder Studebaker, Nachkommen einer deutsch-schweizerischen Baptistenfamilie. Der Vater war noch als Schmied in Pennsylvania tätig, die Söhne begannen mit dem Bau von eisernen Wagen, die sich besonders im amerikanischen Bürgerkrieg als leistungsfähig erwiesen. Die Autofabrik der Studebakers bestand bis in die dreißiger Jahre unseres Jahrhunderts.

Die Wirtschaft schafft das Fundament, dieser Satz gilt in besonderem Maße auch für die Auswandererwelle, die durch die politischen Verhältnisse in Deutschland nach 1933 ausgelöst wurde. Wieder kamen gegabte und ausgebildete Menschen, die sich gezwungen sahen, sofort von vorne zu beginnen, eine neue Existenz zu gründen und dazu ihr Bestes zu leisten. Insbesondere auf wissenschaftlichem Gebiet kamen der neuen Heimat die mitgebrachten soliden Kenntnisse im Bereich der Grundlagenforschung wirtschaftlich zugute. Wieder kam es zu Mitnahmeeffekten, zur

brought their vocabulary with them; this, often simplified, was applied to food items in America.

Enterprise lays the foundation. This goes for the stream of immigrants after the War of Independence and the failed bourgeois revolutions of 1848. Millions of people, among them the so-called "Latin farmers" – academics, who knew nothing of business, who tried to make it on the land and who often failed.

There were also those people who, with their skill, training, and ingenuity, contributed – especially during the 19th century – to the technical development of the U. S.

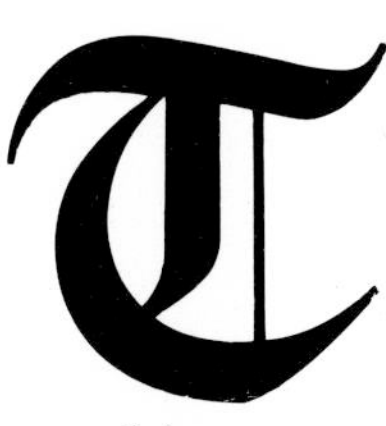

hey built the first suspension and cantilever bridges, they were architects and electrical engineers. As mining engineers they made a name for themselves, as the producers of scientific apparatus, and as the inventors of machines, particularly for agriculture. In the chemical industry, in the manufacture of pharmaceuticals they were also active. They made practical clothing, like the famous jeans which Levi Strauss, who arrived at his uncle's in Kentucky from Bavaria at 14. Strauss made his pants out of wagon covering for gold seekers heading west. They called the long-lasting pants "Levis" then. The German immigrants got to work as fur and leather-workers, as furniture and wagon makers, and they built ships, even warships. Industries which were an extension of art, such as lithography, were in German hands. Violins, guitars, and especially pianos, for example the Steinway instruments, were manufactured by German immigrants in the U. S. A. Heinrich Engelhard Steinweg, in America Henry Steinway, came to Manhattan in 1850 and founded with his sons the famous firm Steinway and Sons. Previously he had been a well-known and recognized piano manufacturer in Europe.

From the many names only a few can be mentioned in this short space. John A. Roebling, the inventor of the modern suspension bridge, began in Saxonburg, Pennsylvania as a wire maker after a stay at the Koenigliche Politechnikum in Berlin in the beginning of the 19th century. His most famous work is the Brooklyn Bridge, the eighth wonder of the world, which still graces the skyline between Brooklyn and Manhattan. Roebling did not live to see the completion of this work in 1883, after 14 years of effort: the

Ein historischer Ort, an dem sich beim Bankenkrach 1929 unzählige Schicksale entschieden haben: Die New Yorker Börse – hier eine Aufnahme von 1930

A historical location, where the fates of thousands were decided in the Wall Street crash in 1929: The New York Stock Exchange – a photograph, taken in 1930

Befruchtung des schon vorhandenen Potentials durch den Genius der nun einströmenden Neu-Amerikaner. Es war viel Elite unter den Zuwanderern dieser Zeit, Elite, deren Wirken sich unter anderem in Wissenschaft und Lehre auch wirtschaftlich in kaum meßbarem Umfang zugunsten der USA niederschlug. Sollten wir Namen nennen, Menschen für Deutschland reklamieren, die dort keine Heimat mehr für sich sahen, so sehr sie sich auch nach dort zugehörig fühlten?
Viele dieser Menschen haben ihren Frieden mit der alten Heimat gemacht; ihr Wissen und häufig sehr deutschgeprägtes Wesen geben sie in Amerika weiter an die nächste Generation.

Die vorläufig letzte deutsche Zuwandererwelle erleben wir als Zeitgenossen mit. Diesmal sind es nicht nur Menschen, die den Weg über den Atlantik suchen, sondern es sind auch Unternehmen, Firmen, Organisationen, die nach dem Zweiten Weltkrieg, während und insbesondere nach dem Wiederaufbau, in die Vereinigten Staaten gekommen sind und noch kommen, um hier Fuß zu fassen. Es sind nicht mehr ausschließlich Menschen, für die es kein Zurück mehr gibt, sondern es sind Träger des friedlichen Austausches, oft eines geschäftsorientierten Austausches, die nun am wirt-

1,800 meter long bridge with its 85 meter high arched towers was finished by his son August Roebling, who himself was crippled in the course of his work and had to oversee progress from a window in his house with the help of a spyglass. His instructions were conveyed to the engineers and 2,500 workers by his wife. Another German-American, Charles Conrad Schneider, from Apolda in Saxony, built the cantilever bridge over the Niagara River, the construction of which was also groundbreaking in the history of bridge building. Of note also are the Studebaker brothers, descendants of a German-Swiss baptist family. As the father worked as a smith, the sons began the construction of iron wagons, which proved especially capable during the American Civil War. The auto factory of the Studebakers existed until the 30s of this century.
Enterprise lays the foundation. This applies too to the wave of immigrants who left Germany for political reasons after 1933. Once again gifted and skilled people arrived in the U. S. from Germany, they were compelled to begin anew and give all their best. Particularly in the economic area, the new homeland benefitted from newcomers skilled in basic economic research techniques. Again there was a Mitnahmeeffekt to enhance the nation's potential through the genius of the many new Americans. There were many elites who

schaftlichen Fundament für ein freundschaftliches Miteinander zwischen Deutschen und Amerikanern wirken.

Gemeinsame wirtschaftliche Grundprinzipien, die Freizügigkeit und die Erhaltung des Wettbewerbs, sowie ein Netzwerk von multilateralen und bilateralen Beziehungen und Abkommen erleichtern den Weg in beide Richtungen. Die Bundesrepublik und die USA sind Mitglieder der Vereinten Nationen und ihrer wirtschaftlichen Organisationen, wie der UNCTAD; sie sind Mitglieder der Organisation für die Zusammenarbeit der industrialisierten Länder, der OECD, des Internationalen Zoll- und Handelsabkommens, GATT, der Weltbank und der Internationalen Energieagentur. Zwischen beiden Ländern bestehen eine Fülle zweiseitiger Abkommen, die das wirtschaftliche und wissenschaftliche Zusammenarbeiten, das Investieren und das Umziehen von Personen von Land zu Land wesentlich erleichtern.

Dazu besteht heute ein dichtes Netz von staatlichen und privaten Organisationen, Vereinigungen und Konferenzen, die den Austausch von Menschen, Waren, Leistungen und Kapital erleichtern, unterstützen und absichern.

Neben den diplomatischen Vertretungen ist hier die 1959 gegründete Deutsch-Amerikanische Handelskammer zu nennen, mit ihren Büros in New York, Atlanta, Chicago, Houston, Los Angeles, San Francisco und Washington, die heute mehr als 2 000 Unternehmen und Firmen als Mitglieder hat. In Frankfurt hat die „American Chamber of Commerce in Germany“ ihren Sitz. Bei dem Anknüpfen und Aufrechterhalten von Geschäftsbeziehungen und persönlichen Kontakten der Wirtschaftler, bei der Materialsammlung zur wirtschaftlichen Entscheidungsfindung, bei der Suche nach Absatzmärkten und Standorten für Investitionen leisten die Kammern Hilfestellung, sie vermitteln Zugang und erläutern den wirtschaftlichen Ablauf im jeweiligen Gastland. Das Messewesen, insbesondere in seiner spezifisch deutschen Ausprägung, ist ein wichtiger Rahmen für den Ausbau der wirtschaftlichen Basis und das Vertrautwerden mit dem Angebot und dem Markt im jeweils anderen Land.

Die Carl Duisberg Gesellschaft in New York organisiert pro Jahr für ca. 400 junge Berufstätige Austauschprogramme zwischen den USA und der Bundesrepublik. Das Ziel dieser Programme ist es, Nachwuchskräfte fortzubil-

counted among the influx of this period, elites whose impact was felt upon the fields of science and learning and which once again proved immeasurable. Should we count the list of these people, reclaim them for Germany, those who no longer saw a home for themselves there, even though they felt they belonged?

Many of these have made their peace with the old homeland, their knowledge and often very "German" essence have been given over to the next generation.

The most recent wave of German immigrants we have experienced as contemporaries. This time not only people but also firms have found their way across the Atlantic. Firms and organizations came to the U. S. A. after the Second World War and they still come, to establish a footing. It is not only people for whom there is no going back. Often it is the economy's ambassadors of peaceful exchange, often a business-oriented exchange, which will work to the advantage of friendly cooperation between Germans and Americans.

Common economic principles, freedom of movement and the maintenance of competition, as well as a network of multilateral and bilateral relations and treaties, lighten the way in both directions. Both the Federal Republic of Germany and the U. S. A. are members of the United Nations and its economic organizations, such as UNCTAD, they are members of the Organization for the Cooperation of Industrial Nations, the OECD, of the General Agreement on Tariffs and Trade, the GATT, of the World Bank and of the International Energy Agency. Between both nations exist fully bilateral treaties, which make easier economic and scientific cooperation, investment, and the movement of persons from country to country.

To this end, there exists today a dense network of government and private organizations, associations, and conferences, which furthers and secures the free exchange of people, goods, services, and capital.

After the diplomatic treaties should be mentioned the German-American Chamber of Commerce, with its offices in New York, Atlanta, Chicago, Houston, Los Angeles, San Francisco, and Washington, which today has a membership of more than 2,000 firms. In Frankfurt, the American Chamber of Commerce has its seat. Through the develop-

German American Chamber of Commerce, Inc.
Reception and Dinner, April 27, 1959.
Hotel Plaza New York, N.Y.

Nach USA wurden 1950 Waren im Wert von 450 Millionen DM verkauft; 1982 waren es 28,1 Milliarden DM. Der deutsche Warenstrom nach den Vereinigten Staaten hatte von 1950–1982 einen Wert von insgesamt 285 Milliarden Mark. Für 315 Milliarden Mark kauften die Deutschen seit 1950 in Amerika ein. Insgesamt bedeutet das einen Handelsaustausch von 600 Milliarden Mark seit Wiedererstarken der deutschen Wirtschaft nach 1945. Das ist eine stolze Summe und ein großer Beitrag zum gemeinsamen Fundament.

Einen nicht weniger bedeutsamen Beitrag zum gegenseitigen Austausch, zum Miteinander zwischen den Menschen zweier Länder, bedeuten die Investitionen. Aus den vorhandenen Zahlen ergibt sich nur das offizielle, das erfaßte Volumen dieses Austausches von Vermögensanlagen, die im eigenen und jeweils anderen Land Arbeitsplätze schaffen und zur Summe der gemeinsamen Wirtschaftsgüter beitragen. Nach Schätzungen hatten deutsche Unternehmer und Privatleute 1913 rund 10,6 Milliarden Goldmark im Ausland, auch in den Vereinigten Staaten investiert, 1931 hatten die Deutschen trotz der hohen internationalen Verschuldung wiederum ca. 10 Milliarden Mark im Ausland angelegt, in umgekehrter Richtung waren es nur halb soviel, 5 Milliarden.

Heute, Ende 1982, steht die Summe der seit 1952 erfaßten deutschen Direktinvestitionen im Ausland bei einem Nettowert von 93,7 Milliarden DM. Rund 22,5 Milliarden DM davon, oder 24 %, sind in die Vereinigten Staaten geflossen, die damit zur Zeit das bedeutendste Anlageland für deutsche Investitionen sind. In umgekehrter Richtung sind seit 1963 22 Milliarden DM aus den USA in der Bundesrepublik Deutschland angelegt worden. Die Basis der gegenseitigen Direktinvestitionen war somit Ende 1982 fast 45 Milliarden DM stark – ein festes Fundament, ein klarer Beweis des gegenseitigen Vertrauens und ein deutliches Zeichen für die enge wirtschaftliche Verflechtung zwischen beiden Ländern.

Und die Menschen, die Unternehmen hinter diesen Zahlen? Nach Unterlagen der Deutsch-Amerikanischen Handelskammer in New York hatten bis Mai 1982 762 deutsche Firmen, darunter fast alle Großunternehmen und viele mittelständische und kleinere Betriebe, insgesamt 1 061 Toch-

By the turn of the century, the United States was already the world's greatest foreign trading power, followed by England and Germany. Germany in 1913 exported goods valued at 10.1 billion gold marks and imported 10.8 billion gold marks' worth from abroad. Already by 1913, 63 percent of German exports were industrial products. By 1926, after the war and inflation, German exports had once again achieved the pre-war level of 10 billion marks. Despite the loss of land area and colonies, by 1929 German exports had risen another 34 percent. After the second World War, foreign trade began very modestly to increase. In 1950, exports to the U.S.A. amounted to DM 450 million; in 1982 this reached DM 28.1 billion. The flow of German goods to the United States from 1950 to 1982 all told has been valued at DM 285 billion. Since 1950 German imports from America have totaled 315 billion. In total, this means, a trade volume of DM 600 billion since the rebirth of the German economy after 1945. That is certainly a worthy amount, a great contribution to our commonly held basic values.

Investment has been nearly as important a contributor to the give and take, to the togetherness of the peoples of the two countries. Of the available figures, only the official ones show the generated volume of this exchange of capital investment which in both countries has created jobs and contributed to the sum total of economic production. According to estimates, German entrepreneurs and private individuals in 1913 invested roughly 10.6 billion gold marks abroad including the United States. In 1931, despite Germany's high level of international debt, the nation nonetheless invested 10 billion marks, while in the other direction capital movements were only half so heavy – 5 billion.

Today, at the end of 1982, the total of German investment abroad has a net worth of DM 93.7 billion, of which abourt DM 22.5 billion, or 24 percent, have flowed to the U. S. A.; this is the most important investment target for the German investor. In the opposite direction, since 1963 Americans have invested DM 22 billion in the Federal Republic of Germany. The nearly DM 45 billion which has been invested by Germans and Americans in each other's economies testifies to the mutual trust that exists between the two nations and is likewise a clear sign of close economic interaction.

terunternehmen, Zweigniederlassungen, Verkaufsbüros und Repräsentanzen in den Vereinigten Staaten eingerichtet. Rund 280 000, zumeist amerikanische Mitarbeiter sind bei diesen amerikanischen „Töchtern“ beschäftigt, davon 230 000 im Herstellungsbereich bei den 534 Herstellungsbetrieben, die deutsche Unternehmen in USA bis Mai 1982 eingerichtet hatten. Und der Zuzug hält an. 82 % dieser amerikanischen Tochtergründungen sind zu 100 % im Besitz des deutschen Mutterunternehmens. 18 % der deutschen Investoren geben sich mit geringeren Beteiligungen in USA zufrieden. So halten 10 % eine Beteiligung von über 50 %; eine mehr als 25%ige Beteiligung halten 8 % der deutschen Häuser und nur 11 deutsche Unternehmen partizipieren mit 25%.

Die Struktur der amerikanischen Tochtergesellschaften im Herstellungsbereich ist überwiegend mittelständisch. 26 % der US–Töchter beschäftigen nur bis zu 20 Mitarbeiter; 23 % US–Betriebe haben 21 bis 50 Personen; 17 % geben zwischen 51 und 100 Menschen einen Arbeitsplatz; 19 % der Tochterbetriebe stellen zwischen 101 und 300 Personen an; 10 % der amerikanischen Töchter haben zwischen 301 und 1 000 Mitarbeiter und 5 % der deutschen US-Tochterunternehmen beschäftigen mehr als 1 000 Mitarbeiter.

Die Standorte der Tochterunternehmen sind über die ganzen Vereinigten Staaten verteilt, mit Schwergewicht in den Staaten New York, New Jersey, gefolgt von Pennsylvania, dem klassischen Zielstaat deutscher Zuwanderung, Kalifornien und Nord- und Süd-Carolina, wo sich besonders in Spartanburg ein Schwerpunkt deutscher Industrieansiedlung mit 21 Betrieben gebildet hat.

So unterschiedlich die Motive der deutschen Zuwanderer nach USA in unserer Zeit auch sein mögen, wie etwa Teilhabe am amerikanischen Markt, bessere Expansionsmöglichkeiten, Ausweitung der technologischen Basis oder Tätigwerden in einer anderen Arbeitsumwelt – es ist nicht kolonialer Eroberungsdrang, der sie hierherführt, sondern der Wunsch, zum eigenen Besten in Amerika mitzuarbeiten. Wie die ersten Auswanderer säten und pflanzten, bauten und pflegten, um in USA eine neue, dauerhafte Existenz zu finden, so kommen auch jetzt Menschen und Unternehmen mit einer langfristigen, positiven Perspektive. Nicht Abbau der Substanz in Amerika und Verbringen in die alte Heimat ist das Ziel, sondern Auf- und Ausbau –

And the people and the firms behind these numbers? According to the records of the German-American Chamber of Commerce, at the end of May, 1982, 762 German firms – of every size – had established a total of 1,061 subsidiaries, branches, sales offices, and representations in the U. S. A. About 280,000 workers – mostly American – are employed in these “daughter” firms. 230,000 of these workers are employed in manufacturing by 534 German firms presently producing goods in America.

The number continues to grow. 82 percent of these German subsidiaries are 100 percent controlled by the German parent firms. 18 percent of German investors are thus content with smaller participations. 10 percent hold a participation of over 50 percent; 8 percent of the German houses hold a participation of more than 25 percent, while only 11 German firms are content to control less than 25 percent.

The structure of the American subsidiaries in the manufacturing sector is overwhelmingly medium-sized. 26 percent of the U. S. subsidiaries employ up to 20 workers; 23 percent employ from 21 to 50, 17 percent have provided work for between 51 and 100 employees; 19 percent of the subsidiaries employ between 101 and 300; 10 percent have between 301 and 1,000 people on the job; and 5 percent employ more than 1,000 workers.

German subsidiaries are spread across the U. S. landscape, with the heaviest concentration in New York State and New Jersey, followed by Pennsylvania – the classic state of German immigration –, California, and the Carolinas, where in Spartanburg a German “colony” of industry has been established comprising 21 operations.

As varied as are the motives for German arrivals in the U. S. in our day – such as participation in the American market, expansion possibilities, technological improvements, familiarization with and acquisition of new product lines and working environments – the purpose is not colonial exploitation but rather the desire to “make the best of it” in America. Just as the first immigrants came to the U. S. A., sowed, and planted, in order to find a new life, now once again people and firms are arriving with a long-term, positive perspective. Not the plundering of raw materials for use in the home country, but rather the expansion and extension of the common economic foundation is the goal, whereby Americans and Germans find the great strength to solve the

In Minutenschnelle werden hier Millionen transferiert (Frankfurter Börse).

Millions change hands in the batting of an eyelid Frankfurt Stock Exchange)

Mitarbeit am gemeinsamen Fundament, damit Deutsche und Amerikaner sich noch besser verstehen lernen und noch mehr Kräfte finden können, die vor uns liegenden, schwierigen Aufgaben im Geist vertrauensvoller Kooperation zu lösen.

Die Wirtschaft war in der Vergangenheit das Fundament für den Zugang zu den Vereinigten Staaten und wird es auch in Zukunft sein, denn Amerika atmet wirtschaftlich.

difficult problems which lie ahead, through a spirit of trusting cooperation.

Enterprise served in the past as the fundamental rationale for entry to the United States. In a future where America continues to draw its life from its economy, this will continue to be the case.

New Yorker Börse heute: Auch hier hat die moderne Technik Einzug gehalten

The New York Stock Exchange today: modern technology has moved in here too

Gemeinsam forschen – für die Zukunft
Joint Research for the Future

Wenn man über die deutsch-amerikanische Zusammenarbeit in der Forschung spricht, dann denken die Laien sofort und in erster Linie an Raketen, Raumfahrt und Satelliten. Natürlich sind Namen wie Wernher von Braun oder Hermann Oberth schon zum Symbol deutsch-amerikanischer Zusammenarbeit in der Wissenschaft geworden. Aber da gibt es auch noch vieles andere, insbesondere, wenn man in der Geschichte blättert.

Heute so selbstverständliche, alltägliche Dinge wie das Auto, die Glühbirne, die Schallplatte oder das Flugzeug entsprangen letztendlich deutsch-amerikanischer Zusammenarbeit in der Forschung. Insbesondere während des Nazi-Regimes in Deutschland wechselten viele Wissenschaftler und herausragende Köpfe in die Vereinigten Staaten und wirkten mit diesen Vorsprüngen, in Technik und Forschung zu verschaffen, die heute noch bestehen.

Damals waren es das Auto und die Glühbirne, später hießen die Stichworte Aspirin oder heute ®Makrolon.

An zwei Beispielen prominenter Firmen diesseits und jenseits des Atlantik soll das fruchtbare Wechselspiel dargestellt werden.

When one talks about German-American cooperation in the fields of research the layman automatically thinks of rockets, space travel and satelites. Naturally names such as Wernher von Braun and Hermann Oberth are already symbols of German-American cooperation in the fields of science. However there are also many more things – especially if one takes the trouble to turn the pages of history.

Thus, today, the natural every-day things such as the automobile, the incandescent bulb, the L.P. record or the airplane, in the end were all results of German-American cooperation in scientific research.

Particularly during the Nazi regime many scientists and outstanding intellectuals left Germany for the United States and contributed in bringing about the advances in the level of technology and research which still exist today.

At that time it was the automobile and the incandescent bulb – later the bywords were aspirin or, today, Macrolon. Fruitful cooperation is shown by the example of two prominent companies on this side and the other side of the Atlantic.

Von der Wupper nach Albany

Weitsicht oder Pioniergeist, Expansionszwang oder Abenteuerlust – so ganz wird es wohl nicht mehr zu klären sein, was Friedrich Bayer und Friedrich Weskott dazu bewegte, bereits zwei Jahre nach Gründung ihres Drei-Mann-Betriebes in Wuppertal-Barmen den Schritt über den Atlantik zu wagen und sich an der ersten Herstellung von Anilinfarben in den Vereinigten Staaten zu beteiligen. Die beiden Wuppertaler Farbenhersteller hatten 1863 ihre Firma „Friedrich Bayer et Comp." gegründet und in einem winzigen Gebäude im Bayer'schen Garten die Produktion synthetischer Farbstoffe aufgenommen. Nur zwei Jahre später jedenfalls saßen die beiden Jungunternehmer von der Wupper in der damals kleinen Stadt Albany im amerikanischen Bundesstaat New York, um ihre Aktivitäten auszuweiten. Und nur weitere fünf Jahre später hatten sie bereits New York erobert: Dort eröffneten sie 1870 ihre erste Übersee-Agentur.

From the Wupper to Albany

Was it far-sightedness or the pioneer spirit, the urge to expand or a longing for adventure that prompted Friedrich Bayer and Friedrich Weskott – only two years after setting up their three-man operation in Wuppertal-Barmen – to expand across the Atlantic and participate in the first production venture for aniline dyestuffs in the U.S.A.? The two dyestuff producers from Wuppertal had founded "Friedrich Bayer et Comp." in 1863 and begun making synthetic dyestuffs in a tiny building in the Bayers' backyard. Two years later, the two young entrepreneurs from Germany travelled to what was then the small town of Albany in New York State to expand their business activities. Within another five years, they had established themselves in New York City, where they set up their first overseas agency in 1870.
Just over a century later, another historic event took place: on September 20, 1971, the six U.S. firms Mobay Chemical

Ein Jahrhundert und ein Jahr später wiederum ein historisches Ereignis: Am 20. September 1971 schlossen sich die sechs amerikanischen Unternehmen Mobay Chemical Company, Chemagro Corporation, Verona Corporation, Baytex, Inc., FBA Pharmaceutics, Inc., und Vero Beach Laboratories, Inc., allesamt Beteiligungsgesellschaften der Farbenfabriken Bayer AG (seit 1972 firmiert die Konzernspitze „Bayer AG"), zur Baychem Corporation zusammen, die ihren Namen später in Mobay Chemical Corporation änderte. Mit dem zielstrebigen Ehrgeiz seiner Urväter hat der deutsche Bayer-Konzern seitdem in den USA weiter expandiert. 1973 übernahm er ein mehr als 100 Jahre altes Familienunternehmen, die Cutter Laboratories, Inc., 1977 kam die Harmon Colors Corporation, zwei Jahre später die weltweit bekannte Miles Laboratories, Inc., hinzu. Seit dem Jahresbeginn 1983 sind Miles und Cutter zur Miles Laboratories, Inc., zusammengeschlossen. Außerdem hält Bayer die Mehrheit an der Firma Molecular Diagnostics, West Haven. Auch die Bayer-Tochter Agfa-Gevaert hat mit der Agfa-Gevaert, Inc., Teterboro, New Jersey, und der 1982 erworbenen Mehrheitsbeteiligung an der Compugraphic Corporation zwei starke Beine auf dem amerikanischen Kontinent.

Doch bis zum Zustandekommen dieser „Hausmacht" auf dem amerikanischen Markt mit fast 25.000 Beschäftigten und einem Umsatz von weit über 7 Milliarden DM war es ein weiter Weg. Dabei spielten Forschungsergebnisse aus Bayer-Laboratorien eine entscheidende Rolle. Eine derartige Entwicklung hätte sich auch der wirklich weitsichtige Carl Duisberg nicht träumen lassen, als er in den 90er Jahren des vergangenen Jahrhunderts in den inzwischen zur Aktiengesellschaft umformierten „Farbenfabriken vorm. Friedrich Bayer & Co" auf dem Elberfelder Gelände ein neues Laboratorium bauen ließ, das, wie sogar Besucher aus dem Ausland neidlos anerkannten, als „das beste chemische Institut der Welt" galt. Duisberg hatte recht früh die Bedeutung der Forschung für das junge, aufstrebende Unternehmen erkannt. Systematisch ging er daran, sie aufzubauen und zu erweitern.

So konnte die Bayer-Forschung im Laufe der Zeit einen „Meilenstein" nach dem anderen setzen. Angefangen hatte man 1863 mit Farbstoffen. Das inzwischen seit mehr als 80 Jahren weltbekannte Aspirin stammt ebenso aus den

Company, Chemagro Corporation, Verona Corporation, Baytex, Inc., FBA Pharmaceuticals, Inc., and Vero Beach Laboratories, Inc., all of them subsidiaries of Farbenfabriken Bayer AG (known since 1972 as "Bayer AG"), joined to form Baychem Corporation, which subsequently changed its name to Mobay Chemical Corporation. With the same degree of resolve displayed by its founders, the German-owned Bayer Group has since continued to expand in the U.S.A. In 1974 Bayer acquired Cutter Laboratories, Inc. – a company with a long tradition in the health care business. This was followed by the acquisition of Harmon Colors Corporation in 1977 and of the world-famous Miles Laboratories, Inc. a year later. At the beginning of 1983, Miles and Cutter were merged under the name Miles Laboratories, Inc. In addition, Bayer holds a majority interest in Molecular Diagnostics, Inc., West Haven CT. With the activities of Agfa-Gevaert, Inc. Bayer's subsidiary, Agfa-Gevaert, has also established a firm base in the U.S. and has even strengthened this position by acquiring a majority holding in Compugraphic Corporation in 1982.

However, this locally based "presence" in the American market, today with nearly 25,000 employees and sales of DM 7.9 billion, is the result of many years of steady evolution, in which the results of research conducted in Bayer's laboratories played a decisive part. Even such a far-sighted man as Carl Duisberg could not have dreamt of developments on this scale when, in the 1890's, he had a new laboratory built on the Elberfeld site of what had since become a stock corporation under the name "Farbenfabriken vorm. Friedrich Bayer & Co.". This laboratory was held, even by many foreign visitors, to be the best of its kind in the world. Duisberg had realized at an early stage the importance of research for the young, progressive company. Systematically, he set about intensifying and expanding that research.

Over the years, Bayer research scored one success after another, beginning in 1863 with dyestuffs. Aspirin – now a well-known name throughout the world for more than 80 years – was as much of a product of Bayer research as the first agricultural chemicals, the synthetic rubbers or polyurethane chemistry. Products like Sencor and Bayleton, Desmodur and Desmophen, Durethan* and Makrolon or Merlon, as it is known in the States, and numerous other Bayer innovations are in use worldwide. Today, of course, Bayer's research scientists cannot help but smile at the pictures of

bereit für US-Technologie. Dies war der Ausgangspunkt für die Schaffung größerer Produktionsstätten in Europa, wie z. B. in Greffern (1967) und in Stade (1971). Der Wiederaufschwung der Chemieindustrie in Europa war Wegbereiter für einen spezifischen europäischen Chemikalienmarkt und erforderte von den amerikanischen Mitbewerbern eine Anpassung ihrer Produkte an die gegebenen Bedürfnisse. Man sah ein, daß dieses Ziel am ehesten im Rahmen einer Organisation mit Sitz in Europa zu erreichen war.

Die Grundlagenforschung der Dow Chemical wird weiterhin in den USA durchgeführt. Deutlich wird dies aus den 1982er Forschungs- und Entwicklungsausgaben von 40 Mio. Dollar der Dow Europe bei einem weltweiten Gesamtaufwand des Konzerns auf dem Forschungssektor in Höhe von 460 Mio. Dollar. Es besteht jedoch kein Zweifel daran, daß der Anteil Europas zunehmen und der auf Deutschland entfallende Satz über den derzeitigen europäischen Durchschnitt hinaus steigen wird. Deutschland bietet aufgrund seiner langjährigen Tradition in der chemischen Forschung, der quantitativen und qualitativen Bedeutung als Markt in Europa, des soliden sozialen Klimas und der guten Beziehungen zu den USA die Basis für eine Ausweitung der Tätigkeit von Dow auf dem Gebiet der Forschung und Entwicklung. Die Übertragung von Know-How in der Chemie, die für Dow bis Anfang der siebziger Jahre den Charakter einer Einbahnstraße hatte, wird sich bereits in Kürze zum Gegenverkehr wandeln. Dabei wird sich die Dow-Forschung in Deutschland als ein Hauptfaktor erweisen.

oft its schooling system, and its good relations with the U.S.A., will form the basis for Dow's growth in research and development in Germany.

The know-how exchange in chemistry which for Dow was a one way street till the early seventies, will soon be converted into a two way one.

Dow's Research in Germany will be a main factor in this.

Einige stehen hier für viele
Here the few represent the many

Wurde auf den vorhergehenden Seiten des Buches im großen Überblick abgehandelt, wie wichtig die Zusammenarbeit beider Nationen auf dem ökonomischen Felde ist, so möchten hier einige Unternehmen, beispielhaft für viele andere von ihren Aktivitäten berichten.
Bewußt wurde hier auf eine repräsentative Mischung zwischen großen Konzernen und kleinen Betrieben, bis hin zum Handwerker, geachtet. Auch war es das Anliegen des Herausgebers, in diesem Kapitel möglichst viele Wirtschaftszweige zu Worte kommen zu lassen.

Wenn es schließlich gelungen ist, hierfür auch Unternehmen mit Sitz im alten und im neuen Kontinent zu interessieren, so darf man das auch als hohe Wertschätzung maßgeblicher Industrieller für diese Bilddokumentation einstufen. Detailliertere Informationen über die nachfolgend aufgeführten Unternehmen erhalten alle Interessenten bei den Deutsch-Amerikanischen Handelskammern in New York (mit Nebenstellen) und in Frankfurt, wo man allerorts dieses Tricentennial als besonderen Anstoß für einen Aufschwung in den beiderseitigen wirtschaftlichen Beziehungen wertet und schätzt.

If the previous pages of the book dealt with an overall survey regarding the importance of both nations in the fields of economy, here, some Companies, who are representative for many, many more, would like to describe their activities.
Here consideration was given to a general representation between large Companies and small ones – right down to the workman. It was also up to the editor to see that as many branches of the economy as possible were able to express themselves.

When it has finally become possible to secure the necessary interests of Companies located both in the "old continent" and the "new one" then this can also be classified as being a high degree of appreciation by leading industrialists for this photographic documentation.

Detailed information on the following listed companies will be supplied to all interested parties by the German-American Chambers of Commerce in New York (with branches) and in Frankfurt where, everywhere, one assesses and appreciates this Tricentennial as a very special occasion for an upswing in mutual economic relationships.

KLÖCKNER-MOELLER GMBH
DIEHL GMBH & CO.
BANKERS TRUST GMBH
FORD WERKE AG
KIENZLE UHRENFABRIKEN GMBH
RAYCHEM GMBH
TEKTRONIX GMBH
TRANSATLANTISCHE RÜCKVERSICHERUNGS AG
AIR PRODUCTS GMBH
BATIG MBH
BAYER AG
DIGITAL EQUIPMENT GMBH
EATON GMBH
DIETER KRETZBERG KAMINSTUDIO PATTENSEN GMBH
EDEKA ZENTRALE AG
COUTINHO, CARO & CO. KGAA
CHASE BANK AG
DOW CHEMICAL GMBH
GEORG BERWANGER GEIGENBAUMEISTER

HORST BROSCHINSKI GMBH
H. BAHLSENS KEKSFABRIK KG
VDO AG
RANK XEROX GMBH
HANS SCHWARZKOPF GMBH
CONRAD SCHOLTZ AG
SPRAYING SYSTEMS GMBH
WABCO WESTINGHOUSE FAHRZEUGBREMSEN GMBH
GEORG SAHM GMBH & CO. KG
SCHÜLKE UND MAYR GMBH
KAEFER ISOLIERTECHNIK GMBH
AERZENER MASCHINENFABRIK GMBH
DEERE & COMPANY
SPERRY GMBH
BARMER MASCHINENFABRIK AG
DOW CORNING GMBH
GESTRA AKTIENGESELLSCHAFT
BHW GMBH
CLARK EQUIPMENT GMBH

Immer einen Schritt voraus

Die Klöckner-Moeller GmbH und die angeschlossenen Werke sind seit ihrer Gründung im Jahre 1899 in Privatbesitz. Mit über 4.000 Mitarbeitern im Inland und etwa 2.000 im Ausland zählen sie zwar zu den Unternehmen mittlerer Größe, auf ihrem Spezialgebiet aber, der Herstellung von elektrischen Niederspannungsschaltgeräten, -schaltanlagen und Industrie-Elektronik, stehen sie nach Zahl und Wert ihrer Erzeugnisse mit an erster Stelle im Bundesgebiet.

Niederspannungsschaltgeräte dienen der Strombeherrschung und Stromverteilung in Wirtschaft, Forschung und Verwaltung. Von der Einzelmaschine bis zur automatischen Fertigungsstraße sind Schaltgeräte als Befehls- und Steuerungsorgane eingesetzt. Sie schalten und steuern Maschinen, Maschinengruppen und Fertigungseinrichtungen.

Heute ist jeder zweite in der Bundesrepublik Deutschland hergestellte Leistungsschalter ein Klöckner-Moeller-Gerät. Das Programm reicht vom handbetätigten Schalter bis zur kompletten automatischen Steuerungsanlage für Fertigungsstraßen. Inzwischen besteht das Unternehmen, das in der zweiten Generation von Gert Moeller und Harry Möller geleitet wird, aus 19 Werken im In- und Ausland und über 300 Technischen Außenbüros in der ganzen Welt. Die Beweglichkeit dieser kleinen Betriebseinheiten ermöglicht es Klöckner-Moeller, schnell und flexibel auf die Wünsche der Kunden einzugehen.

In unmittelbarer Nähe zum Kunden stehen die Fachingenieure der Technischen Außenbüros mit Auskunft und Beratung zur Verfügung.

Erfahrene Mitarbeiter projektieren hier Steuerungen und Verteiler. Sie entwickeln die wirtschaftlich und technisch beste Lösung und planen den Bau der Schaltanlagen.

In den Werkstätten der Technischen Außenbüros entstehen die Anlagen nach den Wünschen des Kunden und nach allen in- und ausländischen Vorschriften. Sorgfältige Prüfungen gewährleisten ihre Funktions- und Betriebssicherheit.

In den kundennahen Lägern sind die Geräte griffbereit für den direkten Verkauf. Sie sind auf allen Kontinenten vorschriftsmäßig und haben alle erforderlichen Approbationen.

Beratung, Projektierung, Kundendienst, Lager sowie Bau von Steuerungen und Verteilern – ein "fullservice" vor der Tür des Kunden – 43mal in der Bundesrepublik Deutschland, 300mal in der ganzen Welt.

Always one step ahead

Ever since its foundation in 1899, the Klockner-Moeller Company, with its associated factories, has been a privately owned concern. With over 4.000 employees in Western Germany and some 2.000 abroad, it is rated as a medium-sized concern. However, in its specialized field, the production of low-voltage control and switchgear, the number and value of its products place it among the largest companies in the Federal Republic of Germany.

Low-voltage controls and switchgear are used to distribute power and to command and control both individual machines and complex automatic processes.

Low-voltage motor controls and pilot devices are required for the automation of all small machines as well as automatic production lines. They control machines and groups of machines as well as complete production facilities. Automation is impossible without low-voltage control and switchgear.

Today, every second circuit breaker manufactured in the Federal Republic of Germany is produced by Klockner-Moeller. The range extends from hand operated switches up to complete automatic control installations for production and assembly lines. The company – directed by Gert Moeller and Harry Möller – is now in its second generation.

Klockner-Moeller's decentralized Factory Branch system and Sales Offices promote and ensure excellent communication between customer and vendor Each Factory Branch has its own engineering, assembly, warehousing and sales facilities. Branch factories are located in San Francisco, Los Angeles, Atlanta, Chicago, Fairfield (New Jersey), Tulsa and Houston. Additional Sales Offices which provide engineering and service support are located in New Orleans, Boston, Cleveland, Philadelphia and Seattle.

A Central Factory in Lincoln, Rhode Island, which supplies a series of mass produced items can also provide additional support to the decentralized Factory Branches on very large projects.

Klockner-Moeller products conform to all national and international codes and are approved in all countries where these codes apply. A network of some 300 Factory Branches and Sales Offices ensure that any exports receive unsurpassed support on a worldwide basis.

Consulting, engineering, customer service, warehousing, and production of control panels and distribution boards

Halbleiter-Pilotlinie im Zentralbereich Forschen und Prüfen in Bonn. Beschickung der Vakuumkammer des Ionenimplanters mit Siliziumscheiben (Wafer).

Semiconductor-pilotline within the central division research and development facilities in Bonn. Loading of the vacuum chamber of the ion-implanter with silicon wafers.

Endprüfung eines MCC-Einschubverteilers in der Werkstatt eines Technischen Außenbüros.
Testing of an MCC-drawer in one of our factory branches.

/ full service at the doorsteps of our customers / are available through 43 factory branches in the Federal Republic of Germany, and 300 around the world.

Ursprung im Halbzeug

Vom ersten Draht in vorgeschichtlicher Zeit bis zu Funktionsteilen hochmoderner Anwendungsgebiete spannt sich der Bogen des Halbzeugs durch die Geschichte. Diehl mit seinen Halbzeugwerken in Röthenbach/Bayern und Hemer-Sundwig/Nordrhein-Westfalen vereinigt in seinen Erzeugnissen die Pole dieser Entwicklung. Produkte jahrzehntelanger Werksforschung ergänzen das Angebot an Standarderzeugnissen. Halbzeuge aller Stufen aus Kupferlegierungen, von der Stange bis zum Systemträgermaterial für hochintegrierte Schaltkreise, haben die weltweite Geltung des Hauses Diehl geschaffen. Modernes Halbzeug zeichnet sich durch außerordentliche Maßhaltigkeit und Reproduzierbarkeit geforderter Verwendungseigenschaften aus. Modernes Halbzeug setzt fort, was Heinrich Diehl 1902 in Nürnberg – schon damals die größte Industriestadt Nord-Bayerns – mit der Gründung seiner handwerklichen Kunstgießerei begann. Heute bestimmen hochspezialisierte metallurgisch-mechanische Großtechnologien das Bild der Halbzeugfertigung.

Halbzeug aus Kupferlegierungen bildet auch die Grundlage der geschäftlichen Beziehungen zwischen dem Hause Diehl und weiterverarbeitenden Industrien in den Vereinigten Staaten. An der Entwicklung der Hohlstange maßgeblich beteiligt, ist Diehl auch in den USA zum Pionier für diese noch vergleichsweise junge Halbzeugform geworden. Mit zunehmendem Einsatz von Drehteilen mit durchgehender Bohrung bieten die Hohlstange oder das dünnwandige Rohr häufig erhebliche Kostenvorteile gegenüber der Massiv- oder Vollstange. Insbesondere die Hersteller von Sanitär- und Heizungsarmaturen, von Möbeln und Lampen sowie von Drehteilen anderer Art profitieren vom Know-how der an Tradition und Erfahrung reichen Diehl-Halbzeugfertigung.

Ein Teil des in den Diehl-Werken gefertigten Halbzeugs wird im eigenen Hause zu hochwertigen Gesenkpreßteilen weiterverarbeitet, die unter anderem in Form von Synchronringen aus verschleißfesten Speziallegierungen Eingang in den amerikanischen Automobilbau finden. Auch mit Bändern und Drähten aus Bronze für die Elektrotechnik und die Elektronik ist Diehl auf dem amerikanischen Markt präsent.

Its Beginning in semi-finished Products

From the first wire used in prehistoric times to functional components of the latest technology, semi-finished products have been utilized throughout history. Products manufactured by Diehl's two brass mills, located in Roethenbach Bavaria and Hemer-Sundwig/Westphalia, represent this development. Products resulting from decades of internal research work complement the range of standard items available today. All grades of semi-finished copper alloys – from the rod to lead frames for highly sophisticated integrated circuits – created the world-wide renown of the Diehl group. Modern semi-finished products are characterized by remarkable dimensional precision and reproducibility of specified properties.

The semi-finished products of today are the continuation of what Heinrich Diehl began in Nuremberg in 1902, when he started his art foundry in that town, which was already regarded as the largest industrial center of Northern Bavaria. Nowadays, brass mill products are the result of large-scale metallurgical and mechanical technology.

Moreover, semi-finished products from copper alloys, especially plumbing tubes, form the basis of business relations between Diehl and fabricating industries in the United States of America.

Taking an important share in the introduction of hollow rods, Diehl has pioneered this comparatively new product in the USA as well. For turned parts with full-length bore, very often hollow rods or thin-walled tubes can be a cost-reducing solution when compared with solid rod. The manufacturers of sanitary fittings and heating equipment, of furniture and lighting fixtures as well as of other types of turned parts, benefit greatly from the know-how Diehl has acquired through tradition and experience in the field of semi-finished products.

A sizable share of the semi-finished products made by Diehl is further processed to obtain high-grade hot-forged parts for the American automobile industry, e.g. wear-resistant synchronizer rings. In the field of bronze strips and wire, Diehl has also entered the U.S. electrical engineering and electronics market.

DIEHL

Herkunftsland Deutschland – Wertiges Halbzeug aus Messing in Form von Bändern, Massivstangen und Rohren, Hohlstangen und Preßteilen

Products of German Origin: Quality semi-finished brass products in the form of strips, solid rods, hollow rods, tubes and forgings.

Jubiläum einer großen Marke – 80 Jahre Ford

Mit einem Startkapital von 28.000 Dollar und zehn Mitarbeitern fing es an. Heute, 80 Jahre später, hat sich die Ford Motor Company zum zweitgrößten Automobilproduzenten der Welt entwickelt. Den runden Geburtstag feierte das Unternehmen, dem Henry Ford I. als Präsident ab 1906 vorstand, am 16. Juni diesen Jahres.

Bisher verließen mehr als 175 Millionen Pkw, Lkw und Traktoren die Ford-Produktionsstätten in aller Welt. Etwa 300 Montagewerke, Entwicklungszentren, Niederlassungen und Verkaufsorganisationen in 29 Ländern der Erde bieten 380.000 Ford-Mitarbeitern Beschäftigung.

Diese weltweite Expansion hatten sich die elf Kapitalgeber, die sich 1903 zusammen mit Henry Ford I., 28.000 Dollar in bar, ein paar Werkzeugen, Blaupausen, Plänen und Patenten zur Ford Motor Company formierten, vermutlich nicht träumen lassen.

Das erfolgreichste Modell der Anfangsproduktion war das Modell N, ein kleines Vierzylinder-Modell, das zum Preis von 500 Dollar angeboten wurde und schon etwas von jener „Volkswagen"-Charakteristik besaß, die den Erfolg des 1908 auf dem Markt eingeführten T-Modells begründete. Es war ein für breite Bevölkerungsschichten erschwingliches Auto, das in der Grundversion nur 260 Dollar kostete und innerhalb von 19 Jahren in mehr als 15 Millionen Einheiten gebaut wurde. Diese gigantische Zahl wurde erst möglich, nachdem die Ford Motor Company 1913 die erste Fließband-Produktion einführte und dies mit einer für damalige Verhältnisse sensationellen Maßnahme verband: Ford zahlte fünf Dollar für einen achtstündigen Arbeitstag, etwa doppelt soviel wie andere Automobilhersteller. Einen Tag nach Ankündigung dieses Super-Lohns standen 10.000 Arbeitswillige vor den Werkstoren.

Heute vertreten 15 nationale Schwestergesellschaften in Europa die Interessen für Ford. Mehr als ein Drittel aller weltweit beschäftigten Mitarbeiter – über 130.000 Menschen – sind in Westeuropa bei Ford tätig.

In Deutschland gründete Henry Ford 1925 die Ford Motor Company Aktiengesellschaft in Berlin.

Anniversary of a great name – 80 years Ford

It all began with a starting capital of 28.000 US-Dollars and ten employees. Today, 80 years later, the Ford Motor Company has become the second largest automobile manufacturing company in the world. The company, of which Henry Ford I was President from 1906, celebrated its 80th birthday on June 16th this year.

Up to now more than 175 million private automobiles, trucks and tractors have been manufactured in Ford subsidiary companies throughout the world. The Ford company provides work for 380.000 employees in about 300 assembly plants, development centers, subsidiaries and sales organizations in 29 countries throughout the world.

The eleven investors who, in 1903 together with Henry Ford I, and with total assets amounting to 28.000 US-Dollars, a few tools, blue prints, plans and patents, couldn't possible have envisaged the world-wide expansion of the company they had formed.

With the initial production the most successful model was the model N, a small 4 cylinder car, which was sold for 500 Dollars and which already possessed something of the „Volkswagen" characteristic and the basis for the success of the model T which appeared on the market in 1908. It was an automobile which most people could afford, the basic model only cost 260 Dollars and more than 15 million were built in a period of 19 years. This gigantic amount could only be realized after the Ford Motor Company introduced the first assembly belt production system in 1913 and combined this with another innovation which was sensational at that time namely: Ford paid five Dollars for an 8-hour working day a wage which was almost twice as much as that paid by other automobile manufacturers. Just one day after having announced this „super-salary" some 10.000 willing workers queued in front of the factory gates.

Today 15 national subsidiaries represent Ford's interests in Europe. More than one third of the Ford employees throughout the world, namely 130.000 persons, are employed in Western Europe.

In Germany Henry Ford founded the Ford Motor Company Aktiengesellschaft in Berlin.

1896 rollte der erste Ford durch Detroit. Das „Quadricycle" hatte 2 Zylinder, 4 PS und eine Zweigangschaltung – aber keine Bremse.

The very first Ford automobile was driven through Detroit in 1896. The „Quadricycle" had 2 cylinders, 4 HP, a two gear shift – but no brakes.

Ein Weltunternehmen, geprägt von Tradition und Fortschritt.

Die Kienzle Uhrenfabriken GmbH sind ein Unternehmen, dessen Erfahrung und Erfolg auf einer 160-jährigen Tradition basieren. Der Ursprung des Unternehmens geht auf das Jahr 1822 zurück. Bereits zu diesem Zeitpunkt wurden in einem kleinen Familienbetrieb die ersten Holzspindeluhren mit Schnurzug hergestellt. Die serienmäßige Herstellung von Weckern und Regulatoren erfolgte im Jahre 1883.

Aufgrund der damals schon intensiven Exportaktivitäten des Unternehmens wurde es notwendig, eigene Stützpunkte im Ausland zu schaffen. Zweigbetriebe wurden in London, Mailand, Wien und Paris gegründet. Zu den wichtigsten Unternehmen in Übersee zählen heute die „Kienzle do Brasil" in Sao Paulo (Brasilien) und die „Kienzle Time Inc.," eine Niederlassung in Illinois (USA).

Im Rahmen einer permanenten Verbesserung durch technische und technologische Weiterentwicklungen war es KIENZLE 1973 gelungen, mit als erster die Serienproduktion eines Quartzwerkes aufzunehmen. Nur wenige Zeit später, im Jahre 1978, präsentierte KIENZLE das erste vollelektronische Quartzschlagwerk der Welt, „KIENZLE-Variogong".

Die Kienzle Uhrenfabriken GmbH produzieren heute im Stammwerk Schwenningen (Schwarzwald) täglich über 30.000 Uhren und Uhrwerke. Neben Armbanduhren, Weckern, Wand- und Stiluhren sowie Quartzwerken umfaßt das Fertigungsprogramm insbesondere auch Autouhren, deren Einsatz in der internationalen Automobilindustrie erfolgt. Insgesamt wurden bisher weit über 25 Mio. Quartzwerke produziert und weltweit in 80 Länder der Erde exportiert.

Fachliches Können, bewährtes Know-how und hochwertige Produktionsanlagen in allen Fertigungsbereichen sind heute und in Zukunft Garant eines internationalen Standards - Made in Germany... Made by KIENZLE.

A Worldwide Enterprise – From Tradition to Progressive Horology.

This industrial organization was established over 160 years ago by the early endeavours of the Kienzle family. Their growth in the field of clockmaking started in 1822 and at that time they specialised with the local raw material availability - wood from the Black Forest. Those early wooden clocks were powered by iron weights suspended on length of twine. The factory's progressive development over the next 60 years resulted in alarm clocks and wall regulators of supreme quality. These were needed to meet the well-established export activities of the Company particularly their newly created foreign selling organizations, located in London, Milan and Paris.

KIENZLE, as early as 1973 were the pioneers of serial production of the current quartz movement and the first fully electronic quartz gong movement, known as the KIENZLE VARIO-GONG. Now at their headquarters in Schwenningen am Neckar in the Black Forest, more than 30,000 clocks and clock movements are produced daily. The wide and varied programme covers wristwatches, alarm clocks, mantle and wall clocks in addition to the production of quartz movements for other manufacturers and car clocks used by the international Motor Industry.

There are very extensive KIENZLE subsidiaries in Brazil, Austria and the USA in addition to their family of agents and concessionaires throughout the world. The Company is structured and dedicated to a policy of continuing improvement trough technical and technological development.

At this moment well over 25 million KIENZLE quartz movements have been manufactured and exported to 80 countries. Professionalism, competence, proved know-how, modern production plants, resourcefulness all blend together, to guarantee the international standards that have to be met. QUALITY–Made in Germany... Made by KIENZLE.

KIENZLE

KIENZLE
QUARTZ
Golf von Mexico
Florida
Jacksonville
Charleston
Savannah
New Orleans
Galveston
Miami
BAHAMAS
Eleuthera
Yucatan
Große
JAMAICA
Kingston
HAITI
Karibisches
Antillen
NICARAGUA
COSTA RICA
Cartagena
Barranquilla
St. Petersburg
Tampa
Havanna

Raychem macht 282 „verlorene Jahre" wieder gut . . .

Man schrieb das Jahr 1683, als die ersten deutschen Siedler in Amerika Fuß fassten. Viel Zeit ging seither ins Land, bis sich der Raychem Konzern im Gegenzug 1965 auch in Deutschland niederließ. Man wird uns diese Verzögerung sicher nachsehen. Dies vielleicht umso mehr, als unsere bisherigen richtungsweisenden Beiträge zum technischen Fortschritt diese damalige „Verspätung" längst wettgemacht haben.

Der Firmenname deutet an, daß die Strahlenchemie der Gründungsgedanke unseres Unternehmens war und die Grundlage für viele Erzeugnisse ist. Heute jedoch sind wir ein Unternehmen, das sich der Materialwissenschaft allgemein widmet, darunter vernetzten Kunststoffen und Metallen mit Formgedächtnis, halbleitenden und leitenden Polymeren, Lichtwellenleitern und einer Reihe von Verbundwerkstoffen. Die daraus abgeleiteten Hochleistungserzeugnisse finden Einsatz im Verkehrswesen, in Luft- und Raumfahrt, Elektronik, Energie- und Nachrichtenwesen, in Bautechnik und Korrosionsschutz, in der petrotechnischen Industrie, und mehr.

Obwohl mit Hauptsitz in den USA, ist Raychem seit dem Gründungsjahr 1957 ein im wahrsten Sinne internationales Unternehmen geblieben. Insgesamt 8.500 Mitarbeiter sind in unseren Fertigungszentren, in Vertrieb und Kundenbetreuung in 45 Ländern beschäftigt. Wo immer es nationale Raychem Niederlassungen gibt, gehören Management und Mitarbeiter der jeweiligen Landesnationalität an.

Raychem Deutschland beschäftigt in seinen sieben vorbildlich ausgestatteten Niederlassungen und Werken bei München rund 700 hochqualifizierte Mitarbeiter in Forschung, Entwicklung, Marketing und Vertrieb. Ebenso wie eine Anzahl amerikanischer Raychem-Spezialisten in Deutschland tätig ist, arbeiten eine Reihe deutscher Wissenschaftler, Ingenieure und Fachspezialisten für jeweils einige Jahre im Stammhaus in den USA. Das dadurch geförderte weltoffene Klima und die Internationalität des Mitarbeiterstabs sind wichtige Bestandteile einer kreativen Arbeitsatmosphäre.

Bei weiterem anhaltend starkem Wachstum unseres Unternehmens in Deutschland sollte dann die 300-Jahrfeier unserer Raychem GmbH im Jahre 2265 zu einem beachtenswerten Ereignis werden!

Raychem is making up for lost time (all 282 years of it).

It was way back in 1683 when the first Germans to settle in America arrived on its shores, but it was not until 1965 that Raychem Corporation got around to settling in Germany. We apologize for the delay: However, we do think that our remarkable progress since 1965 has more than made up for a little tardiness.

Raychem is a materials-science company specializing in high-performance products developed from unique technologies such as elastic memory, conductive polymers and heat-recoverable metals. We serve a wide spectrum of industries, among them aircraft and aerospace, electronics, energy, telecommunications as well as the petroleum and petrochemical industries.

Although headquartered in the USA, Raychem is, and always has been since its founding in 1957, a truly international company. Our 8.500 employees can be found in manufacturing plants and sales and service in 45 countries around the world. Our products find application in more than 70 countries.

But the story of Raychem's international orientation is expressed not so much by statistics as by our philosophy in action. Wherever we operate, local people manage the company and make up all levels of development, engineering, sales and operations.

At our large, extensively equipped facitlities near Munich, Raychem GmbH employs some 700 highly skilled personnel to manufacture a sophisticated line of products. We also conduct research, product and process development and support marketing and sales activities throughout Europe, Africa and the Middle East. Some American specialists work in Germany and many German scientists, engineers and support personnel work at Raychem headquarters in the USA. Typically these employees are reassigned to their home country after several years of service in the sister company. Along with these people exchanges go exchanges of ideas and fresh approaches, helping to keep Raychem in the forefront of technological innovation.

So: We are sorry we missed the boat in 1683 – but, with Raychem GmbH continuing to play a vital role in Raychem's strong worldwide growth, we do expect to have quite a celebration in the year 2265.

Raychem

Oben/above: Hauptsitz des Internationalen Raychem Konzerns (Raychem Corporate Headquarters) in Menlo Park San Franzisco.

Unten/below: Hauptverwaltung der Deutschen Raychem GmbH (Main Administration Building/Raychem-Germany) in Putzbrunn/München.

Die Zukunft sichern

Die heutigen Computer sind millionenfach schneller als die ersten Röhren-Computer!

Warum?

Entwicklung und Forschung sind abhängig von der Meßtechnik. Der Fortschritt in der Meßtechnik ist die Basis für alle Forschungs- und Entwicklungsarbeiten.

Ganz gleich, ob nach leistungsfähigeren Halbleiter-Technologien geforscht wird oder schnellere Baugruppen entwickelt werden, die meßtechnischen Grenzen können nicht überschritten werden.

Tektronix hat die Grenzen der modernen elektronischen Meßtechnik von Anfang an mitbestimmt. Der Name Tektronix ist untrennbar mit dem universellsten aller Meßgeräte, dem Oszilloskop, verbunden. Dieses ständig verbesserte Instrument ist auf die menschliche Denk- und Betrachtungsweise abgestimmt. Der Betrachter sieht zeitliche Zusammenhänge, er erkennt Änderungen und Auswirkungen in richtiger Zeitrelation.

Überall dort, wo physikalische Größen oder elektronische Signale funktionell erfaßt werden müssen, hat das Tektronix-Oszilloskop seinen Platz.

Ob im militärischen Bereich, bei der Entwicklung und Steuerung von Fernlenkwaffen oder in der Rundfunk- und Fernsehtechnik, ob in der Physik oder in anderen naturwissenschaftlichen Disziplinen, die Meßtechnik ist der Wegbereiter für den Fortschritt. Denken Sie nur an Computer, Waschmaschinen, Steuerungsanlagen, Energieversorgung, Laser, Glasfaser, kurz, an alles mit zeitlich ablaufenden Vorgängen.

The basis for future technologies

Today's computers are a million times faster than former tube based models.

What is the reason?

Research and development depend on measurement technologies. Advancements in measurement technologies are the basis for all research and development processes.

No matter whether you look for more powerful semiconductor technologies, or develop faster circuits, the limits set by measurement technologies can not be overcome.

From the beginning, Tektronix took an essential part in setting up the limits for measurement technologies in modern electronics. The name Tektronix is a synonym for the most versatile measurement device, the oscilloscope. This permanently improved instrument is adapted to the human way of thinking and observing. The observer sees time related associations, recognizes changes and effects in correct time relation.

Whether in military applications, development and controlling of weapons, in audio and video equipment, whether in physics or other sciences, measurement technologies are the pathfinders for progress. Remember computer, washing machines, control devices, energy supply, laser, optical fiber, everything with time related process.

Tektronix: Daten und Dynamik eines amerikanischen Unternehmens, Tektronix Inc., Oregon, Beaverton. *Tektronix: Dates and development of an American company. Tektronix Inc, Beaverton, Oregon, USA.*

1946: Gründung/*Foundation*

1947: 1. Oszilloskop an die Uni in Oregon/*First oscilloscope at Oregon University*

1950: Vertriebsorganisation, Niederlassung in New York/*Sales organisation, subsidiary at New York.*

1954: Vorstellung des ersten Einschuboszilloskops/*Demonstration of the first plug-in oscilloscope.*

1958: Umsatz 30 Millionen Dollar, Verkauf in Deutschland/*Turn over 30 million dollars, start of sales in Germany*

1963: Tektronix-Aktien an der amer. Börse/*Tektronix shares at American stock exchange.*

1964: 5.000 Mitarbeiter, Umsatz 75 Millionen Dollar/*5,000 employees, turnover 75 million dollars.*

1968: Erstes Grafik-Computerterminal/*First graphic-computer terminal.*

1973: Universelle Test- und Meßgeräte werden entwickelt/*Development of universal test- and measurement instruments.*

1976: Grafik-Rechner-System/*Graphic-computer system.*

1979: Erstes empfindliches 1 GHz-Oszilloskop/*First high sensitive 1 GHz oscilloscope.*

1981: Gründung der Tektronix GmbH, Deutschland/*Establishment of Tektronix-GmbH, Germany.*

1983: Tektronix in 68 Ländern, 23.000 Mitarbeiter, über 700 Produkte und 1 Milliarde Dollar Umsatz/*Tektronix in 68 countries, 23,000 employees, more than 700 products, turnover 1 billion dollars.*

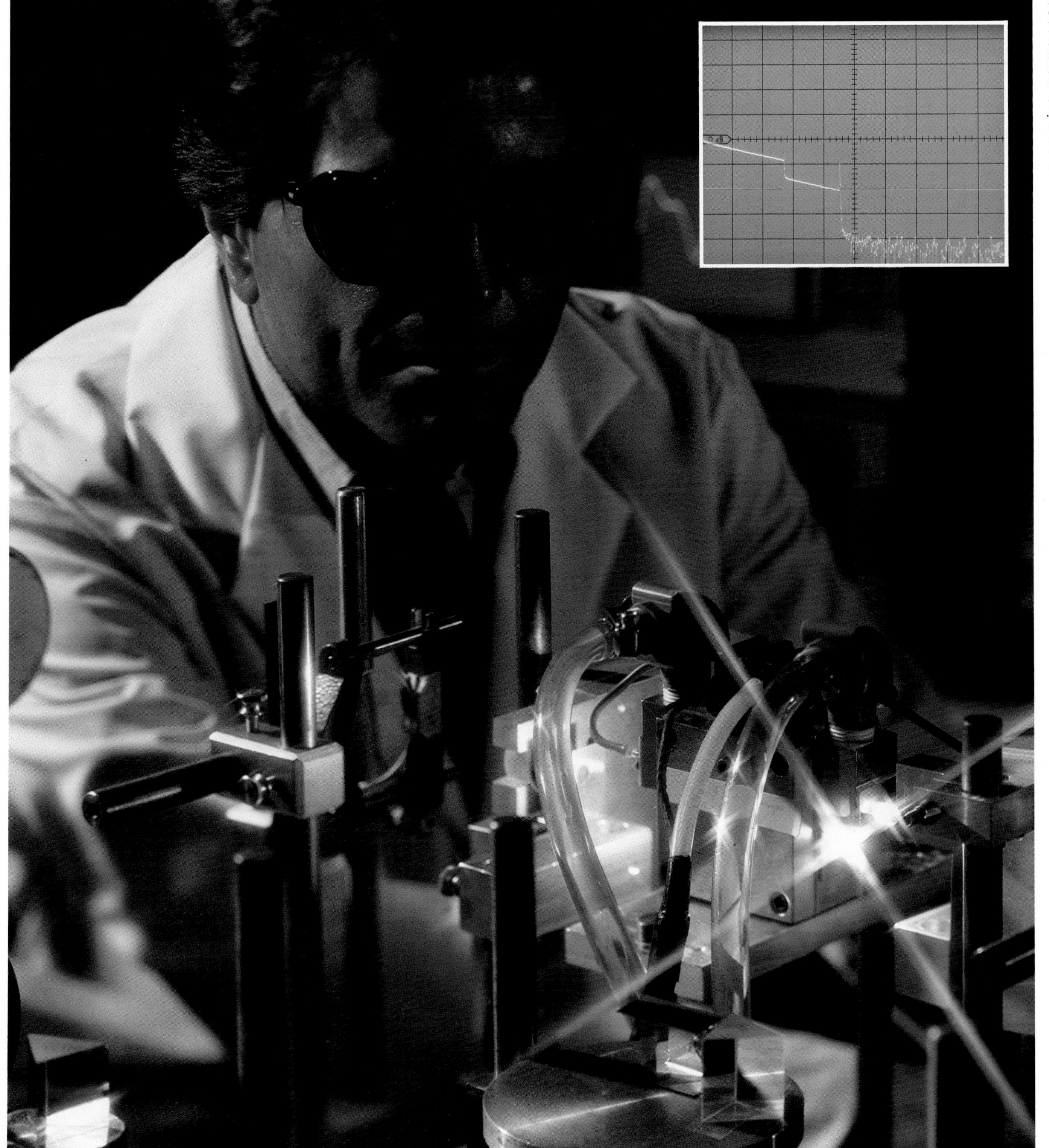

Messung in einem Glasfaserkabel: Der erste Sprung zeigt einen Fehler im Kabel, der zweite das Ende des Kabels.
Measuring optical fiber: The first peak indicates a defect in the fiber, the second one shows the end of the fibers.

Transatlantische Versicherungen – bereits der Name drückt die Verbundenheit zur „Neuen Welt" aus. Vor nahezu 125 Jahren gegründet – damals als reiner Transportversicherer – hat die „Trans" zwar noch nicht das Alter der über 10 Generationen währenden Beziehung zwischen Deutschland und den Vereinigten Staaten erreicht, doch bereits Ende des letzten Jahrhunderts hatte die Gesellschaft den Schritt über den Atlantik gewagt und in New York ein Zweigbüro gegründet.

Diese Bindung ist heute lebendig durch die Zugehörigkeit der „Trans" zu „The Hartford", einem der größten Sach- und Lebensversicherer der USA. Weitere enge Verbindungen bestehen nach England und Holland, so daß die Internationalität, die weltweite Kooperation eine sichere Basis ist.

Natürlich ist der Transportversicherer von 1860 inzwischen längst über diesen begrenzten Geschäftsbereich hinausgewachsen – dokumentiert durch die Gründung der Transatlantische Lebensversicherung-AG und der Transatlantische Sachversicherungs-AG in den Jahren 1969 und 1973, während sich die Muttergesellschaft seither auf das Rückversicherungsgeschäft konzentriert.

Die „Trans" versteht sich heute als Spezialversicherer für individuelle und segmentbezogene Bedürfnisse. Als Spezialist für Spezialisten. Als Individualist für Individualisten.

Die Größe der „Trans" liegt in ihrer besonderen Größe. Sie ist groß genug, um auf soliden internationalen Füßen zu stehen. Sie ist aber auch klein genug, um auf Marktanforderungen schnell und flexibel reagieren zu können. Ihre Einbindung in den internationalen Firmenverbund der „Hartford" und ihrer Töchter bieten ein weitreichendes Betätigungsfeld für den Aufbau internationaler Beziehungen sowohl im Versicherungsbereich als auch auf menschlicher Ebene. Die Kontinente kommen sich weiter näher.

Transatlantische Insurance Companies – the very name symbolizes a bond to the New World. Founded nearly 125 years ago – solely a marine insurer at the time – the „Trans" has not quite achieved the longevity of the 10-generation relationship between Germany and the United States, but as long ago as the end of the last century, the company dared the step across the Atlantic and established a branch office in New York.

This bond remains alive to this day through „Trans" affiliation with „The Hartford", one of the largest casualty and life insurers in the USA. Similar close ties extend to Britain and the Netherlands which assure international scope and worldwide cooperation.

The marine insurer of 1860 has, of course, grown beyond this limited range of business long ago, as evidenced by the founding of Transatlantische Life Insurance Company and of Transatlantische Casualty Insurance Company in 1969 and 1973, while the parent company now concentrates on the reinsurance business.

Today, the „Trans" perceives itself as a specialized insurer for individual and segment-oriented needs; as a specialist for specialists, as an individualist for individualists.

The dimension of the „Trans" lies in its special dimension. Large enough to be on solid international footing, it is, at the same time, small enough to react promptly and flexibly to the demands of the market. Its integration within the international family of „The Hartford" and its subsidiaries provides an extensive field of operations for the development of international relations, both in the field of insurance and on the human level. The continents continue to move closer to each other.

TRANS ATLANTISCHE
Sachversicherungs-AG

TRANS ATLANTISCHE
Lebensversicherungs-AG

Transatlantische Versicherungen   Service across the ocean

Über 75 Jahre führend im Lebensmittel-Handel

Die EDEKA Handelsgruppe ist der führende deutsche und europäische genossenschaftliche Verbund selbständiger Lebensmittel-Einzelhandelskaufleute in regionalen Großhandelsbetrieben zwischen Flensburg im Norden und Garmisch-Partenkirchen im Süden der Bundesrepublik Deutschland. Die gegenwärtig rd. 20.000 Lebensmittelgeschäfte unterschiedlicher Verkaufsflächen und Vertriebsformen befinden sich an Standorten in über 95% aller Gemeinden der Bundesrepublik. Die z. Zt. rd. 17.500 mittelständischen Kaufleute erzielten 1982 einen Umsatz von 20,5 Mrd DM, während die 35 Großhandelsbetriebe im gleichen Wirtschaftsjahr einen Gesamtumsatz von über 14,3 Mrd DM erwirtschafteten. Es werden moderne Nachbarschaftsgeschäfte, SB-Märke und SB-Warenhäuser, Discount-Märkte, Drogeriemärkte und Cash & Carry-Läger sowie eigene Fruchthöfe und Fleischwerke betrieben. Die Zentralen Institutionen der Handelsgruppe sind:

· der 1907 als Prüfungsverband gemäß deutschem Genossenschaftsgesetz gegründete EDEKA Verband e.V., Berlin/Hamburg, der regelmäßig die wirtschaftliche Situation der Großhandelsbetriebe prüft. Darüberhinaus berät, betreut und fördert er die Großhandelsbetriebe in genossenschaftlichen, rechtlichen und warenwirtschaftlichen Fragen. Dem Vorstand gehören an: Helmut Stubbe, Verbandsdirektor und Sprecher des Vorstandes und Klaus Bahde;

· die 1907 gegründete EDEKA Zentrale AG, Berlin/Hamburg. Sie ist als zentrales warenwirtschaftliches Organ der Handelsgruppe für die Beschaffung der Ware (food und nonfood) auf nationaler und internationaler Ebene verantwortlich und bietet außerdem moderne Betreuungs- und Dienstleistungen (z. B. Werbung und Qualitätssicherung) für den Groß- und Einzelhandel des genossenschaftlichen Verbundes. Im Geschäftsjahr 1982 wurde ein Gesamtumsatz von 9,77 Mrd DM erzielt. Rd. 2.500 Unternehmen der deutschen und ausländischen Ernährungsindustrie sind Vertragslieferanten. Es bestehen z. T. jahrzehntelange Geschäftsverbindungen zu Partnern in 90 Länder der Erde, darunter natürlich auch in den USA. Aus den Vereinigten Staaten werden z. B. Mandeln und Datteln, Walnüsse sowie Erd- und Haselnüsse, Feigen und Sultaninen, Linsen und Reis importiert. Seit 10

Leader in the food business for more than 75 years

The EDEKA trade group is the leading German and European association of cooperative societies of independent food retail trade in regional wholesale business between Flensburg in the north and Garmisch-Partenkirchen in the south of the Federal Republic of Germany. The present number of some 20,000 different sized food stores and distribution channels have locations in more than 95% of all the municipalities in the Federal Republic of Germany. In 1982 the existing number of approximately 17,500 middle-class merchants achieved a turnover of 20.5 billion German Marks (DM) whereas, during the same business year, the 35 wholesale businesses booked a total turnover of more than 14.3 billion DM. The trade group operates its own modern neighbourhood stores, self-service markets and self-service stores, discount markets, drug stores and cash-and-carry warehouses as well as its own fruit farms and meat processing facilities. The central institutions of the trade group are:

· the EDEKA Verband e.V., Berlin/Hamburg – which was founded in 1907 as an examining body in accordance with German association regulations, which regularly monitors the economical situation of the wholesale business. In addition to this it advises, looks after and promotes the wholesale business, and the affiliated retail businesses, in questions relating to the association, to the legal aspect and to merchandising economy. The members of the management are: Helmut Stubbe, association director and spokesman for the management and Klaus Bahde;

· the EDEKA Zentrale AG, Berlin/Hamburg – which was founded in 1907. As the central merchandising organ of the trade group, it is responsible for the procurement of merchandise (food and non-food), on a national and international level, and, in addition, provides up-to-date support and services (e.g. advertising and guaranteeing quality) for the wholesale and retail trade of the cooperative combine. In the business year of 1982 the total turnover was 9.77 billion DM. About 2,500 businesses of the German and foreign foodstuffs industry are contracted suppliers. At the present time there are business connections which have already existed for decades with partners in 90 countries all over the world, naturally the U.S.A., too.

EDEKA Haus in Hamburg, City Nord, seit 1974 Sitz von EDEKA Verband e.V., EDEKA Zentrale AG und EDEKABANK AG

Jahren werden Orangen, Grapefruits und Zitronen, Weintrauben, Kiwis und Avocados sowie Eisbergsalat und Zwiebeln eingeführt. Dem Vorstand gehören an: Hans-Jürgen Klußmann, Sprecher des Vorstandes; Rolf Unverzagt, stellv. Sprecher des Vorstandes; Ulrich Schmidt;

· die 1914 gegründete EDEKABANK AG, Berlin/Hamburg. Sie stellt als zentrales Kreditinstitut der Handelsgruppe Verbindungen zum Geld- und Kapitalmarkt her, betreibt jedoch als Geschäftsbank sämtliche Geld- und Kreditgeschäfte auch für Kunden außerhalb des Gruppenverbundes. Zur Abwicklung des Außenhandelsgeschäfts sowohl der Handelsgruppe als auch von Drittkunden bedient sich das Institut Korrespondenzbanken in aller Welt. In den USA sind das u. a.: The Chase Manhattan Bank, N. A., New York, N. Y.; Manufacture Hannover Trust Company, New York, N. Y. Dem Vorstand gehören an: Dietrich Grund; Michael Heyde.

Almonds, dates, walnuts, as well as peanuts, figs and sultanas, lentils and rice are all imported from the United States, and oranges, grapefruits and lemons, grapes, kiwis and avocados, as well as lettuce and onions have been imported for 10 years now. Members of management are: Hans-Jürgen Klußmann, management spokesman; Rolf Unverzagt, deputy management spokesman; Ulrich Schmidt;

· the EDEKABANK AG, Berlin/Hamburg which was founded in 1914. This is the central credit institute of the trade group and provides connections and liaisons to the money and capital markets, however, as a business bank, it also conducts all the financial and credit business for customers who are not members of the association. The institute operates with correspondence banks all over the world and uses them for conducting foreign trade both for the trade group as well as for third party customers. In the U.S.A. this includes the Chase Manhattan Bank, N.A., New York, N.Y.; Manufacture Hannover Trust Company, New York, N.Y. Members of the management are: Dietrich Grund; Michael Heyde.

Weltweite Aktivitäten

Das Haus Coutinho, Caro & Co ist ein weltweit aktiv tätiges Unternehmen. Traditionell aus dem internationalen Stahlhandel entwickelt, wachsen inzwischen drei weitere wesentliche Unternehmensbereiche zu interessanten Größenordnungen und Leistungsumfängen:

Internationaler Handel:

Stahlerzeugnisse, Draht- und Drahterzeugnisse, Nicht-Eisenmetalle, Chemieprodukte, Papiererzeugnisse, Kabel und Ausrüstungen für elektrische Stromversorgung, Werkzeuge, Maschinen, Kommunalfahrzeuge.

Industrieanlagenbau:

Entwurf, Konstruktion und Bau von Industrieanlagen – vornehmlich als schlüsselfertige Projekte – insbesondere für Zement-, Glas-, Zellstoff- und Papier- sowie Nahrungsmittel-Industrien.
Beratung und Wirtschaftlichkeitsstudien; Unterstützung für Marketing, Management und Instandhaltung.

Hochbau:

Entwurf und schlüsselfertiger Bau von Hotels, Krankenhäusern, Bürogebäuden, Geschäftszentren und anderen Groß-Bauvorhaben.

Stahllagerhandel:

Stahlläger und Anarbeitungsbetriebe für Formstahl- und Breitflanschträger, Stabstahl, warmgewalzte Bleche, Warmflachsonderstähle, kaltgewalzte und verzinkte Bänder und Bleche sowie Bänder und Bleche aus Weißblech.

Worldwide Activities

Coutinho, Caro & Co is a group of companies actively engaged on a worldwide basis. Traditionally based on steel products trade it has since developed a further three substantial business divisions of interesting dimensions and performance:

International Trade:

Steel Products, Wire and Wire Products, Non Ferrous Materials, Chemical Products, Paper Products, Cables and Equipment for Electric Power Distribution, Tools, Machinery, Utility Vehicles.

Engineering:

Design, Construction and Erection of Industrial Plants – mainly as Turnkey Projects – particularly for Cement, Glass, Pulp and Paper and Food Industries.
Consultancy, Feasibility Studies; Maintenance, Marketing and Management Assistance.

Construction:

Design and Turnkey Construction of Hotels, Hospitals, Office Buildings, Business Centres and other large Building Complexes.

Steel Warehousing:

Warehouses and Service Centres for Structurals, Merchant Bars, Hot Rolled Plate, Hot Rolled/Cold Rolled and Galvanized Coils and Sheets, Tinplate Coils and Sheets.

Hamburg · London · New York

COUTINHO CARO & CO

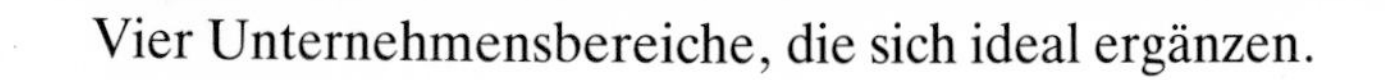

Vier Unternehmensbereiche, die sich ideal ergänzen.

Four areas of business which ideally complement each other.

Weltweit im Dienst ihrer Kunden

Einer der wichtigsten Faktoren für die Chase Manhattan Bank ist ihr Angebot weltweiter Dienstleistungen, zugeschnitten auf die Anforderungen ihrer ebenfalls weltweit tätigen Kunden. Grundsätzlich erfüllen Banken zwei fundamentale volkswirtschaftliche Aufgaben, nämlich einerseits als Geld- und Kapitalsammelstelle zu fungieren und andererseits diese Mittel an diejenigen zu verteilen, die Bedarf für dieses Kapital haben. Größte Kundengruppe ist die Industrie. Diesem Kreis, ob mittelständisch regionale Unternehmen oder multinationale Konzerne, bietet die Chase ihre umfangreiche Produktpalette an.

Chase stellt kurz- und langfristige sowie revolvierende Kredite als auch komplizierte Export- oder Projektfinanzierungen zur Verfügung. Darüber hinaus hält die Chase Lea-

Chase Bank AG, Frankfurt am Main

Global service for our clientele

Of all the Chase Manhattan Bank's global strengths, none is more important or more prominent than the services it renders to the business enterprises of the world. The fundamental economic function of commercial banks remains financial intermediation – gathering funds and redistributing them among those who have productive uses for them. Working with business enterprises of all sizes from local companies to multinatione corporations – Chase provides a complete line of banking services.

Chase makes short-term loans and term loans, revolving credits and complex project and export financings. It offers leasing and equipment finance and finance for real estate projects. Chase backs up its core lending strength with a broad assortment of cash management and electronic banking products, foreign exchange, financial consulting and advisory services. And this in more than 70 countries throughout the world.

In Germany, Chase's engagement is of a special nature. With a presence of more than 35 years, the bank has evolved from operating as a small retail outlet predominately serving the American military community to a full service commercial bank meeting the diverse requirements of a wide spectrum of German industry. Chase's commitment to the Federal Republic reflects the importance of Germany's markets and its influence on global economic developments. The rapid economic growth of the last decades, especially in the export sector, contributed to an expansion of the bank's correspondent banking network and, as an inevitable result, to a greater emphasis on trade finance.

In the 1960's, Chase's activities centered primarily around meeting the needs of the rapidly expanding presence of U.S. multinational corporations in Germany. But as German industry began to look beyond its domestic borders for investment opportunities abroad, Chase Bank AG was there for assistance. Today, Chase is an important partner to the German industry and assists German multinationals in its diverse international export and investment activities. Indeed, two third of the bank's business volume emenates from this source.

To enhance the bank's proximity to its customers, branches were opened in Hamburg, Düsseldorf, Stuttgart and Munich in addition to the main headquarters in Frankfurt. As

sing, Anlagen- und Immobilienfinanzierungen für ihre Kunden bereit. Das umfangreiche Finanzierungsgeschäft wird durch ein breites Dienstleistungsangebot untermauert, das sich von „Cash Management" über „Electronic Banking" bis hin zum Devisenhandel und zur Finanzberatung erstreckt. Die Bank ist in mehr als 70 Ländern aktiv.

Seit 35 Jahren ist Chase in Deutschland präsent. Von einer kleinen Filiale, die in den Anfängen hauptsächlich als die Bank für Angehörige der amerikanischen Streitkräfte fungierte, entwickelte sie sich in der Zwischenzeit zu einer kommerziellen Bank von Rang.

Die Wichtigkeit der deutschen Märkte und deren Einfluß auf die Weltwirtschaft beweisen, daß das Engagement der Chase in der Bundesrepublik eine folgerichtige Entscheidung war. Das rasche Wirtschaftwachstum in den fünfziger Jahren – besonders auf dem Exportsektor – veranlaßte die Bank zum Ausbau des Korrespondenzbankennetzes, um der steigenden Nachfrage nach Außenhandelsfinanzierungen gerecht werden zu können.

In den darauffolgenden sechziger Jahren orientierte sich die Geschäftsstrategie der Chase Deutschland an der raschen Expansion amerikanischer Investments in der Bundesrepublik. Seit die deutsche Industrie verstärkt im Ausland investierte, betrachtete die Chase Deutschland es als eines ihrer wichtigsten Aufgaben, deutsche Unternehmen in diesem Bemühen tatkräftig zu unterstützen.

Heute ist die Chase Bank AG ein bedeutender Geschäftspartner der deutschen Industrie. Zwei Drittel des Geschäftsvolumens der Bank resultieren aus diesen Kontakten. Bedingt durch die Ausweitung des Industriekundengeschäfts wurden neben der Niederlassung in Frankfurt weitere Zweigniederlassungen in Hamburg, Düsseldorf, Stuttgart und München eröffnet. 1977 kam es zur Gründung der Chase Bank AG, die die Geschäftstätigkeit der Chase Manhattan Bank, N.A. in Deutschland übernahm.

Als ein wichtiges Glied im weltumspannenden Netz der Chase Manhattan Bank, N.A., das 150 Vertretungen umfaßt, garantiert die Chase Bank AG ihren Kunden eine reibungslose und schnelle Abwicklung der In- und Auslandsgeschäfte. Die Chase Bank AG wird auch in Zukunft ein zuverlässiger und erfahrener Partner sein, gleich, ob ihre Kunden kurz- oder langfristige Finanzierungen benötigen, Devisen handeln, sich für Leasing entscheiden oder „Electronic Banking" in ihrem Unternehmen einführen wollen.

Chase Manhattan Plaza, New York

additional commitment to the German business community in 1977, Chase Bank AG was founded to take over the German business activities of the Chase Manhattan Bank N.A. Its integration into the Chase global network that encompasses 150 locations ensures an efficient and rapid handling of both international and domestic banking transactions. Thus, whether long or short-term financing is required, or be it foreign exchange, leasing or electronic banking, Chase Bank AG remains a reliable and experienced partner.

Rohstoff Salz . . .

Seit 1959 ist einer der größten amerikanischen Chemiekonzerne, die Dow Chemical, in Deutschland tätig. Nachdem in den ersten Jahren die weltweit vertriebenen Produkte nach Deutschland importiert wurden, begann das Unternehmen im Jahre 1967 mit einer eigenen in Deutschland etablierten Produktion. Styrofoam, Latex sowie Separan und Epoxy werden seit dem Ende der sechziger Jahre in Rheinmünster-Greffern – in der Nähe von Baden-Baden gelegen – produziert. Derzeit sind 275 Mitarbeiter in diesem Werk beschäftigt. Ein ebenfalls in Rheinmünster befindliches europäisches Entwicklungs- und Forschungszentrum dient mit seinen 60 Forschern der anwendungstechnisch orientierten Forschung. Schwerpunkt der Aufgaben sind die Produktforschung und Anwendungstechnik in den Bereichen Latex, Epoxidharzen und Wasseraufbereitung.

Im Jahre 1969 begann Dow Chemical in Niedersachsen mit dem Bau von Fabrikationsanlagen. In Stade an der Unterelbe entstand so im Laufe des letzten Jahrzehnts das zweitgrößte europäische Produktionswerk der Dow Chemical. Mehrere Faktoren sprachen für den Standort Stade. Es waren dies:

- Ausreichende Salzvorkommen in einem Salzstock im 27 km entfernten Ohrensen bei Harsefeld
- Ein weiträumiges, zusammenhängendes Industriegelände
- Anbindung an ein seeschifftiefes Fahrwasser
- Energieversorgung durch die nahegelegene Stromverbundleitung bei Stade
- Qualifizierte Arbeitskräfte aus der Stadt und dem Landkreis Stade

Im Oktober 1969 erfolgte nach intensiven Vorplanungen die Grundsteinlegung. Drei Jahre später wurden die ersten Produktionsanlagen in Betrieb genommen. Der zweite Bauabschnitt konnte im September 1975 abgeschlossen werden. Die Bisphenol- und Epoxidharzanlage nahm Ende 1977 die Produktion auf, 1980 kamen die Dowexanlage für Ionenaustauscherharze sowie eine zweite Anlage zur Herstellung von Prophylenoxid hinzu. 1983 wurde die Dowanolanlage in Betrieb genommen, in der Prophylenglykolether hergestellt werden. Von 1969 bis Ende 1982 wurden rund 1,2 Mrd. Mark investiert.

Crude salt . . .

Since 1959, one of the leading US chemical groups, Dow Chemical, has been active in West Germany. After having initially imported its globally marketed products into the country, the company in 1967 established itself in West Germany by setting up own production facilities there. Styrofoam, Latex, as well as Separan and Epoxy Resins have been produced in Rheinmünster-Greffern, near Baden-Baden, since the late sixties. At present, this plant has a workforce of 275 people. An European research and development center, also located in Rheinmünster, and employing 60 scientists is engaged in application technology oriented research. The emphasis is on product research and application technology in the Latex, Epoxy Resins and water treatment areas.

In 1969, Dow Chemical set up manufacturing facilities in lower saxony. Thus, in the course of the past decade, Dow's second largest european production complex was established in Stade at the lower elbe river. Stade's role as a manufacturing site is supported by a number of factors, namely

- sufficient salt deposits concentrated in a salt dome at Ohrensen, near Harsefeld, 27 kilometers off Stade
- an extensive coherent industrial site
- acces to a deepwater shipping channel
- energy supply by a nearby power grid system next to Stade,
- skilled workers from the town and county of Stade

Following intensive planning, ground was broken in 1969. Three years later, the initial manufacturing facilities came on stream. The second phase of the construction programme was completed in september 1975. In late 1977, production at the Bisphenol and Epoxy Resins plants was started, followed by the Dowex ion exchange Resins facilities and the second plant for the production of Propylene oxide. In 1983, operation of the Dowanol unit producing Propylene Glycol ether started. Investments totalling DM 1.2 billion were effected between 1969 and 1982.

Freigegeben durch den Präsidenten des Niedersächsischen Verwaltungsbezirkes Oldenburg. Bild Nr. 3/2752

DOW CHEMICAL

Das Stader Werk der Dow Chemical aus der Vogelperspektive. Nur ein Teil des weiträumigen Industriegebietes ist bisher bebaut.

A bird's eye view of Dow Chemical's plant at Stade. Only a part of the extensive industrial site has been utilized so far.

Produktion des Leibniz-Keks, dem Traditions-Artikel der Firma Bahlsen.

The production of Leibniz-Keks (Leibniz biscuits) – the traditional product of the Bahlsen Company.

Photo: Bahlsen

Qualität ist unsere Stärke

1889 wurde die „Hannoversche Cakes Fabrik H. Bahlsen" gegründet. Bei der Weltausstellung in Chicago 1893 erhielt die Firma für ihren Leibniz-Keks, einen hochwertigen Butterkeks, der einer der ältesten Markenartikel der Welt ist, die höchste Auszeichung. Erneut gewann sie 1904 auf der Weltausstellung in St. Louis eine Goldmedaille. Mit diesen Erfolgen begann für den weitsichtigen Firmengründer Hermann Bahlsen und seine Mitarbeiter ein intensiver Lernprozeß und Gedankenaustausch mit den USA. Die Einführung des Fließbandes, des Großraumbüros, einer neuartigen luft- und feuchtigkeitsdichten Kekspackung, moderne Verkaufswege mit einer engmaschigen eigenen Kundenbetreuung und Verpackungsmaschinen sind nicht zuletzt diesen frühen Kontakten mit den USA zu verdanken. Die zweite große Phase enger deutsch-amerikanischer Beziehung begann für das Unternehmen nach dem Zweiten Weltkrieg 1952 mit dem Export der Bahlsen-Produkte. Dies führte 1967 zur Gründung der Bahlsen of America, Inc. in New York. Heute werden Bahlsen Spezialitäten in allen Großstädten, insbesondere an der Ostküste, verkauft.

Quality is our strength

„Hannoversche Cakes Fabrik H. Bahlsen" was founded in 1889. Four years later at the Chicago World Fair Bahlsen won the highest award for their high quality butter biscuit „Leibniz-Keks", which is one of the world's oldest branded products. Again, in 1904, Bahlsen won another gold medal at the St. Louis World Fair. These successes were for the far sighted founder Hermann Bahlsen and his staff the start of a through learning process and exchange of ideas with the USA. The introduction of automated production lines, open-plan offices, a hermetically sealed biscuit package, automated packaging machinery and a novel sales and distribution system with a high density customer coverage had their origins in these early contacts with the USA. The second great period of close German-American ties for Bahlsen began in 1952, with the export of Bahlsen products to the USA, leading to the founding in 1967 of Bahlsen of America, Inc. in New York. Today Bahlsen specialties are well distributed in all major cities, especially on the East Coast.

VDO

VDO Elektronik-Systemen bleibt keine Strapaze erspart.
VDO Electronic Systems Are In for It.

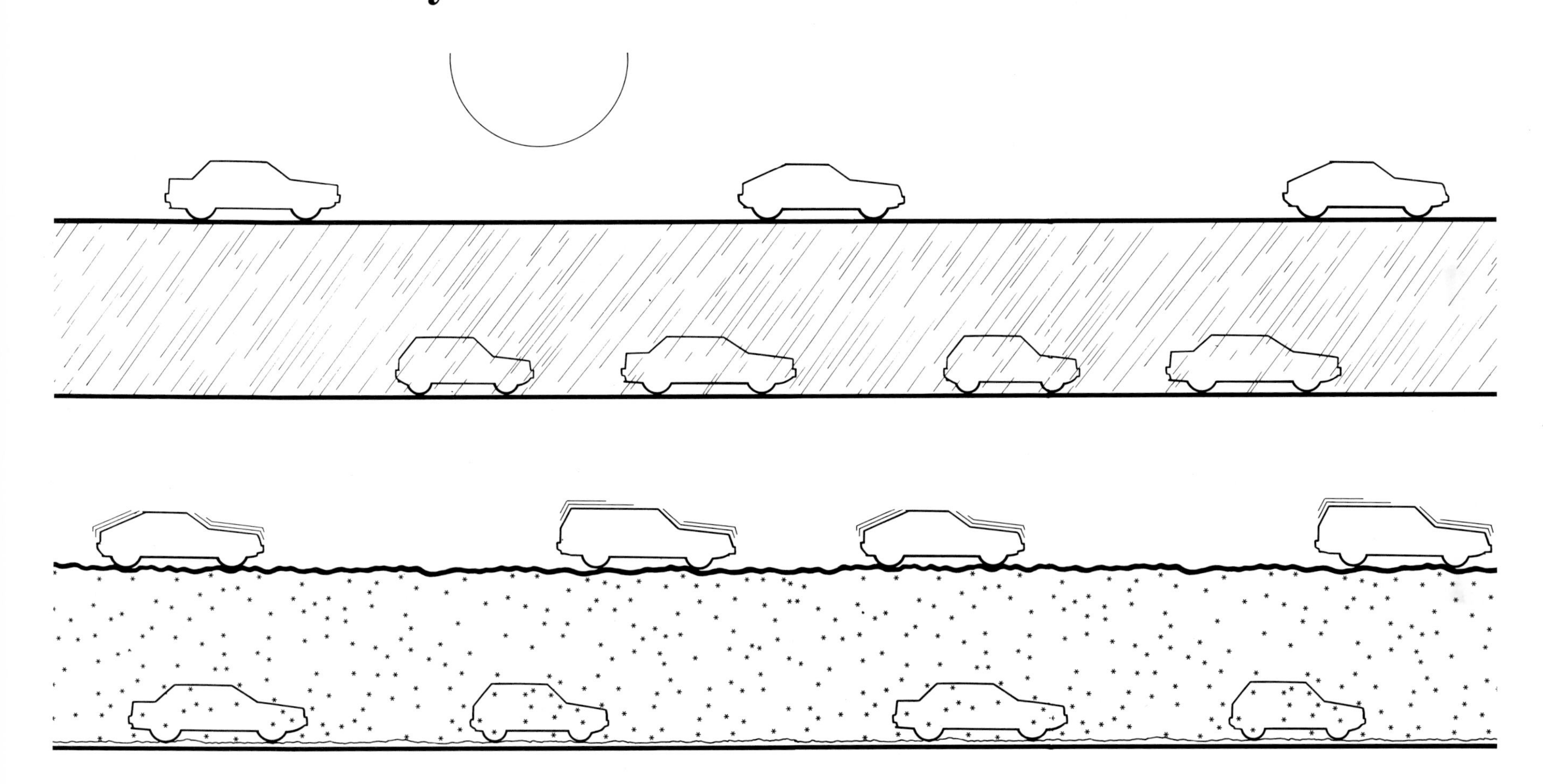

VDO Elektronik-Systeme beweisen ihre Zuverlässigkeit Tag für Tag in Millionen von Kraftfahrzeugen. Sie sind dabei thermischen und mechanischen Belastungen ausgesetzt, die andere Elektronik-Systeme nie erleben.

Die Erfahrungen, die wir bei der Lösung dieser Probleme gemacht haben, führten zu vielen Erkenntnissen, die eine sichere Beherrschung der Elektronik und Displaytechnik unter den ungünstigen Einsatzbedingungen im Kraftfahrzeug gewährleisten. So wurden nicht nur neue Möglichkeiten erschlossen, Autos noch sicherer, wirtschaftlicher und komfortabler zu machen. Sondern auch ein direkter Beitrag zu einer wesentlichen Steigerung der Betriebszuverlässigkeit und Lebensdauer der Fahrzeugsysteme geleistet.

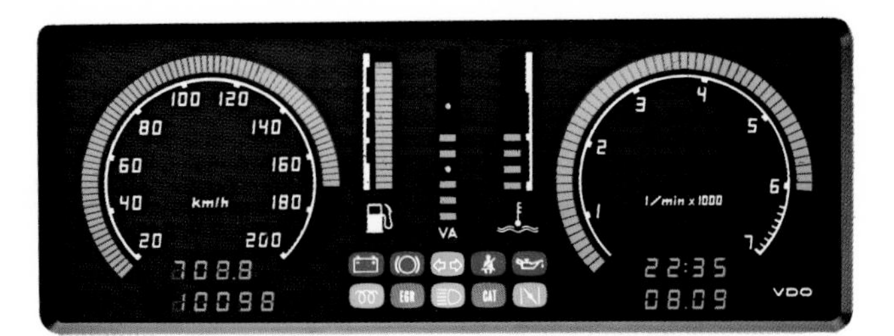

Multiplex-Anzeige mit integrierter Elektronik.

Multiplex Display with Integrated Electronics

Day by day, VDO Electronic Systems are proving their reliability in millions of motor vehicles – subjected to thermal and mechanical stress that other electronic systems do never experience.

The experience we have gained in solving the problems posed by the automotive environment has provided us with the expertise to apply microelectronic and display technologies under these severe conditions. Thus the pioneering of electronic systems for motor vehicles has not only opened up avenues to making autos even safer, more economical and more comfortable: It has also significantly enhanced the serviceability and extended the service life of automotive systems.

RANK XEROX

Ein Unternehmen der Informationstechnologie

24 Jahre ist es her, seit in Düsseldorf die Rank Xerox GmbH, eine hundertprozentige Tochtergesellschaft der Rank Xerox Limited, London, gegründet wurde. Mit einem einzigen Kopierer und fünf Mitarbeitern sollte der deutsche Markt erschlossen werden. Der potentielle Kundenkreis stand dem xerographischen Verfahren jedoch mit Skepsis gegenüber und war nur vereinzelt bereit, anstelle der klassischen und damals bewährten Kopierverfahren eines der neuen Geräte zu bestellen. Die von ihrem Produkt überzeugten Verkäufer waren jedoch bald so erfolgreich, daß oft nicht genügend Geräte zur Verfügung standen.

Die Entwicklung vollzog sich in einem rasanten Tempo. In immer kürzeren Abständen wurden neue Produkte mit mehr Mikroelektronik angekündigt. In den letzten Jahren wurden bzw. werden jeweils bis zu zehn neue Produkte pro Jahr vorgestellt und im Markt eingeführt. Darunter waren mehrere Kleinkopierer ebenso wie anspruchsvolle elektronische Drucksysteme, Textverarbeitungssysteme und multifunktionale Arbeitsstationen. Mit der Xerox 620 elektronischen Schreibmaschine und dem Xerox 820 Tisch-Computer werden seit 1982 für Rank Xerox neue Marktbereiche erschlossen.

Mit dem konsequenten Ausbau und der unaufhaltsamen Modernisierung des Produktprogramms verfügt Rank Xerox derzeitig über das breiteste Angebot an Kopier- und Vervielfältigungsgeräten, vor allem durch die 1983 erfolgte Einführung einer völlig neuen Produktkonzeption, der vierteiligen 10er Serie. Darüber hinaus hat das Unternehmen mit dem Xerox 8000 Netzwerksystem den entscheidenden Schritt zum Büro der Zukunft getan. Die Rank Xerox GmbH, die im Geschäftsjahr 1981/82 einen Umsatz von 766,5 Millionen Mark erzielte und 35 Geschäftsstellen im Bundesgebiet zählt, beschäftigt knapp 4.000 Mitarbeiter.

A Companie in the field of information technology

It is now 24 years that Rank Xerox GmbH in Düsseldorf was founded, a wholly-owned subsidiary of Rank Xerox Limited, London. With one single copier and a staff of 5 the German market was to be opened up. However, the potential clientele regarded the xerographic process with scepticism and only few were prepared to order one of the new machines instead of the classical and approved copier processes. The sales representatives, who were convinced of their product soon were so successful that often not sufficient machines were available.

The development took place at a fast speed. In ever shorter intervals new machines with more microelectronic technology were announced. In recent years up to ten new products per year were announced and introduced to the market. These included several small copiers as well as sophisticated electronic printing systems, word processing systems and multifunctional work stations. With the electronic typewriter Xerox 620 and the Xerox 820 personal computer new market areas have been opened up for Rank Xerox since 1982.

With the consequent extension and non-stop modernization of the product programme Rank Xerox at present disposes of the widest range of copiers and duplicators, above all as a result of a completely new product concept introduced in 1983 the four-part 10-series. Besides, the company made the decisive step towards the office of the future with the Xerox 8000 network system. Rank Xerox GmbH, which achieved a revenue of DM 766,5 Millions in the business year 1981/82 and which has 35 field offices throughout the Federal Republic of Germany employs a little less than 4.000 people.

Schwarzkopf

80 Jahre im Dienst der Haarpflege

Als Hans Schwarzkopf 1903 die Produktion des von ihm entwickelten „Schaumpons" in seiner Berliner Firma aufnimmt, beginnt die Geschichte der modernen, wissenschaftlichen Haarpflege. Heute produziert und verkauft die Hans Schwarzkopf GmbH mit weltweit rd. 5.000 Mitarbeitern Haar- und Körperpflegeartikel in über 100 Ländern der Erde. Hauptsitz ist Hamburg. Hier befinden sich auch die Forschungslaboratorien, die ständig neue Produkte entwickeln und testen. Bahnbrechende Neuerungen kennzeichnen den Weg des Unternehmens: Schwarzkopf entwickelte das erste alkalifreie Haarwaschmittel und stellte das erste Spezial-Haarwasser gegen Schuppen her. Schwarzkopf ist heute in vielen Ländern Marktführer. Erfolg und Weltgeltung des Unternehmens sind jedoch nur verständlich vor dem Hintergrund einer nunmehr achtzigjährigen wissenschaftlichen Erfahrung, einer unabdingbaren Verpflichtung zur Qualität und einer stets fortschrittlichen Einstellung zu Neu- und Weiterentwicklungen im Bereich der Haar- und Körperpflege.

Natural Styling – das Markenzeichen für methodische Friseur-Haarpflege.
Natural Styling – the brand name for methodical permanent waving.

Gepflegtes Haar in faszinierenden Farben mit Qualitätsprodukten von Schwarzkopf. Beautiful hair in fascinating colours cared for with quality products from Schwarzkopf, California.

80 Years of Service in Hair Care

The beginning of modern scientific hair care can be dated back to the year 1903 when Hans Schwarzkopf started the production of a new Shampoo which he had developed in Berlin. Today, the Schwarzkopf Company with over 5,000 employees, manufactures preparations for hair and body care which are sold in more than 100 countries throughout the world. Headquarters are located in Hamburg, along with the research laboratories where new products are continuously developed. Revolutionary innovations mark the road of the company's history: Schwarzkopf originated the alkali-free shampoo and developed the first special hair lotion against dandruff. Schwarzkopf is among the leading brands today in many countries. Success and worldwide importance of the company become comprehensible on the background of the scientific experience gained through eighty years of an unalterable obligation to qualitative standards and a progressive attitude towards innovations and further developments in the field of hair and body care.

Schachtförderung: Tunnelbau in Chicago, USA
Shaft conveving: Deep tunneling in Chicago, U.S.A.

* Trademark in U.S.A. and Canada is FLEXOWALL®

Innovation in der Fördertechnik

Das Unternehmen wurde 1884 durch Conrad Scholtz gegründet, um Fördergurte aus Leder, Baumwolle und Kamelhaar zu produzieren und zu vertreiben. 1927 wird die Fabrikation auf Gummifördergurte ausgeweitet.

In den folgenden Jahrzehnten entwickelt sich das Unternehmen zu einem Spezialisten auf dem Gebiet der Fördergurttechnik mit einem breiten Programm für alle industriellen Anwendungen in der kontinuierlichen Förderung von Schütt- und Stückgütern.

Anfang der 60er Jahre wird der FLEXOWELL®-Gurt* entwickelt, ein Spezialgurt für die Steilförderung, der sich inzwischen weltweit in über 50.000 Anlagen bewährt hat. Damit wird der Grundstein für die Entwicklung kompletter Senkrechtfördersysteme gelegt, die über die 1976 in Hamburg und 1980 in USA gegründeten Ingenieurgesellschaften Scholtz-EFS Engineering für Fördersysteme vermarktet werden. In den USA setzte die Scholtz-Gruppe 1982 neue Maßstäbe in der Senkrechtförderung von Schüttgütern; mit einer Hubhöhe von 82 m fördert ein FLEXOWELL®-Gurt senkrecht über 2 Mill. Tonnen gebrochenen Kalkstein zu Tage.

Innovation in Conveyor belt technology

The firm has been founded by the late Mr. Conrad Scholtz in 1884 to produce and sell industrial belting made of leather, cotton and camel's hair. These activities were extended in 1927 by manufacturing rubber conveyor belts.

In the subsequent decades the company develops to become a specialist within the field of conveyor belt technique, offering a vast program for any industrial application in continuous conveying of bulk goods and parcels.

In the beginning of the '60s, the FLEXOWELL®-belt* was developed, a special belt particularly conceived for steep angle transport, and which in the meantime has stood its test worldwide in more than 50,000 installations. This has laid the foundation for the development of complete systems for vertical transport. Marketing of these is being done by the engineering companies Scholtz-EFS Engineering for Conveying Systems, founded in 1976 in Hamburg and in 1980 in the U.S.A. In 1982, Scholtz-Group applied new standards for vertical transport of bulk goods in the U.S.A.; with a lift of 82 m (270 ft) a FLEXOWELL®-belt transports vertically over 2 mill. tons of broken limestone to the surface.

Spraying Systems Co., Wheaton, Illinois

Wir sprühen vor Einfällen . . .

Vor fast 60 Jahren, 1924, gründete Wilhelm Schaumlöffel eine Firma, die sich auf den Vertrieb von Kugellagern der Firma SKF spezialisierte. Bereits 1961, mit Übernahme der Vertretung von Spraying Systems Co., Wheaton, des weltgrößten Herstellers von Düsen und Zubehör war man maßgeblich an der Entwicklung des modernen Pflanzenschutzes beteiligt.

1980 wurde der SSCO-Geschäftsbereich ausgegliedert und unter dem Namen Spraying Systems Deutschland GmbH als selbstständige Niederlassung des weltweiten SSCO-Verbundes vom amerikanischen Stammhaus übernommen.

Durch Fachberatung unserer Spezialisten und mit Hilfe eines Lagerbestandes von ca. 5.000 verschiedenen Düsen sind wir in der Lage, für alle Bereiche der Industrie und Landwirtschaft effektivste Problemlösungen anbieten zu können.

Unser hochmodernes, amerikanisches Mutterwerk mit mehr als 16.000 verschiedenen, ständig auf Lager gehaltenen Düsen mit sofortiger Lieferbereitschaft und, durch den engen Kundenkontakt ständiger Entwicklung von immer neuen Düsen zur schnellen Erledigung von Sonderwünschen, rundet den weltweiten Service ab.

We are bursting with ideas . . .

Nearly 60 years ago, in 1924, Wilhelm Schaumlöffel startet the company with ball bearings, specializing in SKF. In 1961, representing Spraying Systems Co., Wheaton, the largest manufacturer of nozzles and accessories, the company's main interest was a developed pest control in agriculture.

In 1980, the SSCO nozzle section of Schaumlöffel became an independent agent of the American parent, Spraying Systems Deutschland.

Through the technical knowledge of our specialists and because of a large stock of approx. 5.000 assorted nozzles for all categories in industry and agriculture, we can offer effective solutions for all sorts of problems.

By their high standards and an assortment of more than 16.000 nozzles, permanently available from stock, by close contact to the customer, permitting a permanent development of new nozzles, for prompt service of special requests, our American Parent add their share of a worldwide service.

WABCO WESTINGHOUSE®

Hundert Jahre . . .

Seit 100 Jahren gibt es eine Firma in Deutschland, die mit Stolz den Namen des amerikanischen Erfinders George Westinghouse trägt. 1884 wurde das Unternehmen in Hannover gegründet, um George Westinghouses geniale Erfindung der Druckluftbremse auch den Eisenbahnen der deutschen Länder zur Verfügung zu stellen. Damit schloß sich ein Kreis, denn die Vorfahren von Westinghouse waren aus Deutschland nach Amerika ausgewandert.

Im Zuge des weiteren technischen Fortschritts entwickelte und baute das Unternehmen auch Druckluftbremsen für Nutzfahrzeuge. Die heutige Wabco Westinghouse Fahrzeugbremsen GmbH ist der größte Hersteller von Bremsanlagen dieser Art auf dem europäischen Kontinent, und ihre Produkte gehen in fast alle Länder der Erde. Und auch nach 100 Jahren befindet sich das Unternehmen an der Spitze der technischen Entwicklung. Ein guter Beweis dafür ist das Wabco Anti-Blockier-System (ABS) für Nutzfahrzeuge.

Drei hochmoderne Werke in Deutschland beschäftigen mehr als 3.000 Mitarbeiter. Für sie alle hat der Name Westinghouse seinen guten Klang behalten; Westinghouse – ein Begriff für 100 Jahre deutsch-amerikanischer Zusammenarbeit.

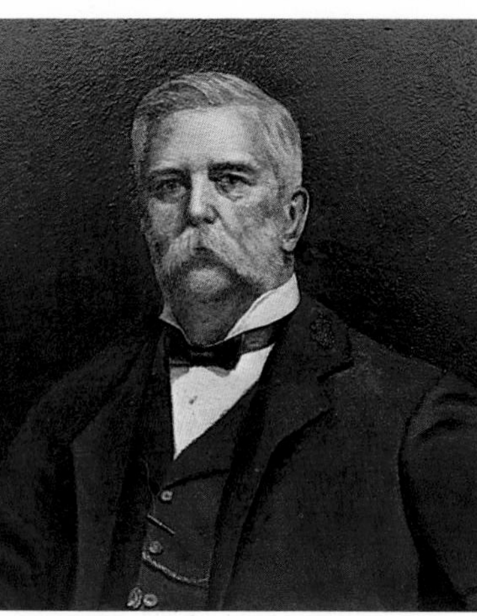

George Westinghouse

Hundred years . . .

For 100 years there has been a company in Germany proudly bearing the name of the American inventor George Westinghouse. The enterprise was founded in Hanover in 1884 with the purpose of providing the German railways with George Westinghouse's ingenious invention of the air brake, thereby bringing the wheel full circle, George Westinghouse's ancestors having emigrated to America from Germany.

Following continuing technical progress, the company developed and produced air brakes for commercial vehicles as well. Wabco Westinghouse Fahrzeugbremsen GmbH of today is the largest manufacturer of these types of air brake systems on the European continent shipping its products to almost every country in the world. After 100 years the enterprise occupies the highest rank in technical research and development, a good proof of which is the Wabco Anti-Skid System for commercial vehicles.

Three ultra modern plants in Germany employ more than 3.000 people for all of whom the name Westinghouse still resounds with an excellent reputation. Westinghouse – a hallmark standing for 100 years of German-American cooperation.

Wabco Westinghouse Fahrzeugbremsen GmbH

Wabco Westinghouse Feuerungstechnik GmbH & Co.

Neue Ideen schaffen neue Märkte

Die Fa. Georg Sahm GmbH & Co. KG, Maschinenfabrik, gegründet 1945, ist eine der best eingeführten und größten Produzenten für Präzisionskreuzspulmaschinen für die Textil- und Textilchemische Industrie auf dem Weltmarkt. Die Gesamtzahl an produzierten Spulmaschinen betrug in 1982 über 5.000 Spulköpfe. Über 90 % davon gingen in den Export.

Ideenreichtum und Flexibilität bei der Suche nach Problemlösungen für die Kunden in aller Welt haben ständig neue Märkte eröffnet. 1976 wurde die American Sahm Corp. als Sales + Service Center gegründet, die heute im Textilzentrum Greenville S.C. ansässig ist. Der Erfolg im US-amerikanischen Markt in den letzten Jahren beruht im wesentlichen darauf, daß Sahm auch für hohe Qualität, Produktzuverlässigkeit und hervorragenden Service bürgt.

New ideas open new markets

Founded in 1945, the Georg Sahm company is one of the world's best renowned and most important manufacturers of precision cross winder for the textile and man-made fiber industries. In 1982, the company produced more than 5.000 winding heads. About 90 % thereof were exported to foreign countries.

Inventiveness and flexibility of the solutions found for customers all over the world have opened a growing number of markets. A sales and service organization was founded in 1976: the American Sahm Corp., which today has its main place of business in Greenville, S.C., an important center of the American textile industry. The Sahm company's success in the U.S. market during the past years is based mainly on a high product quality and reliability and an outstanding service.

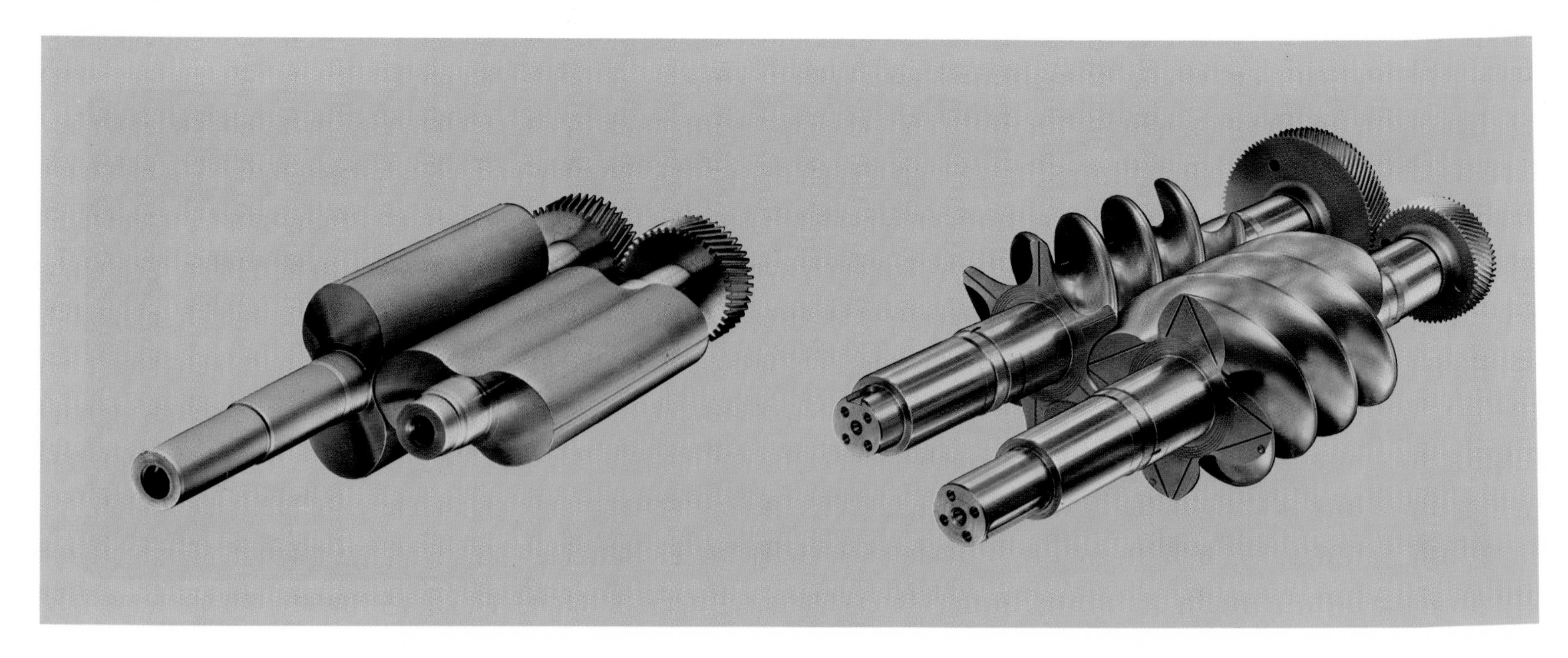

Herzstück jeder zweiwelligen Drehkolbenmaschine ist das mit äußerster Präzision gefertigte Kolben- oder Rotorenpaar.

Center piece of each two-shaft rotary piston machine is the pair of rotors, manufactured with extreme precision.

Von Aerzen in alle Welt

Mit der stetig fortschreitenden Technik entwickelte sich auch die Aerzener Maschinenfabrik seit der Gründung im Jahr 1864 zu einem modernen Unternehmen des Spezialmaschinenbaus. Die Fertigung von zweiwelligen Drehkolbenmaschinen zum Fördern, Verdichten und Messen von Luft und Gasen hat in Aerzen eine lange Tradition. Bereits 1868 wurde Europas erste Drehkolbenmaschine nach dem Rootsprinzip gebaut. Die Herstellung von Drehkolbengaszählern wurde 1930 aufgenommen, der erste Schraubenverdichter entstand im Jahr 1943. Dank eines gut ausgebauten Systems von In- und Auslandsvertretungen in über 50 Staaten der Erde sowie fünf Tochtergesellschaften und der damit gewährleisteten Sicherheit von Beratung, Verkauf und Service stieg der Exportanteil der Aerzener Maschinenfabrik auf 75 %. In den Vereinigten Staaten von Amerika wird das Stammhaus aus der Bundesrepublik Deutschland durch die Tochtergesellschaft Aerzen USA Corporation, Akron/Ohio, vertreten. Heute tragen Drehkolbengebläse, Schraubenverdichter und Drehkolbengaszähler den Namen Aerzen in alle Welt.

From Aerzen into the whole world

Simultaneously to the continuously progressing technology the Aerzener Maschinenfabrik has developed to a modern firm constructing special machines since the foundation in 1864. Aerzen has a long tradition in manufacturing two-shaft rotary piston machines for conveyance, compression and metering of air and gases. Europes first rotary piston machine on the Roots principle was already built in 1868. The fabrication of Rotary Piston Gas Meters was started in 1930. The first Screw Compressor was built in 1943. Owing to a good system of home- and abroad-representations in more than 50 countries and five affiliated companies and to the ensured certainty of advice, sale and service resulting therefrom, the exports ratio of the Aerzener Maschinenfabrik rose to 75 %. In the USA the head-office Aerzen, FRG, is represented through the affiliate „Aerzen USA Corporation, Akron/Ohio". Today Rotary Piston Blowers, Screw Compressors and Rotary Piston Gas Meters take the name of Aerzen into the whole world.

Deere & Company vertreibt weltweit mehr als 600 verschiedene Land-, Bau- und Forstmaschinen sowie Geräte für die Rasenpflege. Diese Maschinen werden von zwanzig John Deere Fabriken und Beteiligungsgesellschaften in 10 verschiedenen Ländern gefertigt.

Deutschland hat bedeutenden Anteil an diesem wachsenden internationalen Markt. Die John Deere Werke in Mannheim, Zweibrücken und Bruchsal produzieren Traktoren und Landmaschinen zum Einsatz gegen den Hunger in der Welt.

Deere & Company sells more than 600 different agricultural, construction, forestry and lawn care products in a global market. They're manufactured at twenty John Deere factories and associated companies in ten countries around the world.

Germany shares substantially in that expanding international market. John Deere facilities at Mannheim, Zweibrükken and Bruchsal manufacture agricultural equipment that helps feed a hungry world.

Wo immer modernste und zuverlässige Technologie gefordert wird, sind Sperry-Produkte im Einsatz

Wherever the most modern and dependable technology is required, Sperry products are being used

Sperry 100 Jahre in Deutschland

Die Sperry GmbH mit Sitz in Frankfurt/Main gehört zu den 500 größten Gesellschaften in der Bundesrepublik. Sie ist eine hundertprozentige Tochter der Sperry Corporation in New York, die ca. 78.000 Mitarbeiter in 60 Fertigungs- und Vertriebsstätten weltweit beschäftigt. Sperry gehört zu den führenden Herstellern von Computern, elektronischen Instrumenten, hydraulischen Systemen und Spezial-Landmaschinen.

Die Firmengeschichte der Sperry Corporation geht bis in das Jahr 1832 zurück. Das Unternehmen hat über ein Jahrhundert lang seine auf Technik basierende Innovationskraft unter Beweis gestellt. Sperry, bereits seit 1883 in Europa vertreten, blickt in diesem Jahr auf eine hundertjährige Präsenz in Deutschland zurück. Bereits 1933 beschäftigte die Gesellschaft 450 Mitarbeiter in Berlin, Dresden, Düsseldorf, Frankfurt/M., Leipzig, München und Stuttgart. Heute hat die Sperry GmbH Fertigungsstätten in Frankfurt-Rödelheim, Bad Homburg und Hof. Mit ca. 3.000 Mitarbeitern und dem in Deutschland erzielten Umsatz gehört die Sperry GmbH zu den größten Niederlassungen der Sperry Corporation in der Welt.

Sperry 100 years in Germany

The Frankfurt based Sperry GmbH, the German subsidiary of the Sperry Corporation, is among the 500 largest companies in the Federal Republic of Germany. It is a wholly owned subsidiary of the Sperry Corporation in New York, which employs about 78.000 people in the 60 manufacturing and marketing organisations worldwide.

Sperry is a leading manufacturer of computers, electronic instruments, hydraulic systems and special farming machines.

The history of the Sperry Corporation dates back to the year 1832. For more than a century the company has shown its innovative strenght, based on technical know-how and experience. Sperry, represented in Europe since 1883, looks back to a centenary presence in Germany. As early as 1933 the company employed 450 people in Berlin, Dresden, Duesseldorf, Frankfurt/Main, Leipzig, Munich and Stuttgart. Today the German subsidiary has manufacturing facilities in Frankfurt-Roedelheim, Bad Homburg and Hof, and sales- and service-branches in all important cities of Germany. The 3.000 employees and the business volume achieved in Germany make Sperry GmbH one of the largest subsidiaries of the Sperry Corporation worldwide.

Mehr Leistung, mehr Erfolg durch die richtige Partnerwahl!

Wer Barmag-Maschinen wählt, entscheidet sich für einen leistungsfähigen Partner.

Das Remscheider Maschinenbauunternehmen wurde 1922 gegründet und beschäftigt heute mehr als 2.500 Mitarbeiter.

Das Produktionsprogramm umfaßt Chemiefaseranlagen, Textilmaschinen, Kunststoffanlagen, Hydraulikaggregate, Elektronikaggregate und Aggregate für den Automobilsektor.

Die weltweit führende Position erklärt sich durch kontinuierliche Forschungs- und Entwicklungsarbeit in allen Bereichen. Maschinen und Aggregate mit dem Markenzeichen Barmag stehen für große Wirtschaftlichkeit, Zuverlässigkeit und gleichbleibend hohe Qualität des erzeugten Produktes.

Tochtergesellschaften in den USA, Brasilien, der Schweiz, Indien und Hongkong, Service-Stationen in Taiwan und Mexico sowie qualifizierte Vertretungen in 80 Ländern begründen die hervorragende Marktstellung der Barmag.

More output, more success, by choosing the right partner!

Those who choose Barmag decide in favour of a strong partner. The Remscheid machine manufacturer was established in 1922 and now employs more than 2.500 people.

The production programme includes man-made fibre lines, textile machinery, plastic processing lines, hydraulic units, electronic units and units for the automotive range.

The leading world position is a result of continuous research and development work in all areas. – Machines and units with the Barmag trademark represent high efficiency, reliability and continually high quality of the produced product.

Subsidiaries in the USA, Brasil, Switzerland, India and Hongkong, service stations in Taiwan and Mexico as well as qualified agencies in 80 countries are the basis of the excellent market position Barmag enjoy.

Maschinen und Anlagen zur Herstellung und Verarbeitung von Chemiefasern
Textilmaschinen
Pumpen für die Chemiefaser- und Textilindustrie
Extruder und Extrusionsanlagen
Hydraulikaggregate für Industriehydraulik und Aufzugshydraulik
Elektronische Antriebssteuerungen für Gleich-, Wechsel- und Drehstrommotoren, Temperaturregler und elektronische Steuerungen

Machinery and plants for production and processing of chemical fibres
Textile machinery
Pumps for the chemical fibres and textile industry
Extruders and extrusion plants
hydraulic units for industrial and lift hydraulics
electronic devices for SCR-units and specific appliances as temperatur, speed ration and controls.

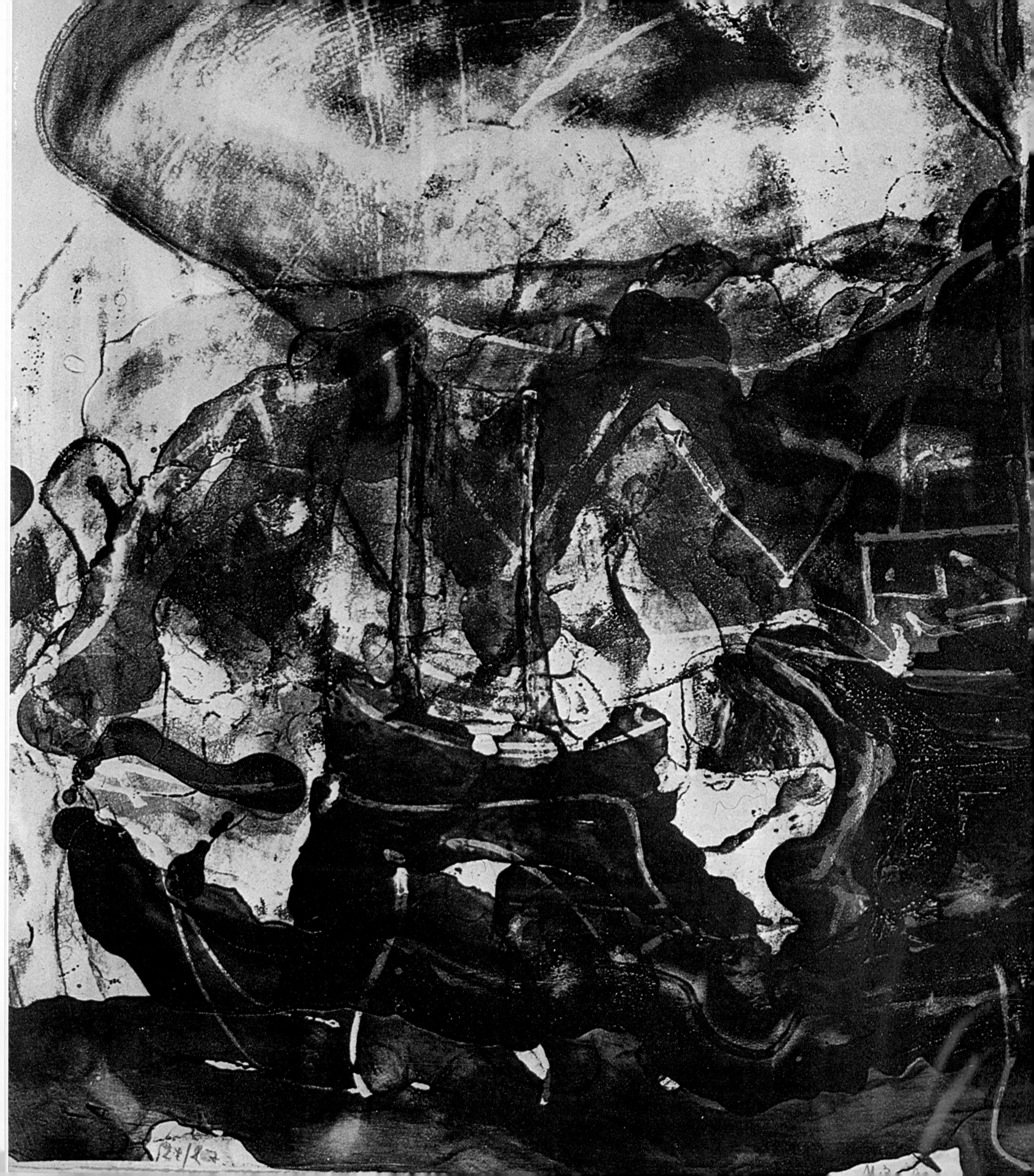

American population. The often repeated story of the one vote lacking in the U.S. Congress to make German the second official language in America is a touching anecdote – which, however, ignores the fact that German speakers have never made up more than 10 % of the American population. But German as a foreign language also suffers from a general lack of interest in the United States in learning foreign languages. Even Thomas Jefferson did no more than make positive remarks about the German language; he never learned it. Our language ought to be promoted as a means of intellectual communication between Germans and Americans, a task which lies above all in the hands of the branches of the Goethe Institute, the number of which must be increased in the USA in view of the size of the country.

German and American experts are making joint efforts to ensure in each country a thorough and objective presentation of the history of the other.

Because of their extensive influence, the American media (books, films, radio and television) play a key role. Although increasing interest has been shown in America among film aficionados for contemporary German films and their directors, such as Rainer Fassbinder, Volker Schlöndorff, Wim Wenders and Werner Herzog, few productions of German origin have as yet been shown on American television.

Christian Kruck – "Manhattan"

Otto Rhor – Homburg/Saar: "57th New York"

Finally, the promotion of guest performances and exhibitions remains an important instrument in German foreign cultural policy for the U.S.A. Here, too, quality must have priority over quantity if what is offered is to be well received by a sophisticated and demanding public and to succeed against intense domestic and foreign competition.

German cultural policy must be kept under constant and critical review regarding the efficiency of the instruments at its disposal. It requires patience, ingenuity and clear ideas as well as subtlety and understanding.

German-American cultural relations draw their vital impulses in mutual give and take involving similarities on the one hand and differences on the other. Although Jefferson and Goethe never met, Alexander von Humboldt did have the opportunity upon returning from his long expedition to South America in 1804 to talk with Jefferson then president, for several hours at the White House and in 1814 presented Goethe with one of Jefferson's letters for his autograph collection. Goethe sent his works to the library of Harvard University in 1819 to take their place in the New World.

Letters and books still remain instruments of German-American cultural exchange today. Since the journeys of Jefferson and Alexander von Humboldt, direct contacts between Germans and Americans have increased.

The parliaments of both countries, too, have come to recognize the importance of cultural exchange. In December 1982 the German Bundestag and the Congress of the United States passed resolutions almost simultaneously to celebrate the coming tricentennial year of the first German settlement in America and to promote a strengthening of cultural exchange. Both parliaments hope to make their contribution through a joint programme in which their Members on both sides will sponsor visits by young Germans to the USA and by young Americans to the Federal Republic of Germany.

Karin Kahlhofer – „Projektion", 1983

Karin Kahlhofer – "Projection", 1983

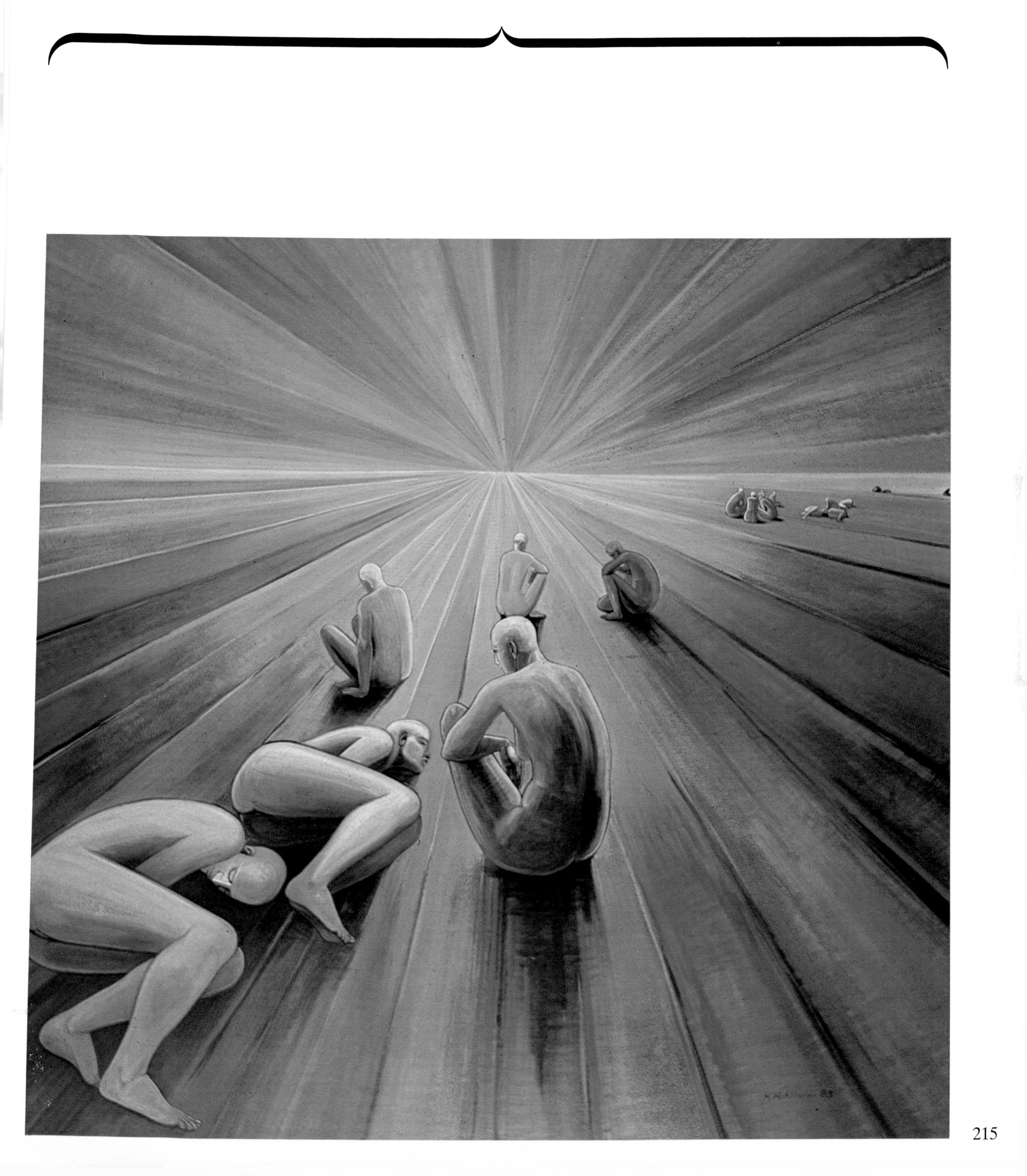

fangenen nach Ostindien bringen oder in andere Teile Asiens oder Afrikas, sie sollen in Amerika oder Europa unter anständigen Bedingungen festgehalten werden.

Viele unserer Väter wurden während des Zweiten Weltkrieges als Kriegsgefangene in den USA festgehalten und können Zeugnis davon ablegen, daß der Geist dieses Vertrags noch lebte, als er schon lange nicht mehr galt. „Dies ist der liberalste Vertrag, der jemals zwischen unabhängigen Mächten geschlossen wurde", schrieb George Washington seinem Freund Rochambeau im Jahre 1786. Man muß den Kontrakt auch im Zusammenhang mit der sogenannten bewaffneten See-Neutralität Preußens während der Jahre sehen, in denen die amerikanische Unabhängigkeit gefestigt wurde. Preußens Haltung wirkte damals diplomatisch eindeutig zugunsten der Vereinigten Staaten.

Nach Beginn des Sezessionskrieges im Jahre 1861 erließ der preußische Handelsminister an die private Schiffahrt die Aufforderung, sich nicht an der Beförderung kriegswichtiger Güter nach Amerika zu beteiligen. „Dies wird zweifellos die gewünschte Wirkung haben, da die Anweisung in allen deutschen Tageszeitungen veröffentlicht wird", schrieb der amerikanische Gesandte in Berlin, Seward, am 25. Juni 1861 seinem Außenminister, „und da sie von Preußen ausgeht, wird die Anweisung zweifellos von den deutschen Teilstaaten und Freien Städten respektiert werden." Diese Ankündigung werde nicht ihren nachhaltigen Eindruck auf seine Regierung verfehlen und die fast hundert Jahre andauernde Freundschaft verewigen, so Seward. Zehntausende deutscher Auswanderer haben damals am Bürgerkrieg teilgenommen, überwiegend auf der Unionsseite. Zu ihnen gehörte Carl Schurz, General unter Präsident Lincoln, später Senator und Innenminister.

Preußen blieb lange Jahre der einzige Vertragspartner der Vereinigten Staaten unter den deutschen Partikularstaaten. Die verstärkte Auswanderungswelle seit den dreißiger Jahren des 19. Jahrhunderts und die wachsenden Handelsbeziehungen veränderten dieses Bild. In den vierziger Jahren gingen jährlich über 40.000 Auswanderer in die Staaten. In den Jahren nach dem Scheitern der Revolution von 1848 schwoll dieser Strom gewaltig an und erreichte noch in den sechziger Jahren im Jahresdurchschnitt über

Prussia's political position became then very clearly diplomatically effective in favor of the United States.

After the beginning of the Civil War in the year 1861 the Prussian minister of trade issued special instructions to private shipping companies that they should not get involved in the Civil war through the transport of war materials to America. "This will doubtless have the desired effect, as it will be published in all German journals", wrote the American envoy in Berlin, Seward, on June 25, 1861 to his Secretary of State, "and coming from Prussia will be duly

Der erste „Gesandte und Bevollmächtigte Minister des Deutschen Reiches", Kurd von Schlözer

The first envoy and minister plenipotentiary of the "German Reich" Kurd von Schlözer

80.000. In dieser Zeit entstanden daher eine Reihe von vertraglichen Beziehungen zwischen der Union und den Partikularstaaten, die Auslieferungs- und Staatsangehörigkeitsfragen und den Wegfall der Steuern auf die Auswanderung im Sinne der beiderseitigen Interessenlagen regelten.

Die Sympathien der Unionsregierung lagen im Jahre 1848 auf der Seite der deutschen Reformbewegung. Einer ihrer Vertreter im Frankfurter Parlament, Friedrich Ludwig von Rönne, der bis zum Jahre 1844 preußischer Ministerresident in Washington gewesen war, begab sich im Oktober 1848 wieder auf seinen alten Posten, schickte seinen Nachfolger in Washington in Urlaub und übergab am 26. Januar 1849 ein Beglaubigungsschreiben in seiner Eigenschaft als „außerordentlicher Gesandter und bevollmächtigter Minister der Zentralregierung Deutschlands" dem amerikanischen Präsidenten Polk. Schon im Revolutionsjahr 1848 war der amerikanische Gesandte am preußischen Hofe, Andrew Donelson, von Berlin nach Frankfurt an die Nationalversammlung beordert worden, um sich dort bei der Zentralregierung akkreditieren zu lassen. Doch diese Ereignisse blieben Episode.

Die diplomatischen Beziehungen zwischen Washington und Berlin blieben aber weiterhin bis in die achtziger Jahre des vorigen Jahrhunderts nahezu störungsfrei. Der erste „Gesandte und Bevollmächtigte Minister des Deutschen Reiches", Kurd von Schlözer, berichtete Bismarck ein Jahr nach der Reichsgründung, Carl Schurz habe ihm anvertraut, daß Frankreich von der amerikanischen Regierung Kriegswaffen während des Siebziger Krieges gekauft hätte. Schlözer habe Schurz aber dazu versichert, diese in Deutschland schon bekannte Tatsache habe die Reichsregierung nicht gestört. Die Vereinigten Staaten seien weit, das öffentliche Interesse in Deutschland für die amerikanischen Vorgänge gering. Gute Beziehungen seien jedoch erwünscht, weil schon Millionen Deutsche in Amerika lebten.

Die Gründerjahre führten zum Auswanderungsstop aus Deutschland und zu den ersten Anzeichen von Verstimmung in den deutsch-amerikanischen Beziehungen. Die Wendung der Bismarckschen Handelspolitik im Jahre 1878 vom wirtschaftspolitischen Liberalismus zum Schutzzoll veränderte diese Beziehungen dann sehr stark.

respected by all German States and Free Cities." This announcement would certainly not fail to make a lasting impression on his government and to perpetuate the friendship that had existed for nearly a century, Seward added. Tens of thousands of German immigrants took part in the Civil War, more or less all of them on the side of the Union. One of them was Carl Schurz, General under Lincoln, later Senator and Secretary of the Interior.

For many years Prussia remained the only treaty partner of the United States among the German states. This picture changed with the increased migration starting in the eighteen-thirties and the strengthening of trade relations. In the eighteen forties more than 40000 Germans emigrated to the United States. In the years following the abortive revolution of 1848, this massive flow reached more than 80000 persons per year. During these years a number of treaty relations were established between the Union and the separate German states, in the interest of both parties dealing with naturalization and extradition questions and the dropping of laws regarding escheat and taxes upon emigration.

The sympathies of the Government of the Union lay on the side of the German reform movement in 1848. One of its representatives in the Frankfurt parliament, Friedrich Ludwig von Rönne, who had been Prussian minister resident in Washington until the year of 1844, returned in october 1848 to his old post in Washington, relieved his successor von Gerolt and presented his letters of credence as "Envoy Extraordinary and Minister Plenipotentiary of the Central Government of Germany" to the American President Polk. Already in the revolutionary year of 1848 the American minister at the Prussian court, Andrew Donelson, was ordered from Berlin to Frankfurt to the National Assembly in order to be accredited with the central government. Yet, these events remained an episode.

The diplomatic relations between Washington and Berlin remained, however, nearly cloudless until the eighteen-eighties. The first "Envoy and Minister Plenipotentiary of the German Reich", Kurd von Schlözer, reported to Bismarck one year after the founding of the Reich that Carl Schurz confided to him that France had received arms from the American Government during the war of the seventies. Schlözer said he assured Carl Schurz in

Die Einführung des Schutzzolls paßte sich in eine allgemeine Entwicklung ein, die, mit Ausnahme Englands, die internationale Handels- und Zollpolitik bis weit in das 20. Jahrhundert hinein bestimmen sollte. Auch die Vereinigten Staaten hatten, schon bald nach Beendigung des Bürgerkrieges, ihre aufblühende Industrie mit Hochschutzzollmauern umgeben. Der gegenseitige Handelsverkehr wurde vor allem aber durch die Anhebung der landwirtschaftlichen Produktion Amerikas in bisher unbekannter Weise belastet. Die Neuerschließung von Weizenanbaugebieten im Zuge der Westwanderung führte zur Anhebung der Weizenexporte der USA von 39 Millionen Bushels (engl.-amerikanisches Getreidemaß, 1 Bushel=35,2 Liter) im Jahre 1873 auf 72 Millionen im Jahre 1877 und erreichte 1880 die gewaltige Menge von 150 Millionen Bushels. Deutschland entschloß sich daher im Jahre 1879 zur Einführung der Kornzölle. Auch Einfuhrbeschränkungen aus sanitären Gründen wurden schon damals praktiziert. Wie die diplomatischen Akten nachweisen, gaben deutsche Diplomaten ihr Bestes in Washington, um die Produkte des deutschen Hausschweins vor dem Ansturm der Schinken ihrer virginischen Artgenossen zu bewahren.

Zu den wirtschaftlichen Schwierigkeiten jener Jahre traten seit 1889 die Belastungen der aufkommenden imperialistischen Außenpolitik, von der auch diese beiden Staaten erfaßt wurden. Es ist nicht zuletzt dem Geschick des damaligen deutschen Gesandten, des liebenswürdigen Bayern Graf Arco, zu verdanken, daß die erste Samoa-Krise keine ernsthafte Belastung im deutsch-amerikanischen Verhältnis wurde. In jenem Jahr der ersten Samoa-Krise, im Jahre 1889, wurde die innere Grenze der USA durch die Beendigung der Westwanderung abgeschlossen. Man kann diesen Zeitpunkt als eigentlichen Beginn der amerikanischen Außenpolitik im Sinne der Herausbildung amerikanischer Interessenpolitik jenseits der eigenen Grenzen ansetzen. In der Anhebung des Washingtoner Postens durch die Ernennung des ersten „kaiserlich-deutschen Botschafters" im Jahre 1893 (von der Jeltsch) kam dessen gestiegene Bedeutung für die auswärtigen Beziehungen des Reichs zum Ausdruck. Kennzeichnend für die damaligen Interessenlagen beider Seiten ist vielleicht folgender Bericht unseres Botschafters von Holleben aus dem Jahre 1898 zu der Frage, wie sich die amerikanische Regierung zum Erwerb eines

this regard that this already known fact did not disturb the government of the Reich. The United States were far away; what goes on in North America goes unheeded in Germany. But good relations were wanted since there lived already millions of Germans in America.

The "founding" years lead to a step in emigration from Germany and to the first signs of ill feelings in German-American relations.

The shift of Bismarck's trade policy in 1878 from economic liberalism to protectionism brought about substantial changes in this relationship.

The introduction of protective tariff barriers fitted in the general development which, with the exception of England, was to determine international trade and customs policies until well into the twentieth century. The United States, too, soon after the termination of the Civil War, had surrounded its blossoming industry with high tariff walls. But mutual trade was burdened more than ever by the increase in agricultural production in America. The opening up of new wheat growing areas in the course of the migration to the west boosted wheat exports from 39 million bushels in 1873 to 72 million in 1877, and to the staggering figure of 150 million bushels in 1880. In 1879, therefore, Germany decided to place a tariff on grain imports. Also import restrictions on sanitary grounds already were practised then. As the diplomatic files can prove German diplomats in Washington gave their best in order to protect the German domestic pig against the assault of the Virginia ham.

Adding to the economic difficulties in those years were the encumbrances of the upcoming imperialistic foreign policy which seized also these two states. It is in great measure due to the skillfulness of the then German minister, the charming Bavarian Count Arco, that the first Samoa crisis did not seriously strain the German-American relationship. During that year of the first Samoa crisis the westward migration ended. One can take this event as the real point of departure of American foreign policy in that it was the beginning of an American policy of interests beyond the United States borders. The increased importance of the Washington mission for the foreign relations of the Reich became visible by the nomination of the first "Imperial

deutschen maritimen Stützpunkts in Ostasien stellen würde:

„. . . Indessen würden auch die Annexionisten Erwerbungen unsererseits wohl kaum prinzipiell widersprechen, wenn dieselben nicht in die amerikanische Interessensphäre eingreifen. Als wie weitgehend letzter am Schluß des Krieges angesehen werden wird, läßt sich jetzt nicht beurteilen, vorläufig betrachtet man den sämtlichen spanischen Besitz ungern als in dieselbe fallend, besonders, außer Kuba, Porto Rico, auch die Ladronen. Die Absichten auf die Philippinen sind noch ganz unklar. Sollte sich Amerika mit Manila als Kohlestation begnügen, so würde es gegen Besetzung anderer Inseln der Gruppe durch uns oder andere europäische Mächte vielleicht nicht viel einzuwenden haben. Anders wäre es natürlich, wenn dort ein amerikanisches Protektorat begründet werden sollte. Von Karolinen, Sulu-Inseln etc. ist jetzt nicht die Rede, doch würden Versuche, jetzt dort Fuß zu fassen, ebenso als unfreundlicher Akt angesehen werden, wie auch etwa eine Erwerbung von St. Thomas. Auch auf den Kanarischen Inseln hofft man eine Kohlestation zu erwerben . . .".

Hollebens Washingtoner Jahre waren schwierige Jahre in den deutsch-amerikanischen Beziehungen. Dies beruhte nicht so sehr auf Besonderheiten dieses Verhältnisses als vielmehr darauf, daß sich die Außenpolitik beider Staaten nahtlos in die historische Imperialismus-Phase einfügte. Dies zeigte sich besonders deutlich in dem die Beziehungen belastenden Verlauf der Seeblockade Venezuelas, an der sich außer deutschen auch britische und italienische Schiffe beteiligten, und die USA unter Berufung auf die Monroe-Doktrin in Aktion traten.

Der Nachfolger Hollebens, Speck von Sternburg, mit einer Amerikanerin verheiratet, dürfte der einzige deutsche Botschafter gewesen sein, der einen amerikanischen Präsidenten regelmäßig auf seinen Ausritten begleitet hat und sich gesellschaftlich so engagierte, daß er mittellos starb. Er hat viel für die danach wieder einsetzende Konsolidierung der deutsch-amerikanischen Beziehungen geleistet. „Teddy" Roosevelt und „Specky" von Sternburg hatten schon in jüngeren Jahren Freundschaft geschlossen, als sich beide zum ersten Mal in Washington begegneten. Aus unterschiedlichen Quellen wird auch überliefert, daß Theodore Roosevelt und Wilhelm sich zu verstehen glaubten.

Dr. Theodor von Holleben, deutscher Botschafter in den USA, Ende des 19. Jahrhunderts

Dr. Theodor von Holleben, German envoy to the U.S.A. – at the end of the 19th century

German Ambassador" in the year 1893 (von der Jeltsch). A typical characterization of the interests of both sides may be seen perhaps in the following report of our Ambassador von Holleben written in the year 1898 with regard to the question of how the American Government would consider the acquisition of a German maritime base in East Asia:

". . . But the annexationists would scarcely oppose acquisitions by us in principle, provided they did not encroach upon the American sphere of influence. It is not yet possible to judge how far-reaching this sphere of influence will be after the conclusion of the war. For the time being one considers the entire Spanish possessions as falling within this sphere, particularly, apart from Cuba, Puerto Rico, even the Ladrones. Intentions regarding the Philip-

eine dramatische, erstaunliche Geschichte. Sie geschah in der Nacht zum Karfreitag, bevor ich als 16jähriger Unbeteiligter am Morgen die erste Vorhut der amerikanischen Armee in der Rottmannstraße durch die Gardinen beobachten konnte. In dieser Nacht nämlich hatte Generalmajor William Arthur Beiderlinden, Befehlshaber über 288 Geschütze, in Mannheim-Käfertal Heidelberger Parlamentäre empfangen und mit ihnen über den Status Heidelbergs als Lazarettstadt und über den Rückzug der deutschen Truppen verhandelt.

25 Jahre später traf der hochgeschossene General a.D. – er war schon 75 Jahre alt – in Heidelberg zwei der ehemaligen Parlamentäre, den früheren Oberstabsarzt Dr. Dahmann und den Fahrer der Übergabe-Delegation, Fritz Grimm. Der General bekannte: „Mein Fühlen für Heidelberg hat seinen Ursprung in meiner Hochschulzeit. Wir lasen damals auf Deutsch „Alt-Heidelberg!" Seitdem liebe ich diese Stadt. Als ich dann 1945 als Artilleriekommandeur in diese Gegend kam, sagte eines Tages mein Adjutant, der G2: ‚Unser nächstes Objekt ist Heidelberg'. Und ich handelte." Obwohl, entgegen den Vereinbarungen, die US-Truppen am Neckarufer Heidelbergs mit Schüssen empfangen wurden, pochte der General darauf: „Es wird nicht zurückgeschossen." Genausowenig wurde ein Einsatz der US-Luftwaffe gefordert. Heidelberg blieb unzerstört, bis auf die Brücken, die von deutschen Pionieren in den letzten Stunden vor dem Einrücken der Amerikaner gesprengt worden waren, darunter die alte Brücke, von der Goethe gesagt hatte, sie sei die schönste Brücke der Welt.

Hartnäckig hielt sich bis in unsere Tage das Gerücht, die Amerikaner hätten Heidelberg geschont, weil sie hier das Hauptquartier errichten wollten, ja, sie hätten sogar Flugblätter abgeworfen mit der Erklärung: „Heidelberg wollen wir schonen, denn dort wollen wir wohnen." General Beiderlinden bestritt bei seinem Heidelberg-Besuch 1970 energisch, daß hier das europäische Hauptquartier der US-Landstreitkräfte eingerichtet werden sollte. Ursprünglich habe man sich für München entschieden. Daß es dann anders kam, haben andere entschieden.

Der General, der zum Retter Heidelbergs wurde, kam übrigens eineinhalb Monate nach den Übergabeverhandlungen wieder in die Stadt des „Student Prince". Und er ließ

As a "kitchen helper", I tended the gasoline ovens in the makeshift army kitchen in a requisitioned row house in the western part of Heidelberg, peeled potatoes, and was "fattened up" by an American army cook of Polish descent, which provided me with some reserves for the lean times which were to come.

What a musical can do

My American "kitchen helper" era was also of great help to me – and I should like to gratefully stress this – in the profession I was to enter – more than the Oxford English which was demanded of us in school. I first became a trainee and then the Local Editor of a Heidelberg newspaper, and I am still the Local Editor. For 34 years, I have thus been able to observe and experience Americans in Heidelberg, who were generally able to understand my kitchen helper English. And for 34 years I have also dealt with "the Americans", who, not without reason, adopted Heidelberg from the day they arrived and who – exceptions prove the rule – liked it here and abandoned themselves to the Heidelberg which was romantically transfigured for them by the musical "Student Prince" and by Wilhelm Meyer-Förster's sentimental play, "Alt Heidelberg". Indeed, there is no doubt about it: Meyer-Förster, when all is said and done, saved Heidelberg. And how that came about is an astonishing, dramatic story. It happened during the night before Good Friday, before I, as an uninvolved 16-year-old, could observe the vanguard of the American Army in the Rottmannstrasse through the curtains in the morning. During this night, namely, Major General William Arthur Beiderlinden, the commander of 288 canons, had received Heidelberg parlementaires in Mannheim-Käfertal and had negotiated with them about the status of Heidelberg as the site of a military hospital and about the retreat of German troops.

Twenty-five years later, the tall retired General – he was by then 75 years old – met in Heidelberg with two of the former parlementaires, Dr. Dahmann, formerly Major in the Medical Corps, and Fritz Grimm, the driver of the surrender delegation. The General admitted: "My feeling for Heidelberg stemmed from my college days. We read "Alt Heidelberg" in German! Since then, I have loved this city. As I came into this area as an Artillery Commander in 1945, my Adjutant, the G 2, said to me one day: 'Our next objec-

sich hier – wie er erzählte – nach den anstrengenden letzten Kriegswochen in einem Hotel verwöhnen, das heute kein Hotel mehr ist, im Schloß-Hotel. Beiderlinden, der bis zu seinem Tod im Jahre 1979 vergeblich auf eine handfeste Auszeichnung durch die Stadt Heidelberg gewartet hatte, war in einem Hotel abgestiegen, das ganz andere Beziehungen zwischen Heidelberg und Amerika offenbarte, Beziehungen, die in das letzte Jahrhundert zurückreichen. Hier nämlich hatte – 1878 – kein Geringerer als Mark Twain gewohnt, der später eine Heidelberg-Schilderung veröffentlichte.

Reisende US-Studenten gehören im Sommer vielerorts zum Stadtbild
During the summertime American students become "part of the scenery" almost everywhere

tive is Heidelberg.' And I acted." Although, contrary to the negotiations, the U. S. troops on the banks of the Neckar in Heidelberg were greeted with shots, the General insisted: "We will not shoot back." Involvement of the U. S. Air Force was prevented, too. Heidelberg remained undamaged, except for the bridges which were dynamited by German engineers at the last minute, just before the Americans marched in. Among them was the old bridge which Goethe once said was the most beautiful bridge in the world.

The rumor has stubbornly held on, even up to the present, that the Americans only spared Heidelberg because they intended to make it their Main Headquarters. They had supposedly even dropped leaflets declaring: "We want to spare Heidelberg, so that we can live there." General Beiderlinden, during his 1970 visit to Heidelberg, energetically denied that the European Headquarters of the U. S. land forces was supposed to be set up here. Munich had originally been chosen. That things turned out differently was due to decisions made by others.

The general who saved Heidelberg returned to the city of the "Student Prince", by the way, one and one-half months after the surrender was negotiated. And he let himself be pampered after the strenuous final weeks of the war – as he told it – in a hotel which no longer is a hotel, the Schloss Hotel. Beiderlinden, who waited in vain until his death in 1979 to be honored by the City of Heidelberg, stayed at a hotel which manifested rather different relations between Heidelberg and America, relations which reached back into the last century. In 1878, namely, no lesser a personality had lived here than Mark Twain, who later published a description of Heidelberg.

ark Twain was in Heidelberg for the last time in 1896. He again stayed at the Schloss Hotel – for six months. He sat in the castle courtyard with a sketch block. He wandered through the villages in the Odenwald. And, as old Heidelbergers reported, he wore a tourist suit which made him look more like an Englishman than an American. In a way, he was the herald of thousands of American tourists who come to Heidelberg every year. The older tourists are usually taking a senti mental journey. They are still aware that Heidelberg is the

1896 weilte Mark Twain zum letzten Mal in Heidelberg. Wieder wohnte er im Schloß-Hotel – sechs Monate lang. Er saß im Schloßhof mit seinem Skizzenbuch. Er wanderte durch die Dörfer des Odenwalds. Und er hatte, wie alte Heidelberger berichteten, einen Touristenanzug an, so daß er mehr den Eindruck eines Engländers als den eines Amerikaners machte. Er war im gewissen Sinne der Vorbote von Tausenden amerikanischer Touristen, die alljährlich nach

Reichsaußenminister Stresemann und US-Botschafter Jakob Gould Schurman 1928 vor der Universitätsbibliothek in Heidelberg

Foreign Minister Streseman and the U.S. Ambassador Jakob Gould Schurman 1928, in front of the university library in Heidelberg

city of the fictitious Prince Karl-Heinrich. For several years, however, they and other younger Americans, who are more likely to think Heidelberg is in Bavaria, have been given a lasting reminder, in the Heidelberg Castle courtyard, of the reason that Heidelberg is so well known in the New World. Every summer, they can see the musical "Student Prince" in the original, that is, in the English language. And anyone who has seen the handkerchiefs being pulled out when the Prince of Heidelberg and his Kathi part will understand the magic of the play and the magic of Heidelberg.

At this point, it would be appropriate to recall that between the Wars of 1812 and 1914 some 10,000 Americans were registered at German universities. Most of them in Heidelberg. A visible expression of these close German-American relations in the scientific field was the New University in Heidelberg – a building in the Heidelberg Altstadt which owes its existence to a foundation established by the American Ambassador to Germany, Jacob Gould Schurman. Schurman had studied in Heidelberg at the age of 24. As Ambassador from 1925 on, he often visited his Alma Mater. The cramped conditions he noted there in the humanistic institute made him immediately take the initiative. He found fellow Americans who, like he, had close ties to the University of Heidelberg. A sum of 500,000 dollars was raised, with which the new building was erected. This great benefactor of the Ruperto Carola was awarded an honorary doctorate on May 5th, 1928, together with his friend Gustav Stresemann, Foreign Minister of the German Reich.

In his words of thanks, Schurman, who died in 1942, spoke of "universal cooperation for the cause of peace" and said that "Germany and the United States march forward in a great and noble adventure to serve human culture." And further: "If human civilization and culture are to continue to exist, war must be banned." His words died away.

Science, a Collapsing Building, and the "Kalkmännchen"

During the first months following the capitulation – in August of 1945 – the University of Heidelberg was the first university on German soil to be re-opened. This fact was due in part to the negotiating skill of Professor K. H. Bauer, an excellent surgeon and later the founder of the German

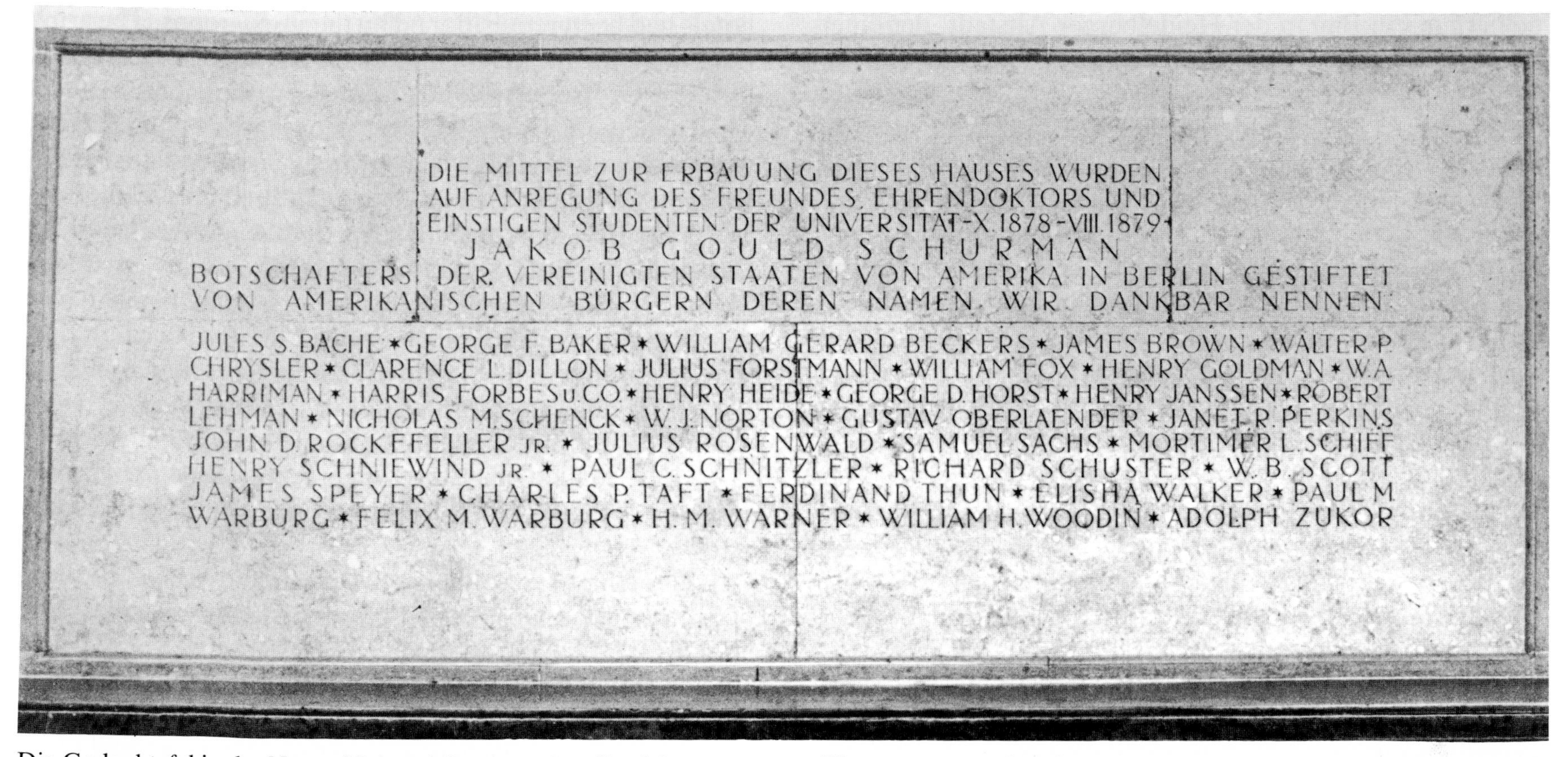

Die Gedenktafel in der Neuen Universität erinnert an die vielen amerikanischen Bürger, die für den Neubau gespendet hatten

The commemorative plaque in the new university serves as a reminder of the many Americans whose donations made the new building possible

Heidelberg kommen, wobei die älteren unter ihnen meist eine sentimentale Reise unternehmen. Sie haben noch eine Ahnung davon, daß Heidelberg die Stadt des fiktiven Prinzen Karl-Heinrich ist. Sie und andere jüngere Amerikaner, die eher geneigt sind, Heidelberg nach Bayern zu verlegen, werden aber seit einigen Jahren nachhaltig im Heidelberger Schloßhof an den Grund erinnert, warum Heidelberg in der Neuen Welt einen so bekannten Namen hat. Sie erleben hier in jedem Sommer das Musical „Student Prince" im Original, also in englischer Sprache. Und wer schon erlebt hat, wie beim Abschied des Prinzen von Heidelberg und seiner Kathi die Taschentücher gezogen werden, weiß um den Zauber des Stückes und um den Zauber Heidelbergs.

An dieser Stelle wird es Zeit, sich darauf zu besinnen, daß zwischen den Kriegen von 1812 und 1914 etwa 10.000 Amerikaner an deutschen Universitäten immatrikuliert waren. Die meisten davon in Heidelberg. Sichtbarer Ausdruck dieser engen deutsch-amerikanischen Beziehungen auf wissenschaftlichem Gebiet wurde die Neue Universität in Hei-

Cancer Research Center in Heidelberg, and philosopher Karl Jaspers. It was, however, also due to the American army officers, most of whom spoke German and knew of the old ties between the University of Heidelberg and American scholars. The situation was also favorably influenced by Major General M. C. Stayer, Director of the U. S. Health Department in G 5, who feared a lack of well-trained German physicians could result if something were not done quickly. Professor K. H. Bauer became the first President of the Ruperto Carola after the War.

Undamaged Heidelberg had become the destination and stopping-off point for thousands of refugees and bombed-out persons, so that, in the Heidelberg City Hall, the American Commander, Captain Haskell, and his advisors finally considered evacuating large sections of the population of Heidelberg to somewhere in the countryside. Luckily, the plan was discarded. But the situation still remained catastrophic, especially because innumerable homes, villas, and

nach Darmstadt, der Ehemann in ein Hotel. Gott erhalte unser einst so glückliches Heim."
Die Häuser wurden restauriert. Jahre später schloß man einen Vergleich mit der Firma, welche die „Kalkmännchen"-Steine geliefert hatte. Es handelte sich um einen Millionenbetrag, den sie bezahlen mußte.
Mit der Zeit gab die US-Armee alle beschlagnahmten Häuser in der Stadt, die Hotels und andere Anlagen an die deutschen Besitzer zurück, nachdem die eigenen Siedlungen entstanden waren.

Zurückgegeben wurde auch – der Kuriosität wegen sei es erwähnt – das Gebäude der Neuen Universität am Universitätsplatz, das entgegen jenem eigentlichen amerikanischen Stiftungszweck durch US-Botschafter Schurman in eine Art Club umgewandelt worden war. Beschleunigt wurde die Rückgabe durch einen aufsehenerregenden Brandfall, bei dem Tote durch Rauchvergiftungen zu beklagen waren.

Die Beschlagnahmung der Heidelberger Stadthalle – heute Kongreßhalle – wurde aufgehoben. Sie beherbergte eine Zeit lang den bei allen G.I.'s in Deutschland und Übersee berühmten „Stardust-Club", in dem die bekanntesten amerikanischen Bands spielten, unter anderem die Band des zu jener Zeit populären Stan Kenton. Der „Stardust-Club" war damals nach dem Krieg sicherlich genau so bekannt wie heute noch die Studentenkneipe „Roter Ochsen", von der erzählt wurde, die amerikanischen Soldaten hätten, in Bremerhaven von den Transportschiffen gehend, schon dort sofort gefragt: „Where is the Red Ox?"

Bis zur Rückgabe all der Häuser und anderer Einrichtungen gab es noch manchen Ärger, ja, es wurde sogar eine „Interessengemeinschaft der Besatzungsbetroffenen" gegründet. Und manche Villenbesitzer unternahmen Sitzstreiks vor den Hauseingängen.

Pionierzeiten der Freundschaft

Es waren bewegte Jahre. Und doch wurden dabei die Grundsteine deutsch-amerikanischer Freundschaft gelegt, die anhält und ausgefüllt wird von allen, die in der Freundschaft zwischen Europa und Amerika die Garantie für freiheitliche Demokratie sehen.

Freundschaftswochen wurden installiert. Und das schon Anfang der 50er Jahre. Es bedurfte jedoch nicht nur

Amerikanische Soldaten beschenken sozial schwache Familien zu Weihnachten

American soldiers distributing gifts amongst the needy at Christmas

American press relations more than practically any other journalist; or Mr. Tom Herman, Mr. Rex Gribble, and Jack Kelly, as well as the German civilian in the Press Office, Hadubrand Lutz – and my previously-mentioned companion in the Patton Caserne, Bernie Krisher. After his days as a soldier were past, he became, a journalist with the "World Telegram and Sun" in New York, which later disappeared from the newspaper world, then became a "Newsweek" correspondent in Tokyo, and finally the head of the "Fortune Magazine" office in the Japanese capital. In the meanwhile, he has become a recognized, outstanding expert on Japan. I visited Bernie Krisher in New York in December of 1957. How this came about is another story worth telling:

At that time, there was a colleague in Heidelberg, actually a Francophile, Director of the City Press Bureau and later also Director of the Tourist Office, named C. W. Fennel. He had set up a Stammtisch – a regular meeting in a pub – which included American press officers and all those who were more involved with America than with France. They met regularly in the "Kurpfälzisches Museum" restaurant, listened to lectures during lunch, and talked with their neighbors. A colonel from the Public Relations Section in Headquarters, whose name I unfortunately cannot remember, asked at one of these get-togethers: "Dieter, would you like to fly to the States tomorrow?" And

Freundschaftswochen, um Freundschaft zu praktizieren. Unvergeßlich bleibt mir eine Reportage, die ich „24 Stunden in einer amerikanischen Kaserne“ nannte. Einen Tag und eine Nacht verbrachte ich in den Patton-Barracks, schlief in einem Raum zusammen mit 12 G.I.'s, gab mich so ganz dem amerikanischen Kasernenleben hin, einschließlich Zählappell auf dem Hof. Begleitet wurde ich – vorsorglich – von einem deutschsprechenden Soldaten, der tagsüber im Hauptquartier in der Presseabteilung Schreibtischsoldat war.

Ihn und viele andere, die sich über Jahre, zum Teil über Jahrzehnte hinweg mit Pressearbeit im US-Hauptquartier beschäftigten, werde ich nie vergessen. Sie haben mehr zur deutsch-amerikanischen Verständigung beigetragen als manche Berufspolitiker oder Militärs. Da ist zum Beispiel Mrs. Dennis, spätere Mrs. Thompson, die wie kaum eine andere Journalistin deutsch-amerikanische Pressebeziehungen pflegte; oder Mr. Tom Herman, Mr. Rex Gribble und Jack Kelly, dazu der deutsche Zivilangestellte in diesem Presseamt, Hadubrand Lutz und mein oben erwähnter Begleiter in der Patton-Kaserne, Bernie Krisher – nach der Soldatenzeit Journalist bei der später aus dem Blätterwald verschwundenen „World Telegram and Sun“ in New York, dann „Newsweek“-Korrespondent in Tokio und schließlich „Fortune-Magazine“-Bürochef in der japanischen Hauptstadt wurde. Inzwischen ist er ein anerkannter hervorragender Kenner Japans. Bernie Krisher besuchte ich im Dezember 1957 in New York. Wie es dazu kam, ist noch eine erzählenswerte Geschichte:

Damals gab es in Heidelberg einen eigentlich frankophilen Kollegen, Leiter der städtischen Pressestelle und später auch Fremdenverkehrsdirektor mit dem Namen C.W.Fennel. Er hatte einen Stammtisch gegründet, an dem amerikanische Presseoffiziere und all jene saßen, die sich nicht mit Frankreich, sondern mehr mit Amerika befaßten. Man traf sich regelmäßig im Restaurant „Kurpfälzisches Museum“, hörte sich Vorträge während des Mittagessens an und redete mit dem Nachbarn. Ein Colonel der Public-Relation-Abteilung im Hauptquartier, dessen Namen mir leider entfallen ist, meinte bei einem dieser Treffen: „Dieter, willst Du morgen in die Staaten fliegen?“ Und so kam es nach aufregendem Rennen mit der Zeit – in letzter Minute wurde das Visum erteilt – daß ich in einer Propeller-

so it happened that, after quite a race with time – my visa was granted at the last moment – I flew from Munich to the States – to New York – with intermediate landings in Prestwick, Scotland, and at Goosbay Airport, in a 1957 model propeller-driven plane. It was a U. S. airlift plane, overflowing with Hungarian refugees, who had to leave their homeland following the military invasion by the Soviets. The plane got caught in a storm. Since I was hardly affected by the gusts, I was allowed to help the stewardesses distribute the bags to the refugees, among them many children.

I saw Bernie Krisher again on a trip to Japan. Mrs. Thompson-Dennis, who now lives in Chicago, occasionally misses Heidelberg and, during her brief visits here, remembers the old times, which were actually pioneering or reconstruction times in the service of German-American friendship. Neither bloody acts of terrorism nor assassination attempts, neither anti-American slogans nor peace marches in front of Headquarters have – if one takes a closer look – altered German-American relations in Heidelberg. The German-American Women's Club regularly conducts its Penny Bazaar and justly distributes the receipts to socially disadvantaged Germans and Americans. The American-German Friendship Club brings its German and American members together in the spirit of carefree good

Kardinal Spellmann (†) besucht die amerikanische Gemeinde in Heidelberg

Cardinal Spellmann (+) pays a visit to the American community in Heidelberg

Zusammenarbeit auch auf sozialem Gebiet: Der Deutsch-Amerikanische Frauenclub stiftet ein Auto für den Deutschen Paritätischen Wohlfahrtsverband (Heidelberg, 1974)

Cooperation in the social field, too! The German-American Ladies Club sponsor a car for the German nondenominational welfare association (Heidelberg 1974)

maschine des Jahres 1957 von München aus nach den Staaten – nach New York – flog, mit Zwischenlandungen in Prestwick/Schottland und auf dem Flughafen der Goosbay. Es war ein Luftbrücken-Flugzeug der US-Luftwaffe, überfüllt mit ungarischen Flüchtlingen, die ihrem Heimatland nach dem militärischen Eingreifen der Sowjets den Rücken kehren mußten. Die Maschine geriet in einen Sturm. Als kaum von den Böen Gebeutelter durfte ich den Stewardessen helfen, den Flüchtlingen, darunter vielen Kindern, die Tüten zu reichen.

Bernie Krisher sah ich dann später wieder bei einem Japan-Besuch. Mrs. Thompson-Dennis, die jetzt in Chicago lebt, hat gelegentlich Sehnsucht nach Heidelberg und erinnert sich bei kurzen Heidelberg-Besuchen an die alten Zei-

fellowship. The German-American Carnival has by now become a permanent part of German-American fun.
All too often admittedly, the German-American relationship is shaped by the military, by the NATO Headquarters, by CENTAG and ATAF, and all the other command posts. Just the same: The "American in Heidelberg" is accepted. Only very rarely, as in other garrison towns, are there outrages, brawls between German and American "rowdies". And even if these do exist, the following can happen – and did:

It came to pass that, because of alarming press reports about such incidents, a U. S. general personally appeared in the apartment of a German journalist, in order to improve the atmosphere and to explain that in the future, in close

ten, die im Grunde genommen Pionierzeiten oder Aufbauzeiten im Dienst der deutsch-amerikanischen Freundschaft waren. Weder blutige Terroranschläge noch Attentate, weder Antiparolen noch Friedensmärsche vor dem Hauptquartier haben – bei genauerem Hinterfragen – die deutsch-amerikanischen Beziehungen in Heidelberg verändert. Der Deutsch-Amerikanische Frauenclub veranstaltet in schöner Regelmäßigkeit seinen Pfennigbasar und verteilt gerecht die Einnahmen an sozial benachteiligte Deutsche und Amerikaner; der Amerikanisch-Deutsche Freundschaftsclub vereint in unbeschwerter Geselligkeit seine deutschen und amerikanischen Mitglieder. Das deutsch-amerikanische Volksfest ist inzwischen zum nicht mehr wegzudenkenden Bestandteil deutsch-amerikanischen Vergnügens geworden.

Zugegeben, allzuoft wird das deutsch-amerikanische Verhältnis durch das Militär geprägt, durch die NATO-Dienststellen, durch CENTAG oder ATAF oder wie die Kommandostellen ansonsten heißen. Trotzdem: Der „Amerikaner in Heidelberg" wird akzeptiert. Nur ganz selten gibt es, wie in anderen Garnisonstädten, Ausschreitungen, gibt es Schlägereien zwischen deutschen und amerikanischen „Halbstarken". Und wenn es die einmal gibt, kann – wie geschehen – folgendes passieren:

Da tauchte nämlich, der alarmierenden Presseberichte über solche Vorkommnisse wegen, in eigener Person ein US-General in der Wohnung eines deutschen Journalisten auf, um gut Wetter zu machen und darzulegen, daß man künftig in engere Zusammenarbeit mit der deutschen Presse alles offenlegen werde, was offenzulegen ist. Ein Resultat dieser Zusammenkunft im Jahre 1966 war, daß seitdem Heidelberger Journalisten und amerikanische Presseleute des US-Hauptquartiers in feuchter oder weniger feuchter Runde zusammenkommen und sich aussprechen.

Und noch etwas geschah: meine Familie entschloß sich damals spontan, zum bevorstehenden Weihnachtsfest einen U.S.-Soldaten einzuladen. Unser Wunsch war dem General Befehl. Den armen G.I., der dann mit auf Hochglanz gewienerten Stiefeln und glänzenden Uniformknöpfen am Weihnachtsabend eintraf, bedauere ich heute noch. Er saß steif und vornehm ganz vorne auf dem Sessel, rührte sich kaum, wagte kaum ein Wort zu sprechen, sagte nur noch „Yes, Sir" und „No, Sir".

cooperation with the German press, everything would be disclosed which was to be disclosed. One result of this meeting in 1966 was that, since that time, Heidelberg journalists and American press people from the U. S. Headquarters get together, with refreshments of one kind or another, and talk things over.

And something else happened: My familiy decided quite spontaneously at the time to invite a U. S. soldier to celebrate Christmas with us. Our wish was the general's command. I still feel sorry for the poor G. I. who arrived on Christmas eve with highly-polished boots and shiny uniform buttons. He sat, stiff and proper, on the very edge of his chair, hardly moved, hardly dared to utter a word, only saying, "Yes, Sir" and "No, Sir".

If I remember correctly, the G. I. who somewhat ham-

„Klein-Amerika" in vielen Städten der Bundesrepublik, in denen amerikanische Streitkräfte und deutscher Bürger zusammen leben und arbeiten

The "Little Americas" which exist throughout the Federal Republic of Germany. Where American military personel and German citizens live and work together

und die Räume des 2. Platzes an sich werden zur größeren Bequemlichkeit der Passagiere verwendet. Ebenso werden hinsichtlich der Verköstigung, insbesondere was die Wahl der Speisen betrifft, wesentliche Verbesserungen eingeführt."

Der berühmteste Auswanderer aus der Heidelberger Gegend war übrigens schon 1782 nach Amerika gekommen: Johann Jakob Astor aus dem wenige Kilometer von Heidelberg entfert gelegenen Walldorf. Der Ahnherr einer Milliardärsfamilie schuf mit der Gründung seiner Handelsniederlassung Astoria an der Mündung des Columbiaflusses wichtige Voraussetzungen für den späteren Erwerb des Oregon-Gebietes. Astor errang ein selbst für amerikanische Verhältnisse riesiges Vermögen. Wenn die Rede auf Johann Jacob Astor kommt – er starb am 27. März 1848 – dämpfen heute noch vor Respekt alteingesessene Heidelberger und Walldorfer die Stimme.

Bei Heidelberg im nahegelegenen Odenwald liegen – Autominuten entfernt – Schönau, Heddesbahn, Heiligkreuzsteinach mit der Nebengemarkung Eiterbach. Auch sie müssen im Zusammenhang mit der Erörterung von Auswanderungsperioden erwähnt werden, stammen doch aus diesen Ortschaften die Vorfahren von Dwight David Eisenhower, Oberbefehlshaber der Alliierten im Zweiten Weltkrieg, später amerikanischer Präsident, dem – wie ein Kenner der Auswanderung aus der Pfalz und Baden bescheinigte – „zu dem deutschen Gegner von einst eine Haltung nachgesagt werden kann, die weit über die von politischem Kalkül geforderte hinausging."

„Amerika, Du hast es besser,
Als unser Kontinent, der alte,
Hast keine verfallenen Schlösser
Und keine Basalte.
Dich stört nicht im Innern
Zu lebendiger Zeit
Unnütz erinnern
Und vergeblicher Streit."

Also ganz stimmte das Amerika-Bild nicht, das Goethe mit diesen Versen zeichnete, wie es sich auch heute nicht bestätigt, wenn zitiert wird: „Amerika, Du hast es besser."

The most famous emigrant from the Heidelberg area, by the way, went to America as early as 1782: John Jacob Astor, born Johann Jakob Astor in Walldorf, a few kilometers from Heidelberg. This progenitor of a billionaire's family created, with the establishment of his trade agency Astoria at the mouth of the Columbia River, important prerequisites for the subsequent acquisition of the Oregon Territory. Astor amassed a fortune which was huge, even by American standards. Even today, when Johann Jakob Astor is mentioned – he died on March 27, 1848 – old-established natives of Heidelberg and Walldorf still lower their voices out of respect.

In the Odenwald near Heidelberg – only a few minutes by car – are Schönau, Heddesbach, Heiligkreuzsteinach, and neighboring Eiterbach. These, too, must be mentioned in connection with the emigration periods, since, the ancestors of Dwight David Eisenhower came from these towns. Commander in Chief of the Allies in the Second World War, later American president, Eisenhower – as attested to by an expert on emigration from the Palatinate and Baden – "had an attitude, as a former German adversary, which went far beyond that which was demanded by political calculations."

"America, you are more fortunate
Than our old continent,
You have no ruined castles
And no basalts.
You are not disturbed inside
During your lifetime
By useless remembering
And vain conflict."

The image of America which Goethe presented with his verses, loosely translated above, was indeed not quite correct, nor is it true today either when it is quoted: "America, you are more fortunate." Let us think of the sometimes violent conflicts among German-Americans in the past century on the question as to whether German emigrants should establish a German state in the United States of North America.

The fact that the point of view was generally accepted in Old Europe that nothing could be won by such a step can

Erinnert sei hier an die zum Teil heftigen Auseinandersetzungen unter den Deutschamerikanern im vergangenen Jahrhundert zu der Frage, ob die deutschen Auswanderer einen deutschen Bundesstaat in Nordamerika gründen sollten. Daß sich selbst im alten Europa die Ansicht durchsetzte, damit werde nichts gewonnen, ist wiederum der in Heidelberg herausgegebenen „Deutschen Zeitung" zu entnehmen, die am 21. Oktober 1847 über eine Germanisten-Versammlung in Heidelberg berichtete:

„Daß auf der Versammlung jeder Versuch zu Boden fiel, die nach Amerika auswandernden Deutschen mit ihrem Mutterland, sozusagen durch eine Art Nabelschnur, in Verbindung zu erhalten, dem wird wohl die sehr überwiegende Zahl der Unbefangenen entschieden beistimmen; wer nicht mit Leib und Seele zum Beispiel nordamerikanischer Bürger werden will, der bleibe eben daheim. Als im letzten Frühjahr ein Theil der Deutschen Philadelphia zur Feier eines die ganze Union umfassenden Festes sich von den übrigen Mitbürgern förmlich absonderte, erregte das den Unwillen dieser, namentlich der Natives."

Vorurteile lassen sich beseitigen

98 Jahre danach, in der Ausgabe von „Life" am 9. April 1945, war dann keine Rede mehr von Germanisten-Versammlungen und der deutschen Nabelschnur der Nordamerikaner. Hier wurde die Legende vom Werwolf geschürt: „In Heidelberg wandten Frauen Bazookas an, dazu Granaten gegen die Amerikaner. Andere ließen vergiftete Bonbons in ihren Häusern zurück, um die angelockten Amerikaner zu vergiften. Oder sie stecken Sprengstoff in die aufgeschlitzten Bäuche von Ratten."

Vorurteile und Fehlurteile dieser Art wurden bald ad acta gelegt. Die Amerikaner in Heidelberg und überall in ihrer Zone nahmen sich zuerst einmal der Jugend an. GYA hieß das großangelegte Programm der Einflußnahme auf die Jugend. Das Amerika-Haus wurde begründet, das bis in die heutigen Tage nachwirkt, jetzt als Deutsch-Amerikanisches Institut. Und die Amerikaner selbst versuchten alles, was möglich ist, um sich einzuleben. Nicht allen gelang das. Aber einige waren beispielhaft in dem, was sie hier in Heidelberg taten. So Bob Gregory und seine Familie. Sie erwanderten den Odenwald mit dem Fahrrad so intensiv, daß

again be drawn from the "Deutsche Zeitung", which was published in Heidelberg. On October 21, 1847, it reported on a gathering of Germanists in Heidelberg:

"At the gathering, all suggestions of maintaining a connection between Germans who have emigrated to America and their mother country, so to speak through a kind of umbilical cord, were rejected. Most objective persons will firmly agree with this. Anyone who does not want to become a North American citizen with heart and soul, for example, should simply stay at home. Last spring, when some of the Philadelphian Germans practically separated themselves from the other citizens at the celebration of a holiday involving the entire Union, this enangered them, that is, the natives."

Eliminating Prejudices

Ninety-eight years later, in the April 9, 1945, edition of "Life", there was no more talk of Germanists' meetings and the North Americans' German umbilical cord. Here, the Legend of Werwolf was stirred up: "In Heidelberg, women used bazookas and grenades against the Americans. Others left poisoned candies in their houses, in order to poison the baited Americans. Or else they planted dynamite in the disemboweled bellies of rats."

Prejudices and misjudgements of this kind were soon filed away. The Americans in Heidelberg and everywhere in their Zone first concentrated on the young people. The GYA was a large-scale program to influence the young. America House was established; its effect is still felt today, now as the German-American Institute. And the Americans themselves did everything they could to make themselves at home. Not everyone succeeded. But some of them were exemplary in what they did here in Heidelberg. For example, Bob Gregory and his family. They bicycled through the Odenwald so intensively that after a while they know every single patch of it and disgraced German friends with their knowledge of the area. The family joined German athletic clubs, such as the Schwimmverein Nikar, and Mrs. Gregory sang in the church choir. They were so well integrated in their German surroundings in their day-to-day life that, when the Gregorys were transferred back to the States, their German friends were sad to

Deutscher Tag in Milwaukee, 1976

"German Day" in Milwaukee, 1976

„D'Oberlandler", „D'lust'gen Wendelstoana" (Bayerische Gebirgstrachtenvereine mit 50jähriger Tradition), der „Bayerische Fußballklub" (F. C. Bayern), der „Bayerische Vergnügungsklub" – sie sind tonangebend, wenn es um bayerische Gemütlichkeit geht. Wegen der internationalen Fußballspiele und der sonntäglichen Ligaspiele ist der „Old Heidelberg Park" ein bevorzugter Aufenthaltsort. In diesem Park mit seinen wunderschönen Anlagen und dem Klubhaus in bayerischem Stil findet alljährlich das berühmte Oktoberfest statt.

Bavarian Singing Society, are the leaders when you look to Bavarian Gemuetlichkeit.

Octoberfest, Volksfest in the Old Heidelberg Park. A lovely park including a club house built in exact replica of a Bavarian chalet. International soccer games, and league games were and are held Sundays in the Old Heidelberg Park soccer field. A recreational sport enjoyed by viewers and participants alike.

On the outskirts of Milwaukee you will find a suburb "Freistadt" their first immigrant came from Pommerania in the year 1839 and founded a small village. To this day you will hear German spoken in Freistadt. Freistadt has a brass-band "Die alten Kameraden" they wear the Bavarian Tracht (form of dress). None of the musicians was born in Germany, but their ancestors came from Pommerania. The band has gone on the road to Germany twice. Freistadt also boasts a Pommeranian Danz Del (folkdance group) on the northwestern section of the city you will find the club house and sport grounds of the United Donau-Schwaben. The majority of the Donau-Schwaben arrived in Milwaukee in 1950 from the Banat, Hungary, Jugoslavia, Rumania, all the eastern European countries. They cultivate their customs and habits faithfully, among them Kirchweihfest, Rose-dance and the Huntersball, with great dedication and pride. The club house of the Donau-Schwaben has much to offer – dance and musical groups and soccer games (Milwaukee Sportclub) German tradition being upheld by people that had lost their homes and all their worldly possessions after WWII. On Sundays the soccer fields are well attended by faithful fans. The three German soccer clubs in Milwaukee and surrounding areas, school, high schools and universities. Soccer is an enthusiastic sport that is being pursued by male as well as female. As president of the Milwaukee Soccer, Press and Radio Association it is our goal to stimulate an interest in soccer. We try to encourage the young players, awarding trophies to the most outstanding players and trainers. Soccer has gained in popularity, increasing the number of players yearly, old and young alike. There is a German sport store located in Milwaukee that can supply all that is necessary to be fully equiped to play soccer. They carry a selection of hundreds of uniforms, soccer shoes and balls. On Saturdays broadcast I present a special "Der Sport Spiegel" which is eagerly looked forward to by thousands of listeners. It keeps them up to date on the German League

Einer der Vororte von Milwaukee nennt sich „Freistadt“, in dem bis zum heutigen Tag Deutsch gesprochen wird. 1839 kamen die ersten Einwanderer aus Pommern, und sie gründeten diese Siedlung. Die heutigen Mitglieder der „Alten Kameraden-Band“ sind ausnahmslos Nachkommen der Einwanderer aus Pommern. Die Kapelle befand sich bereits zweimal auf Tournee in Deutschland, die dritte Reise steht kurz bevor. Das Blasorchester aus Freistadt, berühmt im ganzen Mittelwesten der USA, trägt bei seinen Auftritten nur bayerische Tracht.

In Freistadt gibt es außerdem eine Volkstanzgruppe, die „Pommersche Danz Del“, die bei allen großen Festen ihr Können unter Beweis stellt.

Im nordwestlichen Teil von Milwaukee befindet sich das Klubhaus und Sportgelände der „Vereinigten Donauschwaben“. Viele von ihnen kamen im Jahre 1950 aus dem Banat, Ungarn, Jugoslawien, Rumänien und anderen östlichen Ländern. Mit Kirchweihfesten, den „Rosentänzen“, dem Jägerball und anderen Veranstaltungen pflegen sie ihre Sitten und Gebräuche mit Hingabe und Stolz. Der „Schwabenhof“ bietet vor allem der Jugend reichlich Abwechslung durch Heimatmusik, Trachten- und Volkstänze, sowie Fußball (Milwaukee Sportklub). Durch den unseligen Krieg wurden diese Menschen entwurzelt, sie verloren nicht nur ihre Heimat, sondern auch Hab und Gut – und in bewundernswürdiger Weise halten sie an den Sitten und Gebräuchen ihrer Vorfahren fest.

Während der Saison sind die Fußballplätze in Milwaukee von Hunderten Sportbegeisterter jeden Sonntag besucht. Die drei Fußballvereine in Milwaukee hatten bei internationalen Spielen in den letzten Jahren mehrmals deutsche Amateur- und Bundesliga-Mannschaften zu Gast.

Insgesamt gibt es einige hundert Fußballvereine in Milwaukee und Umgebung, die Mannschaften der Volksschulen, Hochschulen und Universitäten mit eingeschlossen.

Immer mehr amerikanische Jungen und auch Mädchen begeistern sich für den Fußballsport. Als Präsident der „Wisconsin Soccer, Press and Radio Association“ versuchen meine Mitarbeiter und ich, der amerikanischen Jugend Spaß am Fußballspielen finden zu lassen. Gute Trainer und erstklassige Spieler werden mit Pokalen ausgezeichnet. In Milwaukee ist sogar ein Fußball-Sportgeschäft zu finden, das eine reiche Auswahl an Fußballsport-Bekleidung und weiterem Zubehör bietet.

Der Karnevals-Club präsentiert sich am Deutschen Tag

The carneval club presents itself during the German day festivities

games. “Soccer made in America” is rapidly gaining in popularity.

The German Speech and School Club, founded in 1956, took it upon themselves to have an annual thesis competition, judged by German professors from Marquette, Downers College and the University of Wisconsin-Milwaukee, and the very active Prof. Dr. Rauscher. At first one and later two students were selected and sent for six week visit to Germany. Members of the Club, Lufthansa, Internationes, the German Consulate General and German authorities helped with donations of books.

Der Deutsche Sprach- und Schulverein, im Jahre 1956 gegründet, machte es sich zur Aufgabe, jährlich einen Aufsatzwettbewerb durchzuführen, welcher von Deutsch-Professoren der Universitäten Marquette, Downer College und der Universität von Wisconsin-Milwaukee mit dem sehr aktiven Prof. Dr. Rauscher beurteilt wurde. Die Gewinner dieses Wettbewerbes erhielten einen sechswöchigen kostenlosen Aufenthalt in der Bundesrepublik Deutschland. Die Mitglieder des Vereins, die Lufthansa, Inter- Nationes, das Deutsche Generalkonsulat in Chicago und deutsche Bundesbehörden unterstützten den Wettbewerb mit Bücherspenden.

Sowohl nach dem Ersten als auch nach dem Zweiten

The population of German Americans after WWI and WWII were approxiamtely 295,000. The festivities were becoming larger with each passing year – more and more Americans are participating. Most of the events are held in the German language, and much of the proceeding were not understood. Requests for translations were voiced. Usually the translation had to be relayed in quite a loud manner or the answer would be drowned out by the music, which is always zealous.

It seems that the only time an interpreter is not required is during the Octoberfest – Brassband, Schuhplattler – Jodeler and Zithermusic. Not even the traditional German Lebkuchen hearts are forgotten. 45000 enthusiastic people

Beim „Deutsch-Amerikanischen Tag“ sind viele prominente Politiker anzutreffen, Rechts: Der Kongreß-Abgeordnete Henry Reuss in Lederhosen, Mitte: Ken Petersen, Links: Frank Zeidler

One can get acquainted with many prominent politicians on German-American Day, Right: Member of the U.S. Congress, Henry Reuss wearing lederhosen, Center: Ken Petersen, Left: Frank Zeidler

Der Deutsche Sprachen- und Schulverein
The German language and school association

Kinderchor Milwaukee
The Milwaukee children's choir

Weltkrieg betrug die Zahl der deutsch-amerikanischen Einwohner Milwaukees ca. 295.000. Die Veranstaltungen wurden immer mehr und größer, aber auch die Anzahl der amerikanischen Gäste wuchs stetig. Die Vorführungen wurden meist in Deutsch abgehalten, so daß Tischnachbarn oft den Amerikanern dolmetschen mußten – aufgrund der Musik mit einiger Lautstärke verbunden.

Nur bei einem Fest sind keine Übersetzungen notwendig: Beim Oktoberfest mit seinen Blaskapellen, Schuhplattlern, Jodlern und der Zithermusik. Um ein Lebkuchen-Herz aus Deutschland zu kaufen, bedarf es nicht der deutschen Sprache. 45.000 begeisterte Menschen, überwiegend Amerikaner, beteiligen sich an diesem Fest. Mit Überlandbussen kommen sie aus den verschiedensten Staaten nach Milwaukee. Die Bierbrauerstadt Milwaukee macht zwar ihrem Namen alle Ehre, aber ein Oktoberfest ohne bayerisches Bier wäre kein echtes Oktoberfest:

Die Firma „Federl Distribution Company", größter „Hacker-Pschorr-Bräu"-Importeur der Welt, wurde im Jahre 1952 von Joseph Federl sen., gegründet. Nach dem

joyfully join in. The greater percentage of the participants are Americans. They arrive in Milwaukee with buses from all corners of the United States. Milwaukee the beer capitol certainly does her name honor, but a Bavarian Octoberfest without Bavarian beer would not be an octoberfest.

The Federl Distributing Company, the largest Hacker – Pschorr Braeu Importer in the world, was founded in 1952 by Joseph Federl, Sr. After his death his son Joe (Sepp) Federl assumed the management of the company and is now representing and supplying the entire midwest in the United States with Hacker – Pschorr Braeu.

As the year draws to close all prepare for the traditional German Christmas celebration. 38 German American societies in Milwaukee and vicinities participate. Many Americans attend these festive occasions.

How German is Milwaukee? You first get an inkling when you visit other major cities troughout the midwest. In Milwaukee and surroundings you will find 25–26 restaurants where German American dishes and imported beverages are served.

Ableben von J. Federl sen. übernahm Joe (Sepp) Federl die Firma, und er beliefert nun den ganzen Mittelwesten der USA mit „Hacker-Pschorr-Bräu“-Produkten.

Wie deutsch Milwaukee ist, ist am besten im Vergleich mit anderen Großstädten der USA festzustellen. In der Stadt und Umgebung befinden sich 26 Speiselokale, die deutschamerikanische Gerichte und importierte Getränke bieten.

Gemütlichkeit und deutsche Atmosphäre machen diese Lokale zu bevorzugten Plätzen. Irgendwie erwartet man aber auch derartiges in Milwaukee.

Hier gibt es aber auch mehrere Importgeschäfte, Schuhgeschäfte, Bekleidungshäuser, Bäcker und Konditoreien, sowie die verschiedensten Handwerksbetriebe, die als rein deutsch anzusehen sind. Im Dezember eines jeden Jahres halten die 38 deutsch-amerikanischen Vereine in Milwaukee ihre traditionellen Weihnachtsfeiern ab, die von relativ vielen Amerikanern besucht werden. Eine Stadt, die ihren Ruf deutsch zu sein, voll erfüllt.

Die Bayerischen Trachtenvereine in unserer Stadt haben den größten Jugendanhang von allen Vereinen. Urlauber aus der BRD sind oft sprachlos, wenn sie erleben, daß Jugendliche mit Begeisterung als Schuhplattler auftreten, aber kein Wort Deutsch verstehen.

Der „Deutsch-Amerikanische Tag“ wird in der zweiten Augustwoche eines jeden Jahres im „Carl-Schurz-Memorial-Park“ abgehalten. Dieser Park ist herrlich gelegen, besitzt Hotel, Tanzhalle, Schwimmgelegenheit und Freilichtbühne – und lockt immer wieder Tausende an, vor allem wenn die deutschamerikanischen Veranstaltungen mit Blaskapellen, dem Pfeif- und Trommelchor, dem Fanfarenzug und Trachtenvereinen usw. stattfinden. Dann präsentiert sich ein farbenfrohes Bild, und der kulturelle Beitrag des Deutschtums in Milwaukee ist Unterhaltung und Abwechslung zugleich.

Beim „Deutsch-Amerikanischen Tag“ sind viele prominente Politiker anzutreffen, sogar in bayerischen Lederhosen. So z. B. der Congreß-Abgeordnete Henry Reuss, Washington D. C., oder der ehemalige Bürgermeister Zeidler. Regen Zuspruch findet abends der „Tanz unter den Sternen“.

Höhepunkt aller Veranstaltungen in Milwaukee ist jedoch das „German Fest“, das größte und imposanteste im ganzen Mittelwesten. Walter Geissler, Präsident des

Um ein Lebkuchen-Herz aus Deutschland zu kaufen, bedarf es keiner Übersetzungen – das Oktoberfest in Milwaukee, eines der hervorstechenden Ereignisse in der „Bierstadt“.
Rechts: Alt und Jung feiern mit.

Interpreters are entirely superfluous when it comes to buying a gingerbread heart from Germany – the October festival in Milwaukee, ohne of the outstanding occasions in the “Beer City”
Right: Young and old celebrate together

Gemuetlichkeit, German atmosphere, all make for a sought after environment. It is automatically assume that this be available in Milwaukee, in addition you will find import stores – shoe stores – clothing stores and bakeries. A City that lays claim to a great German heritage and lives up to it's claim.

The German Americans in Milwaukee and other cities in America are often redculed for upholding the old German traditions, customs and dress. The Bavarian Trachten Verein (ethnic dress) in our city have the greatest number of young members of all societies. Young people that neither speak nor understand the German language

Deutsch-Amerikanischen-National-Kongresses, Chapter Milwaukee, über die Entstehung des „German Festes": „Die Idee des ‚Deutschen Festes' war eigentlich nicht neu. Viele Vorsitzende der hiesigen Vereinswelt diskutierten über die Möglichkeit eines „Deutschen Festes". Bürgermeister Henry W. Maier, dessen Vorfahren aus Deutschland stammen, sprach sich in seiner Rede aus Anlaß des 20jährigen Bestehens des D.A.N.K. in Milwaukee dafür aus, daß auch die deutschamerikanischen Vereine ein jährliches Fest veranstalten sollten, ähnlich wie es bereits die Italien-Amerikaner taten. Die fünf Gründer und Direktoren des ‚Deutschen Festes' waren: Walter Geissler, Rolph Hoffmann, Kaspar Peter, Toni Siladi und Marianne Trivalos. Am 30. Jan. 1981 wurde eine „Non-Profit-Corporation" gegründet mit dem Ziel, alljährlich ein „Deutsches Fest" in Milwaukee zu veranstalten. Im Vordergrund sollte stehen, deutsche Kultur, Sitten und Gebräuche den Amerikanern und anderen ethnischen Gruppen näherzubringen.

Gautreffen der Deutschen Trachtenvereine
A regional meeting of the German traditional costume associations

participate with enthusiasm in their Lederhose and Plattel. They render the German visitors speechless. The German singing societies have a more difficult time recruiting new to sustain them? There have been no new immigrants to America in many years. For that reason they are appealing more and more to Americans for membership. Whenever there is a large social function with brassband and Gemuetlichkeit, Americans always join it. On my radio broadcast the most frequent request is for brassband music and again mostly by Americans. They seem to love the German brassband music. "That is how it functions in Milwaukee". The German American Day is celebrated in the second week of August, at the Carl Schurz Memorial Park. The park is beautifull, situated with a hotel. dancehall, beach for swimming and outdoor stage, each year German American Day attracts thousands. On the program you will find again the brassbands, drum and pfeiff chor, fanfares, Trachten societies. It is a most colorful picture. Entertainment for young and old alike. On German American Day many politicians

Am 21. Mai 1981 übergaben die Stadtväter dem Vorstand des Deutschen Festes eine Resolution, in welcher das Deutschtum in Milwaukee gepriesen und den Organisatoren des „Deutschen Festes“ viel Erfolg gewünscht wurde. Viele Geschäftsleute gewährten der Corporation finanzielle Unterstützung, vor allem die Brauereien, ebenso die Vereinigung der deutsch-amerikanischen Vereine. Im Donauschwaben-Restaurant wurden am 21. Juni 1981 Bürgermeister Maier die ersten Eintrittskarten für das Fest überreicht.

Eine Kulturausstellung vereinigte alle deutsch-amerikanischen Vereine mit ihrer Geschichte in Wort und Bild.

Schönheits-Wettbewerb des German American National Kongress
Beantly contest of the German-American National Congress

Während des dreitägigen „German Fest“ 1982 wurden in einer Stunde 1.200 Besucher des „Kultur-Zeltes“ gezählt.

Im August 1982 nahmen elf Höhere Schulen in Milwaukee an einem Wettbewerb mit dem Thema „Hervorragende Deutschamerikaner“ teil. Für diesen Zweck bewilligte der Vorstand des „Deutschen Festes“ $ 1.500,– Deutsche Erfinder, Wissenschaftler, Politiker, Dichter und Denker, die in Amerika eine neue Heimat fanden, wurden entsprechend gewürdigt.

Wie lebt der Deutschamerikaner seit 1950 in Milwaukee? Viele haben ihre Sitten und Gebräuche aus der alten Heimat auch in ihrem Privatleben, also im eigenen Heim,

put in an appearance. One of the best known in Washington D.C. is congressman Henry Reuss in Bavarian Lederhosen, previous mayor Zeidler and many others. In the evening you can dance under the stars. In August many visitors are here from Germany and are unable to grasp that they are in America.

Germanfest: The largest German event in the midwest of Amerika. In the first two years radiostation WYLO participated with a live broadcast from the fest grounds. I was proud! Above our stage the black, red and gold flag was hoisted next to the stars and stripes. The Germanfest Milwaukee Inc. was founded in 1981, by several German Americans, or better said they laid the cornerstone to this outstanding festival which in this year, the 300th year of German immigration to the United States, will be celebrated for the 3rd time. Mr. Walter Geissler, president of the German American National Congress, Milwaukee Chapter, states the following: “The idea of the Germanfest was actually not a new one”. Many of the Milwaukee Club officials; even before the famous summerfest celebrated by the city of Milwaukee, there had been discussions as to the possibilities of a German festival. Mayor Henry W. Maier, whose ancestors came from Germany, mentioned in his speech commemorating the 20th anniversary of the existence of the German American Congress in Milwaukee, that they also should celebrate a festival as the Americans of Italian descent have done in Milwaukee. The five founders and the directors of the Germanfest were: Walter Geissler, Rolf Hoffmann, Kasper Peter, Toni Siladi and Marianne Trivalos. On June 30, 1981. a non profit corporation was founded, that planned to celebrate a yearly Germanfest in Milwaukee. German culture, ethnic dress, customs and habits to display to other ethnic groups in the city our heritage.

n May 21, 1981, the city fathers presented the director of the Germanfest with a resolution in which the Germans in Milwaukee were praised, and best wishes were extended for success to all who helped organize the Germanfest. Many businessmen gave their financial support to this endeavor, particularly the breweries, as well as the united German American societies. On June 21, 1981, Fathersday in the Donau-Schwaben Restaurant in Milwaukee, the first admission tickets to the fest were pres-

Die „Federl Distribution Company", größter „Hacker-Pschorr-Bräu"-Importeur, macht der Bierstadt Milwaukee alle Ehre

The "Federal Distribution Company" the biggest importer of Hacker-Pschorr-Brau", honours the "Beer City" of Milwaukee

aufrechterhalten. So mit Möbeln, Dekorationen und anderen Einrichtungsgegenständen, der guten deutschen Küche und nicht zuletzt bauten viele ihre Häuser in deutschem Stil. Mit anderen Worten, sie pflegen ihr Deutschtum intensiv im Familien- und im Bekanntenkreis.

Ihre Wochenenden verbringen sie meist mit deutschen Freunden und Bekannten bei Veranstaltungen oder Picknicks (vor allem im Sommer), und am Montagmorgen kehren sie an ihren Arbeitsplatz zurück – zu ihren amerikanischen Kollegen. Mehr als drei Jahrzehnte ist eine lange Zeit. In den über 30 Jahren haben sie sich zu 100 Prozent für

ented to Mayor Maier. Many presidents of the German American societies participated in festivities.

"German Gemuetlichkeit" was the password. The word Gemuetlichkeit was presented as symbol in the fest banner with the City Hall of Milwaukee, that had been errected by a German architect. The cultural display united all of the German American societies in word and picture. In August 1982, eleven high schools of Milwaukee took part in a contest "Outstanding German Americans" the officials of Germanfest had awarded 1,500.00 for this purpose.

die Wahlheimat entschieden, obwohl in ihrem Inneren die alte Heimat unvergessen bleibt.

Ihr Lebensstil ändert sich, wenn ihre Kinder erwachsen sind und diese neues Blut in die Familie bringen. Dann kann es passieren, daß deutsche Einwanderer einen Schwiegersohn oder eine Schwiegertochter bekommen, die die polnische, griechische oder eine andere Staatsangehörigkeit besitzen. Dann wird auch ihnen klar, warum man vom „Schmelztiegel Amerika" spricht.

Die Deutschamerikaner in Milwaukee und in anderen Städten Amerikas werden nicht selten wegen der Aufrechterhaltung ihrer alten deutschen Sitten und Gebräuche belächelt. Aber auch in der Bundesrepublik hat sich in den letzten 30 Jahren eine neue Generation entwickelt, die für uns Auswanderer manchmal fremd und unverständlich erscheint!

Eine Brücke zur alten Heimat sind die deutschen Zeitungen, die in Amerika gedruckt werden. Einst gab es deren viele, in Milwaukee, heute dagegen nur noch zwei. Die „Amerika Woche", eine Zeitung mit Niveau, berichtet ausführlich über Politik, Kultur, Sport und vor allem aus der Vereinswelt von Milwaukee. Dafür kam eigens der Reporter A. E. Straub aus Topeka/Kansas nach Milwaukee. Außerdem existiert noch eine kleinere Zeitung, die „Milwaukee Deutsche Zeitung". Beide Zeitungen werden in der ganzen Stadt und in der Umgebung von vielen Deutschen und auch von Amerikanern gelesen.

Anläßlich der 300jährigen Einwanderung der Deutschen in Amerika waren in Übereinstimmung mit den Präsidenten der deutsch-amerikanischen Vereine Herr und Frau Giese damit beauftragt, die Vorbereitungen zu den Festlichkeiten zu treffen. Weit sichtbar weist im Oktober 1983 eine Leuchtschrift vom Rathausturm auf die 300jährige Einwanderung der Deutschen hin. Bei diesen Festlichkeiten werden wir mit Stolz acht Trachten tragen, die uns das Auslandsinstitut in Stuttgart leihweise überließ – und die sicherlich großes Interesse finden werden.
Herr und Frau Giese machten zum Wahlspruch ihres Komitees: „Sitt' und Tracht' der Alten wollen wir erhalten". Diesen Spruch entnahmen sie dem Bayerischen Waldhaus.

The contest had been suggested by Mr. and Mrs. Giese, and won as a group rather than as an individual contest with great success in the high school German classes. 30 schools had been invited, 11 participated. They presented inventors, poets and philosophers that settled in America and found a new home, in word and picture. During the 3 day festival in 1982, one of the helpers consciously counted 1,200 people passing through the cultural tent in the span of one hour.

After immigrating in 1950 how do the German Americans live in Milwaukee? Many have upheld their customs and habits. Language, furniture, interior decoration and naturally the hearty German cuisine. They cultivate their German heritage within the family and among their friends on weekend, especially in summer they will meet with their German friends for picnics and seek entertainment at one of the German societies, then on Monday back again to their American friends. 30 years is a long time. In 30 years they have fully adopted their new homeland even though within their hearts the land of their birth and ancestors lives on. Their lifestyle changes somewhat when the children grow up and marry. No matter if girl or boy – they might marry someone of Polish, Greek extract or any other nationality. They bring in new blood and their culture and you can fully understand why we are called the United States. You find people from all nations in one city.

In the past 30 years a new generation has developed in Germany, that appears alien to us immigrants. We are unable to understand them.
A bridge to the old country are German-American newspapers in America. At one time there were many in Milwaukee, now only two are left in existence. "Die Amerikanische Woche" a good German newspaper that includes politics, commentators, sport and news of the German societies in Milwaukee. Correspondent Mr. A. E. Straub. The second newspaper is the Milwaukee Deutsche Zeitung. Both newspapers are widely read in Milwaukee and surrounding areas, by Germans and Americans alike.

Under the direction of Mr. and Mrs. Heinz Giese, with the approval of the president of the German American societies, plans were presented for a dignified 300th year celebration in Wisconsin. The committee submitted letters to 29 mayors of Milwaukee and it's vicinities, the Mayor of

EIN DEUTSCHER IN SAN FRANCISCO S.18

Eine Zeitung für Deutschamerikaner

AMERIKA WOCHE

PUBLISHED WEEKLY.SUBSCRIPTION PRICE: $27.50 PER YEAR. SECOND CLASS RATE PAID AT CHICAGO, IL 60607

Nummer 24 11. Jahrgang 18. Juni 1983 USPS 070-210 Preis 75¢

Im Auto quer durch Nordafrika: Das geht nicht!

Eine Autorundreise durch Nordafrika ist nach Angaben des ADAC nach wie vor wegen der unpassierbaren Grenzen nicht möglich. Wie der Autoclub mitteilte, können Autofahrer lediglich die Grenze zwischen Tunesien und Algerien problemlos überqueren.

Mit der Zurückweisung durch marokkanische Grenzbeamte müßten Reisende rechnen, die nach Algerien weiterreisen wollten. „Die Autofahrt nach Libyen braucht man gar nicht anzutreten,

300 YEARS OF GERMANS IN AMERICA – CONCORD – 1683 1983 – 300 JAHRE DEUTSCHE IN AMERIKA

Milwaukee P.O. Box 92704 Milwaukee 53202

Milwaukee Deutsche Zeitung und ABENDPOST

AN AMERICAN NEWSPAPER PUBLISHED IN THE GERMAN LANGUAGE

Milwaukee Telefon: 271-4745

(USPS 003-220) 15¢

REG. U. S. PAT. OFFICE Freitag, 10. Juni 1983 94. Jahrgang - Nr. 46

Zwei Exponenten der deutschen Zeitungen in den USA

Two advocates of German newspapers in the U.S.A.

Nachfolgend ein Bericht von Wilma Giese, „Cultural Exhibition Committee Chairperson“:

„Das Milwaukee-Stadtmuseum feiert 1983 sein hundertjähriges Bestehen. Der Grundstein wurde von einem Deutschen, Peter Engelmann, gelegt, der auch an der Universität of Wisconsin unterrichtete. Anläßlich der Feierlichkeiten in diesem Jahr veranlaßte das „Tricentennial Committee“ eine Ausstellung, in welcher u. a. eine deutsche Bibel gezeigt wird, die im Jahre 1776 in Germantown Pennsylvania, von Saur gedruckt wurde, und auf der ersten Seite den Vermerk enthält: „Edward Wiessinger, erster Deut-

the city of Milwaukee Henry Maier, will present a proclamation for the 300th year celebration. The City Hall will proclaim the 300th anniversary from it's tower this coming October. City Hall will have on display in it's lobby many items depicting German immigration. In the month of May the museum in Milwaukee will have an unusual showing of items brought by the immigrants to America, among them a Bible printed in Pa. Inscribed with the name of the first German to settle in Milwaukee. A beautiful glass case dating back to the year 1604 with all German insignia's and many more. Mr. Giese sent information regarding the Tricentennial committee, which had been appointed by Presi-

ters, als der Lakai ihr vom Abzug von 7.000 Soldaten nach Amerika berichtet. – „Oh nein", antwortet sarkastisch der Diener, „lauter Freiwillige! Es traten wohl etliche vorlaute Burschen vor die Front heraus und fragten den Obersten, wie teuer der Fürst das Joch Menschen verkaufe. Aber unser gnädiger Landesherr ließ alle Regimenter auf dem Paradeplatz aufmarschieren und die Maulaffen niederschießen. Wir hörten die Büchsen knallen, sahen ihr Gehirn auf das Pflaster spritzen, und die ganze Armee schrie: Juchhe, nach Amerika!"

Auch heute noch gibt es in den Vereinigten Staaten Bürger, deren Vorfahren zu jenen Soldaten gehören, die als Überläufer oder Gefangene den Krieg überlebten und im fernen Land blieben.

Nicht immer ist die deutsche Herkunft auf den ersten Blick zu erkennen. Denn im Bestreben, ihr Amerikanertum zu bekunden, haben viele deutsche Einwanderer ihren Namen ins Englische übersetzt oder zum mindesten umgemodelt. Das fing schon sehr früh an. Der deutsche Buchdrukker Christoph Sauer, der sich 1724 in Germantown niedergelassen hatte, schrieb sich schon bald Sower. Der Mechaniker und Instrumentenbauer Rittenhaus brachte es als Mr. Rittenhouse bis zum Direktor der amerikanischen Bundesmünzanstalt und ließ dort 1792 die ersten Münzen der Vereinigten Staaten herstellen. Als sparsamer Mensch anscheinend in zu knapp berechneten Mengen, denn von der ersten Prägung ist nur sehr wenig übrig geblieben. So erzielte ein kleines 10-Cent-Stück, von dem nur noch zwei Exemplare bekannt sind, bei einer Auktion vor sieben Jahren den Preis von 19.000 Dollar. Herr Rittenhaus (-house) hat sich so, wenn auch ungewollt, einen bleibenden Platz in der Geschichte der amerikanischen Numismatik erworben.

Andere Kapitel dieses Buches berichten eingehend über die berühmteren „Onkel aus Amerika", die von Steuben über Mergenthaler bis zu Einstein und Kissinger reichen. Wir haben aber auch noch die Gründer der großen amerikanischen Brauereien mit verdächtig deutsch klingenden Namen wie Schlitz, Anhaeuser oder Busch. Sie ließen sich vor allem in Milwaukee/Wisconsin nieder, wo ihr „Lagerbier" des deutschen Typs die herkömmlichen Biere englischen Geschmacks rasch ablöste. Die erste Brauerei in Milwaukee wurde bereits 1840 gegründet. Der Absatz machte keine Probleme, da die überwiegend deutsche Be-

march onto the parade grounds and had the loudmouths shot down. We heard the rifles fire, saw their brains spurt onto the pavement, and the whole army yelled: "Hurray, off to America!"

Today there are still United States citizens whose ancestors were among the soldiers who survived the war as turncoats or prisoners and stayed on in that distant land.

German origins cannot always be recognized at first glance. This is because, in striving to show that they had become American, many German emigrants translated their names into English or at least changed them. This began quite early. The German printer, Christoph Sauer, who settled in Germantown in 1724, soon spelled his name "Sower". The mechanic and instrument maker Rittenhaus succeeded in becoming director of the American Federal Mint as Mr. Rittenhouse and had the first United States coins produced there in 1792. A thrifty man, he evidently calculated the number a bit too closely, because there are only a few still around from the first mintage. A little 10-cent coin, only two of which are known to still exist, thus sold for a price of 19,000 dollars at an auction seven years ago. Mr. Rittenhaus (-house) thus won, if unintentionally, a permanent place for himself in the history of American numismatics.

Other chapters in this bock report in detail about the famous "Uncles from America", extending from von Steuben to Mergenthaler to Einstein and Kissinger. There are also the founders of the great American breweries, with suspiciously German-sounding names such as Schlitz, Anhäuser, or Busch. They established themselves in Milwaukee, Wisconsin, in particular, where their German-style "lager beer" soon replaced the usual beers with their English flavor. The first brewery in Milwaukee was founded as early as 1840. Sales were no problem, because the primarily German population of the city always supplied sufficient thirsty customers: In the year 1900, 72 percent of the citizens still described themselves as being of German descent.

One of the best-known brewers, Adolf Busch, played a role in German-American relations which went beyond his "field". In 1897, while attending the Munich Industrial Exhibition, he discovered the first usable heavy oil engine made by a certain Rudolf Diesel. On the spot, he obtained

Zwei Namen, die für die Verbindung deutsch-amerikanischer Musik, Sport und Film stehen: Johnny Weissmüller (oben) und Marlene Dietrich (unten, hier in einer Szene mit John Wayne).

Two names which are synonymous with German-American music, sport and films: Johnny Weismueller (top) and Marlene Dietrich (bottom) in a scene with John Wayne

keit auch beim flüchtigen Reisenden eine gewisse Rührung hervorgerufen wird.

Andere Dörfer weisen auch heute noch konkrete Spuren ihres deutschen Ursprungs auf, vor allem in Pennsylvania und Ohio, wo die „Pennsylvania-Dutch“ zuhause sind. Das Wort „Dutch“ bedeutet hier nicht, wie im Hochenglischen, „Holländisch“, sondern ist nur die örtliche Form von „Deutsch“, weil eben diese Pennsylvanier, wie die benachbarten „Amish“ deutscher Herkunft sind. Die Fassaden ihrer Häuser und Scheunen sind hie und da noch mit „Bauernmalereien“ verziert, wie sie einst die Dörfer daheim schmückten.

In den Hügeln von Südost-Ohio, wo sich, von Bäumen umgeben, unter weit ausladenden Dächern geräumige Höfe erheben, könnte man sich fast in einen Winkel des Ostschwarzwaldes versetzt fühlen. Hier pflügen die strenggläubigen „Amish“ ihre Felder noch heute mit einem Pferdegespann, um „im Schweiße ihres Angesichtes“ ihr Brot zu verdienen. Auf alten Friedhöfen findet man rote Sandsteinmäler, die Inschriften in gotischen Buchstaben tragen. Zeugnisse davon, daß hier in der Tat vorwiegend süddeutsche Einwanderer Landschaft und Dorfbild bestimmt haben.

Unter den vielen deutsch benannten Orten haben es zwei sogar bis zum Rang einer Staatshauptstadt gebracht: so das 1873 gegründete und ausdrücklich nach Otto von Bismarck benannte „Bismarck“ in Nord-Dakota. Die Namengebung erhellt bis in die damals noch ganz ländlichen Bezirke des „Midwest“ hinein das internationale Prestige des ersten deutschen Kanzlers nach der Gründung des Reiches.

Gewiß, die Stadt Bismarck wurde nicht unmittelbar als Hauptstadt gebaut (wie dies mit Washington der Fall gewesen war). Sie verdient ihren schnellen Aufstieg nur dem Zufall. Die „North Pacific Railroad“ legte nämlich hier am Ostufer des Missouri eine Pause im Bau der transkontinentalen Eisenbahnlinie ein, ehe sie die notwendige Brücke über den breiten Fluß schlagen ließ. So blieb Bismarck sechs Jahre lang Endstation und zugleich ein wichtiger Flußhafen, in dem Waren zwischen Bahn und Schiff umgeschlagen wurden und damit zu einem viel besuchten Treffpunkt in Dakota wuchs. Auch als die Züge ab 1879 weiter nach Westen

it almost feels as if one were in a corner of the eastern part of the Black Forest. Here the strictly religious “Amish” still till their fields with a horse-drawn plow, in order to earn their living “in the sweat of their brow”. On the old cemeteries, one finds red sandstone tombstones with inscriptions in Gothic letters. This shows that the town- and landscape here were indeed primarily molded by immigrants from southern Germany.

Among the many places with German names, two have even become state capitals – such as “Bismarck”, North Dakota, which was founded in 1873 and expressly named for Otto von Bismarck. This naming elucidates the fact that the international prestige of the first German chancellor after the founding of the Reich even traveled as far as this still very rural district of the Midwest.

Of course, Bismarck was not built as a capital (as was the case with Washington, D.C.) Its rapid rise was due to a stroke of luck. The “Northern Pacific Railroad” paused in the construction of the transcontinental railroad line here on the eastern bank of the Missouri, until the necessary bridge over the broad river had been built. Bismarck thus remained the end of the line for six years and was at the same time an important river port, in which goods were transloaded between railroad and ship, and a meeting place in Dakota which was visited by many. When the trains were able to roll farther west, as of 1879, the young city maintained its importance. Only four years later, when Dakota was divided into two states, it was chosen to become the capital of North Dakota.

It is surprising that the capital of Kentucky, Frankfort, has a German-sounding name. After all, it was founded by an American general for American settlers. The name apparently has nothing at all to do with the Frankfurt in Germany (as is the case with many other American cities), but refers to the farm which belonged to a certain Stephen Frank, who lived near a ford over the Kentucky River. “Frank’s Ford” is thus a purely English-American name. But the German influence in the neighboring states of Ohio and Pennsylania soon changed the newly-founded town to Frankfort, so that even erroneous etymology

rollten, behielt die junge Stadt ihre Bedeutung. Schon vier Jahre später, als Dakota in zwei Staaten aufgeteilt wurde, wählte man sie zur Hauptstadt von Nord-Dakota.

Daß die Hauptstadt von Kentucky, Frankfort, einen deutsch klingenden Namen trägt, ist überraschend. Denn sie wurde von einem amerikanischen General für amerikanische Siedler gegründet. Anscheinend hat der Name überhaupt nichts mit dem deutschen Frankfurt zu tun (wie dies der Fall mit anderen amerikanischen Städten ist), sondern weist auf die Farm eines gewissen Stephen Frank hin, der dort an einer Furt über dem Kentucky-Fluß wohnte. „Frank's Ford" ist also ein rein englisch-amerikanischer Name. Aber der deutsche Einfluß in den Nachbarstaaten Ohio und Pennsylvania verwandelte die neue Gründung bald in Frankfort, so daß die irrtümliche Etymologie noch die Besonderheit der deutsch-amerikanischen Beziehungen in den Staaten dieser Gegend betont.

Konfliktsituationen

Deutsch-amerikanische Beziehungen in Konfliktsituationen sind insofern interessant, als sie besonders aufschlußreich über die Hintergründe des spezifisch deutsch-amerikanischen Verhältnisses sein können. Ohne hier näher darauf einzugehen, darf man feststellen, daß in der Geschichte dieses Jahrhunderts der deutschen Regierung in derartigen Krisenlagen meist das Verständnis für die amerikanische „Seele" fehlte. Ob dafür die in den USA arbeitenden Diplomaten oder die Beamten des Auswärtigen Amtes verantwortlich waren, ist ein andere Frage.

Sowohl im Ersten wie im Zweiten Weltkrieg hielt die deutsche Führung lange einen bewaffneten Konflikt mit den Vereinigten Staaten für unwahrscheinlich, wobei zumindest im Krieg von 1914–18 der hohe Prozentsatz der deutsch geborenen Bevölkerung bei dieser Überlegung sicher mitgespielt hat. So unterschätzte die kaiserliche Regierung 1915 groß die psychologischen Folgen der Versenkung des britischen Dampfers „Lusitania" durch deutsche U-Boote, bei der etwa 130 amerikanische Zivilisten ums Leben kamen. Gegen alle Erwartungen der deutschen Abwehrdienste erschwerte die Loyalität der Deutschamerikaner gegenüber ihrem neuen Vaterland auch die Arbeit von Spionage- und Sabotage-Agenten, die eine wirksame amerikanische Waf-

emphasizes the special nature of German-American relations in the states of this region.

Conflict Situations

German-American relations in conflict situations are interesting in that they can throw much light on the background of the specific German-American relationship. Without going into detail, let us remark that the history of this century shows that the German government has usually lacked understanding of the American "soul" in such times of crisis. Whether diplomats or members of the Foreign Ministry who worked in the U.S.A. were responsible for this is another question.

In both the First and the Second World Wars, German leaders thought for a long time that an armed conflict with the United States was not likely. The high percentage of the German-born population certainly played a part in this consideration, at least in the War of 1914–18. The imperial government thus underestimated by far the psychological results of the sinking of the British liner "Lusitania" by German submarines in 1915, in which some 130 American civilians lost their lives. Contrary to all the expectations of German military intelligence, the loyalty of the German-Americans to their new fatherland hindered the work of espionage and sabotage agents, who were supposed to thwart offective arms assistance to the Western powers by the Americans. They were caught quickly (some even sentenced) or simply didn't have a chance. Freiherr von Papen, who was later so controversial in the political history of the Reich and was at the time a military attaché in Washington, was caught spying and was expelled at once. This eternal amateur evidently had as little feeling for espionage as he did for politics.

The fact that in 1916 an attempt was even made to send a "merchant submarine" to the United States, in order to prove that it was possible to break through the British naval blockade of the German coastlines, only shows that people listen to the most fantastic ideas in wartime. The idea of transatlantic trade using submarines was naturally mere fantasy, if only in view of the minimal ton-

„LZ-1“ zum ersten Male von der Oberfläche des Bodensees. 24 Jahre und 125 Luftschiffe später verließ im Oktober 1924 die „LZ-126“, mit dem neuen amerikanischen Namen „ZR-III“ („Zeppelin rigid three“) versehen, Friedrichshafen zum Flug nach Lakehurst in der Neuen Welt. Der Zeppelin wurde im Rahmen der deutschen Reparationszahlungen an das amerikanische Kriegsministerium geliefert. Die Fahrt erregte in der ganzen Welt viel Aufsehen, obwohl es nicht der erste (wohl aber der schnellste) Transatlantikflug eines Starr-Luftschiffes war. Aber auch die erste Überquerung des Ozeans zwischen Europa und den Vereinigten Staaten war, wie man damals betonte, indirekt dem Grafen Zeppelin zu verdanken. Denn die englische „R-34“, die 1919 als erstes Luftschiff von Schottland nach Mineola im Staate New York und zurück flog, war nur die Kopie der 1916 in Südengland abgeschossenen „L-33“, die aus den deutschen Zepplinwerften kam.

Der erfolgreiche Flug der „ZR-III“ führte noch vor dem Ende des Jahres 1924 zum Verkauf der Zeppelin-Patente an die „Goodyear Tire and Rubber Company“, die dazu noch den Beistand deutscher Techniker erhielt. 1928 wurde die Firma in die „Goodyear Zeppelin Corporation“ verwandelt, die zwei Luftschiffe für die amerikanische „Navy“ baute. Die deutsche Firma Maybach lieferte die Motoren.

Der bald darauf eingeführte regelmäßige Zeppelinverkehr zwischen Deutschland und den Vereinigten Staaten – 65 Flugstunden hin, 52 zurück – nahm ein jähes Ende, als am 6. Mai 1937 das Luftschiff „Hindenburg“ bei der Landung in Akron (Ohio) Feuer fing und in wenigen Minuten verbrannte. 36 Menschen kamen dabei ums Leben. Die wahrscheinliche Ursache der Katastrophe war ein Blitzschlag; es bestand jedoch ebenfalls der Verdacht, daß es sich um einen Sabotageakt handeln könnte.

Damit geriet das Unglück ins Feld der politischen Beziehungen zwischen den Vereinigten Staaten und dem Dritten Reich, die sich nach 1933 sehr verschlechtert hatten. Trotz der Machtübernahme durch Hitler hatte sich der amerikanische Präsident Roosevelt während seiner ersten Amtszeit persönlich nicht besonders um die Außenpolitik gekümmert. Er war vor allem bemüht, die große Wirtschaftskrise in Amerika selbst, durch das System des „New Deal“ zu meistern. Die politischen Emigranten aus dem

built two airships for the American Navy. The German Maybach Company supplied the engines.

The regularly-scheduled zeppelin flights which were begun soon afterwards between Germany and the United States – 65 flying hours there, 52 back – came to an abrupt end when, on May 6, 1937, the airship "Hindenburg" caught on fire while landing in Akron, Ohio, and burned up in a few minutes. Thirty-six people lost their lives. The catastrophe was probably caused by a stroke of lightning; there was, however, some suspicion that an act of sabotage might have been involved.

This accident thus became drawn into political relations between the United States and the Third Reich, which had deteriorated after 1933. Despite Hitler's rise to power, the American president, Roosevelt, had not concerned himself personally with foreign policy during his first period in office. He was involved in getting the great economic crisis in America itself under control through the "New Deal". The political emigrants from the Reich, who had escaped to the United States after 1933, also played only a minor role in the development of American public opinion regarding the rising dictatorships in Europe. The writers and actors were in a linguistic ghetto for a long time. Only in the fields of science, architecture, and film (where linguistic elements are less important than figures, designs, and pictures) did the refugees have a greater influence. Einstein, Mies van der Rohe, and Fritz Lang were more significant in relation to public opinion in the USA than, for example, Thomas Mann.

It was the military events in the Old World which forced Roosevelt to take a more active policy of neutrality toward the end of his first term in office. The Japanese conquests in China (1931), the attempted National Socialist putsch in Austria (1934), and the Italian invasion of Ethiopia drew attention to the impending conflict between the Western Eu ropean democracies and the expansionist dictatorships. Although the sympathies of the Americans leaned toward the Western camp, especially in view of their great democratic tradition, Roosevelt attempted, through a series of laws, to avoid any warlike involvements on the part of his country outside of the American continent, especially before his re-election in 1936. This had to do with the fact

Reich, die sich ab 1933 in die Vereinigten Staaten absetzten, spielten ebenfalls nur eine geringe Rolle in der Entwicklung der amerikanischen öffentlichen Meinung gegenüber den aufsteigenden Diktaturen in Europa. Die Schriftsteller und Schauspieler blieben lange in einem sprachlichen Getto, nur in der Wissenschaft, Architektur und im Film (in denen sprachliche Elemente weniger wichtig sind als Ziffern, Pläne und Bilder) übten die Flüchtlinge einen tieferen Einfluß aus. Einstein, Mies van der Rohe und Fritz Lang bedeuteten bei der Meinungsbildung in den USA viel mehr als zum Beispiel Thomas Mann.

Es waren die militärischen Ereignisse in der Alten Welt, die Roosevelt am Ende seiner ersten Amtszeit zu einer aktiveren Neutralitätspolitik zwangen. Die japanischen Eroberungen in China (1931), der nationalsozialistische Putschversuch in Österreich (1934), der italienische Einfall in Äthiopien wiesen auf den sich anbahnenden Konflikt zwischen den westeuropäischen Demokratien und den expansionistischen Diktaturen hin. Obwohl aus der großen demokratischen Tradition heraus die Sympathien der Amerikaner zum westlichen Lager neigten, versuchte Roosevelt, vor allem nach seiner Wiederwahl 1936, durch eine Reihe von Gesetzen jeder kriegerischen Verwicklung seines Landes außerhalb des amerikanischen Kontinents zu entgehen. Schon deshalb, weil die isolationistische Strömung in den Vereinigten Staaten in den dreißiger Jahren besonders stark war – und, wie wir heute wissen, von den nationalsozialistischen Machthabern gefördert wurde.

Im Rahmen dieser Neutralitätsdebatte löste das Ende der „Hindenburg“ plötzlich eine rege Diskussion über die Ausfuhr des nicht brennbaren Leichtgases Helium aus. Die Vereinigten Staaten waren das einzige Land, in dem Helium in kommerziellen Mengen gewonnen wurde (vor allem aus den Heliumquellen von Louisville in Kentucky). Im September 1937 verabschiedete der amerikanische Kongreß den sogenannten „Helium act“, der die Ausfuhr des Gases von einer Lizenz abhängig machte. Sie konnte nur mit Zustimmung des nationalen Munitions-Kontrollamtes und des Innenministeriums vergeben werden. Die Amerikaner hatten richtig vorausgesehen, daß Wasserstoff nach der „Hindenburg“-Katastrophe als Hubgas für die Luftschiffahrt

that the isolationist tendence in the United States in the thirties was particularly strong – and, as we now know – encouraged by the National Socialist rulers.

In view of this debate about neutrality, the end of the “Hindenburg” suddenly triggered a lively discussion about the export of the nonflammable light-gas helium. The United States was the only country in which helium could be produced in commercial amounts (especially from the helium sources in Louisville, Kentucky). In 1937, the American Congress passed the so-called “Helium Act”, which made the exportation of the gas subject to licensing. It could only be granted with the approval of the National Munitions Control Office and the Department of the Interior. The Americans had correctly predicted that, following the “Hindenburg” catastrophe, hydrogen would no longer be used to lift the airships. In the meanwhile, construction had begun in Friedrichshafen on an airship intended to be used with helium. In September, the new “LZ-130” (still filled with hydrogen) made its first test flights. Parallel to the progress in construction work, the “American Zeppelin Transport Inc.” made steps in Washington to purchase 10 million cubic feet of helium for its parent company, the “Deutsche Zeppelinreederei”. The application was vetoed by the American Department of the Interior, and Roosevelt refused to overrule this veto. And so the “LZ-130” had to be content with a few demonstration flights, because, without helium, no customers could be found for regular passenger service. A role was probably also played by the fact that, beginning in 1935, Pan American had established transatlantic air service with four-motor seaplanes over the Azores route.

The interchange of technical progress between the United States and Germany thus did not always run without serious conflicts and incidents.

It all began with the emigrants!

The German-American shipping traffic across the Atlantic had also passed its peak at that time. The Second World War meant the end of the big passenger liners. For almost one hundred years the Trans-Atlantic “package trip”, as it was known as at the time, was the most important physical bond between Germany and the United States, whereby the American shipping trade played a relatively unimportant

ausgespielt hatte. Inzwischen war in Friedrichshafen mit dem Bau eines auf Helium berechneten Luftschiffes begonnen worden. Im September machte die neue „LZ-130“ (noch mit Wasserstoff gefüllt) die ersten Versuchsflüge. Parallel zum Fortschritt der Bauarbeiten unternahm die „American Zeppelin Transport Inc.“ für ihre Muttergesellschaft, die „Deutsche Zeppelinreederei“ in Washington Schritte zum Ankauf von 10 Millionen Kubikfuß Helium. Der Antrag stieß auf das Veto des amerikanischen Innenministeriums und Roosevelt weigerte sich, dieses Veto aufzuheben. So mußte sich die „LZ-130“ mit einigen Schauflügen begnügen, da ohne Heliumfüllung für den regelmäßigen Passagierverkehr keine Kunden mehr zu finden waren. Wahrscheinlich spielte auch die Tatsache mit, daß die „Panamerican“ seit 1935 einen transatlantischen Flugdienst über die Azoren-Route mit viermotorigen Flugbooten organisiert hatte.

Der Austausch technischer Fortschritte zwischen den Vereinigten Staaten und Deutschland verlief also nicht immer ohne ernste Konflikte und Zwischenfälle.

Mit den Auswanderern fing es an!

Auch der deutsch-amerikanische Schiffsverkehr über den Atlantik hatte damals schon seinen Höhepunkt überschritten. Der Zweite Weltkrieg bedeutete das Ende der großen Passagierschiffe. Aber fast hundert Jahre lang war die Transatlantik-„Packetfahrt“, wie es damals hieß, das wichtigste materielle Band zwischen Deutschland und den Vereinigten Staaten. Dabei spielten die amerikanischen Reedereien eine relativ unwesentliche Rolle. Nachdem in Deutschland, im Anschluß an die Napoleonischen Kriege, die große Auswanderungswelle eingesetzt hatte, entwikkelte sich hier ein unerschöpflicher „Passagiermarkt“, der in den Staaten völlig fehlte. Zudem waren die amerikanischen Schiffahrts-Gesellschaften seit 1838 in einen unerbittlichen Wettbewerb mit der von dem Kanadier Samuel Cunard gegründeten britischen „Royal Mail Line“ verwickelt, so daß Deutschland von ihnen vernachlässigt wurde. So konnten sich vor allem deutsche Reedereien auf der Grundlage des stürmischen Auswanderungsbooms voll entwikkeln. Zwei unter ihnen wurden weltberühmt: die „Hapag“ in Hamburg und der „Norddeutsche Lloyd“ in Bremen.

Am 15. Oktober 1848 stach der bescheidene Segler „Deutschland“ von Hamburg aus in See und eröffnete da-

Schiffsgelegenheit für Passagiere und Auswanderer.

Von Hamburg nach New-York

segeln die der Hamburg-Amerikanischen Packetfahrt-Actien-Gesellschaft gehörigen, für die Passagierfahrt eigens neu erbauten, mit hohem geräumigen Zwischendeck versehenen Packetschiffe:
am 5. October d. J. der gekupferte neue Dreimaster »Deutschland«, Capt. Hancker,
am 15. October d. J. der gekupferte neue Dreimaster »Nord-America«, Capt. Rathje,
am 10. November d. J. der gekupferte neue Dreimaster »Rhein«, Capt. Ehlers.
Dieselben gehen an den bestimmten Tagen unfehlbar von Hamburg ab und werden nöthigenfalls durch Dampfboote nach See bugsirt. Nähere Nachricht wegen Passage und Fracht ertheilt von 4 — 6 Uhr
Th. Grosser,
Berlin, Königsstrasse No. 39. 1ste Etage.

Werbeplakat der „Hamburg-Amerikanischen-Packetfahrt-Actien-Gesellschaft“ (Hapag) aus dem Jahr 1848/49

An advertising poster of the “Hamburg-American Cargo Company Ltd. (Hapag) 1848/49

part. With the onset of mass emigration, which followed the end of the Napoleonic wars in Germany, an absolutely inexhaustible “passenger market” developed here which was completely lacking in the USA. In addition to this since 1838 the American shipping companies were engaged in merciless competition with the “Royal Mail Line” founded by the Canadian Samuel Cunard so that Germany was ignored. Thus, primarily German shipping companies could fully develop themselves based on the stormy emigration boom. Two of these companies became world-famous: the “HAPAG” in Hamburg and the “Norddeutsche Lloyd” in Bremen.

n October 15th, 1848, the modest sail boat “Deutschland” left the port of Hamburg thus opening the line traffic of HAPAG with New York. On board were 20 “cabin travellers” and about 200 less affluent passengers between decks. In bad weather they huddled in darkness amongst their personal belongings, eat sparingly and waited patiently until the wind drove the ship ashore in the pro-

Zwei der „Packet-Segler“:
links die „Deutschland“, rechts die „Nord-Amerika“

Two of the “Cargo sailing ships”:
left: the Deutschland, right: the North America

mit den Linienverkehr der Hapag mit New York. An Bord befanden sich 20 „Kajütreisende“ und etwa 200 minder begüterte Zwischendeck-Passagiere. Diese saßen – bei schlechtem Wetter meist im Dunkeln – unter ihren Habseligkeiten, ernährten sich spärlich und warteten geduldig, bis der Wind das Schiff nach mehr als 20 Tagen ins gelobte Land trieb. Dennoch konnte die Hapag den Aktionären in einem

mised land after more than 20 days at sea. However, Hapag could soon inform their shareholders that each passenger has a bed on board – a real luxury indeed! Cabin travellers even had the use of a smoking salon, a small ladies room, and they were also allowed to use the only bath the ship possessed.

Mit der „Bremen“ beginnt die Geschichte der Bremer Dampf-Passagier-Schiffahrt

The history of the Bremen passenger steam ship line begins ste[illegible] ship “Bremen“

Bericht bald mitteilen, daß jeder Fahrgast an Bord über ein Bett verfüge. Ein wahrer Luxus! Kajütreisende hatten sogar Anrecht auf einen Rauchsalon, ein kleines Damenzimmer und durften die einzige Badewanne an Bord benutzen.

Fast zehn Jahre später begann auch der Bremer „Lloyd“ seinen Linienverkehr nach New York, diesmal schon mit einem Dampfer, der „Bremen“. Auch wenn die Maschinenstärke dieser neuen Schiffe zunächst bescheiden blieb – 700 PS für die „Bremen“ – so wurden die Verbindungen damit viel regelmäßiger und die Fahrt weitgehend von Wind und Wellen unabhängig, was eine beträchtliche Erhöhung des Komfortes bedeutete. In den Prospekten der

Almost ten years later Lloyd of Bremen also commenced its traffic route to New York – this time with the steamship “Bremen”. Even though the engines of these new ships remained quite modest at first, namely some 700 horse power for the “Bremen”, the connections became much more regular and the trip depended far less on the whims of the wind and the waves, which meant a considerable increase in the degree of comfort. The brochures published by the shipping companies stated that the cabins “are the epitome of luxury and the cuisine is superb”, whereas “the spacious and airy intermediate deck had facilities which catered for every

Reedereien heißt es, die Kajüten „seien mit den besten Bequemlichkeiten und feinem Geschmack eingerichtet“, während „das geräumige und luftige Zwischendeck allen Rücksichten der Gesundheit entspreche und über 401 Passagiere aufnehmen könne.“

Der Wettlauf zwischen der Hapag und dem „Lloyd“ brachte stets modernere und bequemere Schiffe in den Verkehr, wobei beide Unternehmen zudem gute Geschäfte machten. Besser als lange Beschreibungen können die Plakate und Photographien jener Zeiten den raschen Fortschritt verdeutlichen. Mit zügigen Reklameformeln, wie „Schnelldampfer“, „Vierschornsteiner“, „Blitzzug des Ozeans“, wurde auch das breite Publikum an der Entwicklung interessiert, und die Namen der Schiffe erregten patriotische Begeisterung für ihre Leistungen. So nannte der Bremer Lloyd seinen 1897 vom Stapel gelassenen Prunkdampfer „Kaiser Wilhelm der Große“. Die Bewohner an der Unterelbe

health aspect and, in addition, could accomodate over 401 passengers“.

The competition between “Hapag” and “Lloyd” resulted in increasingly modern and more comfortable ships, whereby both companies also made good profits. The placads and photographs can much more adequately portray the rapid progress of these times than long descriptions can. Snappy advertising slogans such as “fast steamer”, “four smoke stacks”, “ocean express” awakened the interest of the masses in the development and the names given to the ships gave birth to patriotic enthusiasm for their performances.

Thus Bremen Lloyd named its show piece “Kaiser Wilhelm der Große”. Those living along the reaches of the lower Elbe simply called it “dicken Wilhelm” (fat Willi). In 1894, in order to attract American passengers Hapag also purchased the ship which was the largest ship in the world at

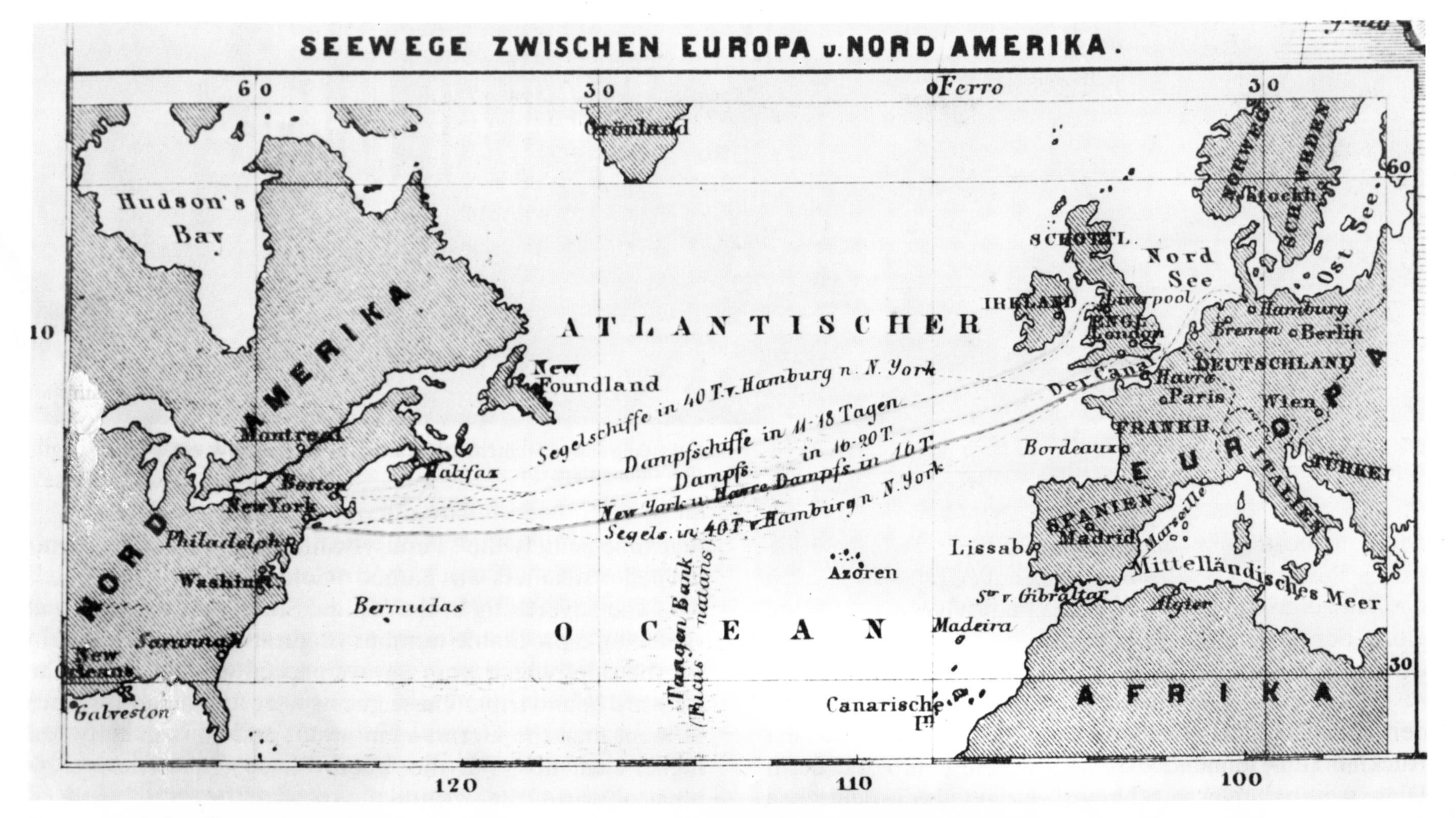

Seewege zwischen Europa und Nordamerika 1854

Sea lanes between Europe and North America – 1854

19. Jahrhunderts, als Hunderttausende von deutschen Auswanderern ins Land strömten; 1860 waren fast 7 % aller in Nordamerika erscheinenden Zeitungen deutschsprachig. Das wichtigste dieser Blätter war die angesehene „New Yorker Staatszeitung"; sie wurde 1834 von Jacob Uhl gegründet und zwei spätere deutsche Chefredakteure, Oswald Ottendorfer und Herman(n) Ridder hielten lange das Prestige der Zeitung auch unter Nichtdeutschen aufrecht. Noch 1914 war etwa ein Drittel der 140 fremdsprachigen Tageszeitungen in Nordamerika deutsch. Zwei Weltkriege trugen wesentlich dazu bei, die typische Anpassungsfreudigkeit der Deutschamerikaner zu fördern, und bedingten damit den raschen Rückgang der deutschsprachigen Presse. Die Entwicklung des Flugverkehrs ihrerseits führte zur Aufweichung örtlicher und regionaler Kulturkerne deutscher Sprache. Damit begann das große Zeitungssterben der deutschsprachigen Presse, die heute bis auf ganz wenige Ausnahmen verschwunden ist.

Selbst in den besten Jahren hatten diese Zeitungen keinen fühlbaren Einfluß auf den Stil des englischsprachigen Journalismus der Staaten ausgeübt. Dagegen hat der amerikanische Journalismus in der deutschen Presse deutliche Spuren hinterlassen. Zunächst in der Aufmachung und Betitelung der Zeitungen. Der amerikanische „yellow journalism" mit seinen riesigen Schlagzeilen, oft in schreiendem Rot gedruckt, mit seiner Überfülle an Bildern und seiner Vorliebe für das Sensationelle hat – 80 Jahre nach seiner ersten Blütezeit – auch heute noch Nachfolger unter den großen deutschen Tageszeitungen, deren Titel hier nicht erwähnt zu werden brauchen.

Die Reaktion gegen die Oberflächlichkeit und Unzuverlässigkeit dieser Sensationspresse wurde in Amerika weitgehend von einem Zeitungsmagnaten deutsch-jüdischen Ursprungs ausgelöst. Adolph Simon Ochs, dessen Eltern aus Bayern eingewandert waren, hatte im typisch amerikanischen Stil von der Pike auf gedient. Als Zehnjähriger war er Zeitungsträger, dann Laufbursche in der Druckerei des „Knoxville Chronicle" in Tennessee, Setzer im „Louisville Courier Journal" in Kentucky und Mitgründer des „Chattanooga Dispatch", wiederum in Tennessee. Im Alter von 20 Jahren kaufte er mit 250 geliehenen Dollar die bankrotte

man(n) Ridder maintained the prestige of the newspaper for a long time, even among non-Germans. In 1914, about one-third of the 140 daily foreign language newspapers in North America were still German. Two world wars played a considerable part in encouraging the typical German-American ability to assimilate and thus also brought about the rapid decline in the German-language press. The development of air travel also led to the gradual disappearance of local and regional German-language cultural centers. The German-language publications then began to die out quickly. Today, except for a very few exceptions, they have all disappeared.

Even in their best years, these newspapers did not exert any noticeable influence on the style of English-language journalism in the States. American journalism, on the other hand, has left clear traces on the German press. First of all, in the presentation and headlines of the newspapers. American "yellow journalism", with its banner headlines, often printed in glaring red, and a superabundance of pictures and a preference for the sensational, still has – 80 years after its heyday – emulators among the large German daily newspapers, whose titles do not need to be mentioned here.

The reaction against the superficiality and unreliability of this "sensation press" in America was to a great extent triggered by a newspaper magnate of German-Jewish descent, Adolph Simon Ochs, whose parents had emigrated from Bavaria, had started from the bottom, in typical American fashion. At ten years of age, he delivered newspapers, then became an errand boy in the pressroom of the "Knoxville Chronicle" in Tennessee, typesetter at the "Louisville Courier Journal" in Kentucky, and one of the founders of the "Chattanooga Dispatch", again in Tennessee. At the age of 20, he borrowed 250 dollars and bought the bankrupt "Chattanooga Times". Eighteen years later, he could afford to buy up another deathly-ill newspaper in New York.

This was the "New York Times", which Ochs had returned to a healthy financial basis in a few months. He liked to describe himself as a serious and reliable journalist, who wanted to impart "all the news that's fit to print", and thereby also proved that responsible journalism could attract an audience in the American metropolis: The "New

„Chattanooga Times“. Achtzehn Jahre später konnte er es sich leisten, eine andere todkranke Zeitung in New York aufzukaufen. Dies war die „New York Times“, die Ochs in wenigen Monaten wieder auf eine gesunde finanzielle Basis stellte. Er bezeichnete sich gerne als ein seriöser und zuverlässiger Journalist, der „all the news that's fit to print“ vermitteln wollte, und bewies damit, daß auch ein verantwortungsbewußter Journalismus in der amerikanischen Metropole ein Publikum finden konnte: Die „New York Times“ wurde unter Ochs die bekannteste und angesehenste Tageszeitung der Vereinigten Staaten.

Dagegen hat der amerikanische Journalismus einen besonderen Beitrag zur deutschen Zeitungsliteratur geliefert, da er als erster die Kurzgeschichte, die Skizze – kurz: das moderne Feuilleton „unter dem Strich“ erfand. Als „Vater“ dieses neuen Genres gilt der 1783 in New York geborene Washington Irving, der witzige Satiren und Reisegeschichten schrieb (darunter unter dem Titel „Tales of a Traveller“ eine Sammlung von Skizzen, für die ein mehrmonatiger Aufenthalt in Dresden den Stoff geliefert hatte). Das Buch hatte jedoch wenig Erfolg.

Wenige Jahre später entwickelte der aristokratische Edgar Allan Poe in verschiedenen amerikanischen Zeitschriften die psychologisch untermauerte Gruselgeschichte. O. Henry und Mark Twain folgten mit ihren humorvollen „short stories“ aus dem Wilden Westen und New York.

Damit hebt sich das amerikanische Feuilleton deutlich von der französischen Urform ab, die vor allem die literarische Kritik pflegte. Bei den Amerikanern geht es stets um ein außergewöhnliches „Ereignis“, das in wenigen Seiten oder Spalten zu einem überraschenden Schluß geführt wird. Lokalkolorit, Humor, Grauen und Spuk sind dabei wesentliche Ingredienzen, um den gewünschten Effekt zu erzielen. Der deutsche Journalismus führte in den zwanziger Jahren, vor allem in Berlin, diese literarische Form auf einen neuen Höhepunkt. Hier wurde der meist gutmütige amerikanische Humor oft zur beißenden Satire oder zum angriffslustigen Sarkasmus entwickelt. Auch heute noch kann man die aus dieser Zeit stammenden Beiträge von Walter Kiaulehn oder Kurt Tucholsky mit Genuß lesen. Was sie im Einzelnen in ihrem künstlerischen Schaffen dem Beispiel der amerikanischen „Vorfahren“ zu verdanken haben, darüber haben sich die deutschen Feuilletonisten nicht ausgelassen – die Erbschaft jedoch ist unverkennbar.

York Times" became, under Ochs, the best-known and most respected daily newspaper in the United States.

American journalism also contributed a great deal to German journalistic literature. It was the first to print short stories, sketches – in short: it invented the modern feuilleton. The "father" of this new genre was Washington Irving, born in 1783 in New York, who wrote witty satires and travel accounts. (Among them, under the title "Tales of a Traveller", was a collection of sketches based on material gathered during a stay of many months in Dresden. The book was not very successful, however.)

A few years later, the aristocratic Edgar Allan Poe developed the psychologically-based tale of horror in various American newspapers. O. Henry and Mark Twain followed with their humorous "short stories" from the Wild West and New York.

The American feuilleton thus clearly differs from the original French form, which especially cultivated literary criticism. With the Americans, an unusual "event" was always involved, one which was brought to a surprise ending in a few pages or columns. Local color, humor, horror, and spookiness are main ingredients in achieving the desired effect. German journalism in the twenties, especially in Berlin, brought this literary form to new heights. Here, the basically goodnatured American humor was often developed into biting satire or aggressive sarcasm. Even today, it is still a pleasure to read contributions by Walter Kiaulehn or Kurt Tucholsky which date from that period. The German feuilletonists have not written about what each of them owes to the example of their American "ancestors" in their artistic work – but the legacy is unmistakable.

In the "lofty" areas of belles lettres, American poets have also exerted a significant influence on German literature. Important here were the democratic traits which already appeared in the work of James Fenimore Cooper, but especially in the poems of Walt Whitman.

This American lyric poet became the great hero of German intellectuals at the end of the 19th century. His ideal of the rough, nationalistic and democratic individual was completely different from the image of the patriot during the era of Emperor William II, who had to stand the test of military obedience, indeed submission. It was no

In den „gehobenen" Fächern der Belletristik haben amerikanische Dichter ebenfalls einen nicht unbedeutenden Einfluß auf die deutsche Literatur ausgeübt, nicht zuletzt wegen der demokratischen Grundzüge, die schon bei Fenimore Cooper auftreten, vor allem aber in den Gedichten von Walt Whitman.
Der amerikanische Lyriker wurde am Ende des 19. Jahrhunderts zum großen Vorbild der deutschen Intelligenz erhoben. Sein Ideal des rauhen, nationalistischen und demokratischen Individualisten war so grundverschieden vom Bild des wilhelminischen Patrioten, der sich in militärischem Gehorsam, ja in der Unterwürfigkeit bewähren mußte. Es war kein Zufall, daß Whitman von dem demokratischen Dichter und Rebellen Freiligrath in Deutschland eingeführt wurde. Freiligrath lebte damals (1868) im Londoner Exil, wo er als Leiter der Filiale einer Schweizer Bank angestellt war, ein sonderbarer Beruf für einen Weggenossen von Karl Marx, der eine Zeitlang mit ihm die „Neue Rheinische Zeitung" herausgegeben hatte.

Es ist also nicht so (wie man es heute oft schematisierend darstellt), daß im Austausch zwischen Deutschland und den Vereinigten Staaten die letzteren sich beim „Geben" auf die materiellen Zivilisationsprodukte beschränkt hätten, während Deutschland die geistigen Kulturgüter lieferte. Daß die Beziehungen in Wirklichkeit um einiges vielfältiger und reicher, aber auch ausgeglichener sind, dazu können die anekdotenhaften Begebenheiten, die hier erwähnt werden, einige Beispiele liefern. Das ist der Sinn dieser kurzen Einblicke in das schillernde Kaleidoskop aus drei Jahrhunderten deutsch-amerikanischer Beziehungen, das uns auch heute noch stets neue und überraschende Facetten bieten kann.

accident that Whitman was introduced in Germany by the democratic poet and rebel, Freiligrath. Freiligrath lived at the time (1868) in exile in London, where he was employed as the manager of the branch of a Swiss bank, an odd profession for someone who was a road companion of Karl Marx and had co-edited the "Neue Rheinische Zeitung" with him for a while.

And so it is not true (as is often schematically repre sented today) that, in the exchange between Germany and the United States, the latter has been limited to "giving" the material products of civilization, whereas Germany has supplied the intellectual and cultural wealth. The anecdotal incidents that have been mentioned here may provide some examples of the fact that these relations are in reality not only a great deal richer and more diverse, but also better balanced. This is the purpose of these brief glances into the scintillating kaleidoscope of three centuries of German-American relations, which, even today, can constantly reveal new and surprising facets.

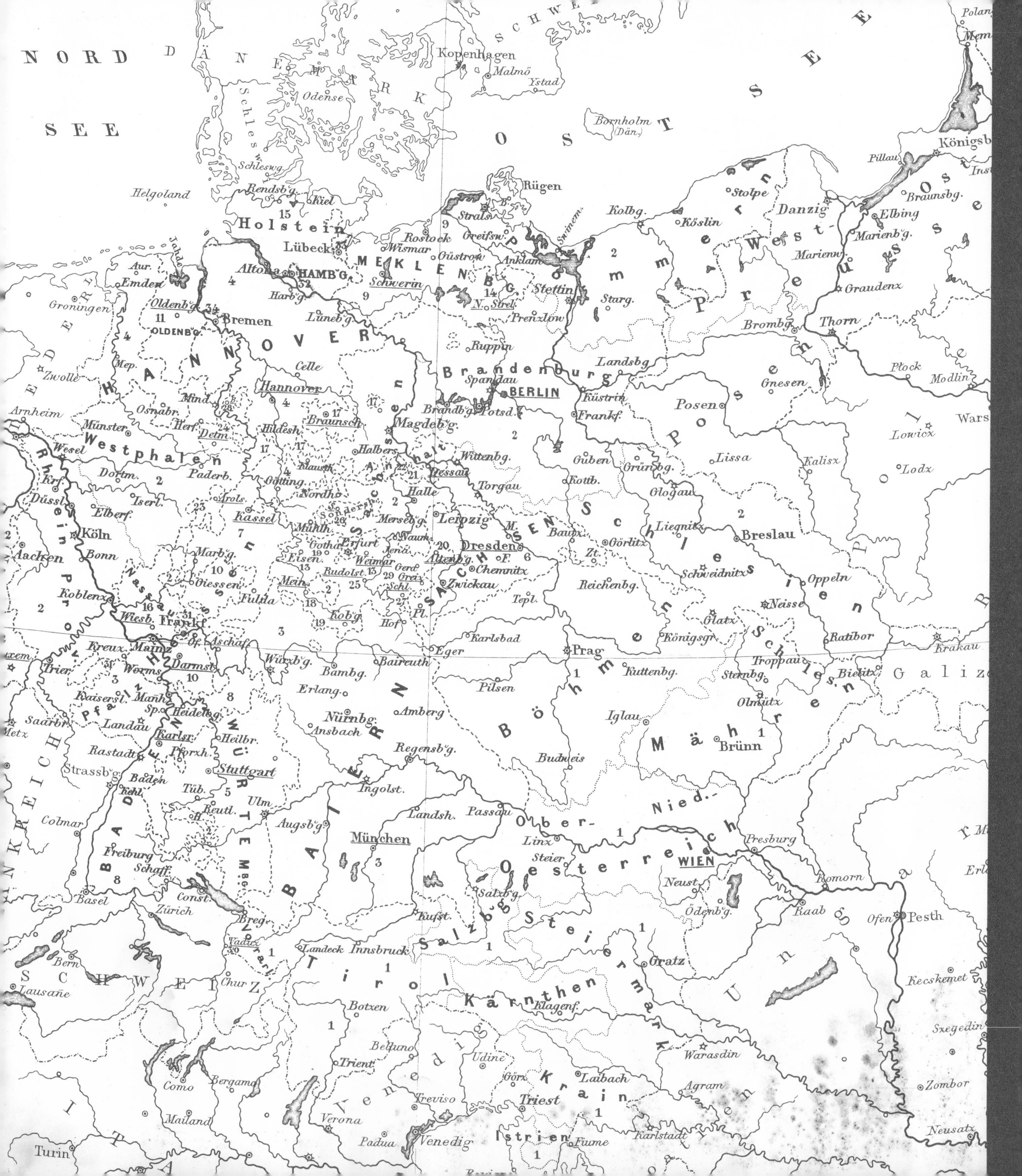

NORD SEE
OSTSEE
DÄNEMARK
Kopenhagen
Malmö
Ystad
Odense
Schleswig
Schleswg.
Bornholm (Dän.)
Helgoland
Rendsb'g.
Kiel
Rügen
Holstein
Lübeck
Stralsund
Rostock
Wismar
Greifsw.
Güstrow
Anklam
Swinem.
Altona
HAMB'G.
MEKLENB'G.
Schwerin
Stettin
Harb'g.
N. Strel.
Starg.
Kolbg.
Köslin
Stolpe
Pommern
Danzig
West-Preussen
Pillau
Königsb
Braunsbg.
Elbing
Marienb'g.
Marienw.
Graudenz
Thorn
Brombg.
Aur.
Emden
Groningen
Oldenb'g.
OLDENB'G.
Bremen
Lüneb'g.
Prenzlow
Ruppin
HANNOVER
Brandenburg
Spandau
BERLIN
Potsd.
Brandb'g.
Landsbg.
Küstrin
Frankf.
Posen
Gnesen
Płock
Modlin
Wars
Lowicz
Zwolle
Mep.
Celle
Hannover
Braunsch.
Magdeb'g.
Arnheim
Münster
Osnabr.
Mind.
Herf.
Detm.
Hildesh.
Halberst.
Anhalt
Dessau
Wittenbg.
Westphalen
Wesel
Dortm.
Paderb.
Götting.
Klausth.
Nordh.
Sondersh.
Halle
Torgau
Guben
Grünbg.
Lissa
Kalisz
Lodz
Kottb.
Glogau
Krf.
Düssl.
Elberf.
Iserl.
Arols.
Kassel
Mühlh.
Merseb'g.
Leipzig
Sachsen
Bautz.
Görlitz
Liegnitz
Breslau
Schlesien
Köln
Bonn
Aachen
Rhein Prov.
Marb'g.
Nassau
Giessen
Fulda
Gotha
Erfurt
Eisen.
Weimar
Jena
Naum.
Altenb'g.
Dresden
Chemnitz
Zwickau
Rudolst.
Gera
Greiz
Schl.
Mein.
Reichenbg.
Zt.
Schweidnitz
Oppeln
Koblenz
Wiesb.
Frankf.
Kob'g.
Hof
Pl.
Tepl.
Glatz
Neisse
Ratibor
Karlsbad
Prag
Königsgr.
Krakau
Luxem
Trier
Kreuz.
Mainz
Worms
Darmst.
Aschaf.
Würzb'g.
Bamb.
Baireuth
Eger
Kuttenbg.
Troppau
Sternbg.
Bielitz
Galiz
Kaiserst.
Pfalz
Mannh.
Heidelbg.
Sp.
Erlang.
Pilsen
Böhmen
Olmütz
Iglau
Mähren
Brünn
Metz
Saarbr.
Landau
Karlsr.
Heilbr.
Pforzh.
Nürnbg.
Ansbach
Amberg
Regensb'g.
Rastadt
Strassb'g.
Baden
Kehl
Stuttgart
Württemberg
Tüb.
Reutl.
Ulm
Ingolst.
Budweis
FRANKREICH
Colmar
Augsb'g.
Landsh.
Passau
Ober-
Nied.-
Linz
Steier
Freiburg
Schaff.
München
BAIERN
Oesterreich
WIEN
Presburg
Komorn
Neust.
Ödenb'g.
Raab
Ofen
Pesth
Basel
Const.
Zürich
Breg.
Vorarl.
Kufst.
Salzb'g.
Steiermark
Vaduz
Landeck
Innsbruck
Tirol
Gratz
Ungarn
Bern
SCHWEIZ
Chur
Lausanne
Kärnthen
Klagenf.
Kecskemet
Botzen
Szegedin
Belluno
Trient
Udine
Görz
Krain
Laibach
Warasdin
Como
Bergamo
Venedig
Agram
Zombor
Treviso
Triest
Mailand
Verona
Kroatien
Padua
Istrien
Fiume
Karlstadt
Neusatz
Turin
ITALIEN